高等院校
新形态
教材系列

# 市场调查与预测

## 第3版

主　编　刘常宝
副主编　肖元婧　王志凯　刘欣
参　编　谢晓冲　王艳华　郑雪吟

# Marketing Research and Forecasting

本书在吸收已有的国内外市场调查与预测研究的最新成果基础上，融合了数字技术背景下数据化和精益性的思想，通过对现有的调查预测理论体系的系统重构，将数字技术同市场调查与预测的现实需求紧密衔接，系统勾勒出现代市场调查与预测的知识架构。书中所精选的案例和引用的相关理论，基本反映了目前国内外市场调查与预测研究的最新水平。本书内容包括市场调查概述、设计调查方案、市场调查方法、调查问卷设计、市场调查技术、调查材料与数据分析、网上市场调查、市场调查报告、市场预测、定量预测、国际市场调查以及市场调查与预测的主要数字技术等。本书内容新颖，条理清晰，体系科学，既注重调查与预测理论知识模型的完整性，又关注市场调查与预测的操作实务和场景应用，同时，用项目化、流程式、任务式实训思维路径培养读者的市场调查与预测的综合能力。

本书既可作为高等院校市场营销、工商管理、物流管理、电子商务等专业本科生的教材，也可作为企业营销人员、管理者、研究人员、营销咨询培训师的培训教材和指导工具书。

## 图书在版编目（CIP）数据

市场调查与预测 / 刘常宝主编. --3 版. -- 北京：机械工业出版社, 2025.9. --（高等院校新形态教材系列）. -- ISBN 978-7-111-79377-9

I. F713.52

中国国家版本馆 CIP 数据核字第 2025BY7002 号

机械工业出版社（北京市百万庄大街 22 号　邮政编码 100037）
策划编辑：伍　曼　　　　　　　　责任编辑：伍　曼　章承林
责任校对：邓冰蓉　马荣华　景　飞　责任印制：邓　博
河北鹏盛贤印刷有限公司印刷
2025 年 11 月第 3 版第 1 次印刷
185mm×260mm・17.25 印张・416 千字
标准书号：ISBN 978-7-111-79377-9
定价：59.00 元

电话服务　　　　　　　　　　网络服务
客服电话：010-88361066　　　机　工　官　网：www.cmpbook.com
　　　　　010-88379833　　　机　工　官　博：weibo.com/cmp1952
　　　　　010-68326294　　　金　书　网：www.golden-book.com
封底无防伪标均为盗版　　　　机工教育服务网：www.cmpedu.com

# 前　言

当前,数字经济的浪潮以前所未有的力量重塑着全球商业格局,市场的瞬息万变让每一个社会组织都面临前所未有的挑战与机遇。包括企业在内的各类组织的市场调查与预测工作内容,早已超越了传统意义上的数据收集与趋势判断,正朝着数字化、智能化、精准化的方向深度转型。在此背景下,《市场调查与预测(第3版)》的修订与出版,既是对时代变革的积极回应,也是对市场研究领域知识体系的一次系统性重构。

本教材在坚守原有知识架构这一坚实基础的前提下,以开放的视野广泛吸纳国内外市场调查与预测领域的最新研究成果与实践模型。未来,数字技术不仅是工具的革新,更是思维方式的重塑——它改变了数据产生的方式、处理的路径以及应用的场景。因此,本教材特别聚焦数字技术对市场调查与预测全流程的渗透与影响,既保持了理论阐述的前瞻性与思辨性,又具备了实践操作的落地性与可操作性,让读者既能洞察数字时代市场研究的底层逻辑,又能掌握解决实际问题的工具箱。

更重要的是,本教材尝试打破数字技术与市场需求之间的壁垒,通过"需求牵引技术、技术反哺需求"的双向逻辑,重构现代市场调查与预测的知识体系。在传统教材中,技术工具往往被视为独立于核心理论的"附加模块",而本教材将数字技术工具与市场调查的全流程需求进行了紧密的衔接:企业可以通过大数据等数字技术工具快速洞察消费者实时偏好,实现对市场需求的精准预测,这些现实场景中的需求变化推动着理论知识的更新完善,最终构建出一套逻辑自洽、层级清晰的现代知识体系。

作为面向高等教育改革的新形态教材,本书深度契合当前高校文科类专业调整与课程体系改革的核心诉求。在高校微专业建设的大背景下,市场调查与预测课程不再是经济学、管理学的"专属领地",而成为新闻传播学、社会学、人工智能等多学科交叉融合的基础工具课。基于这一认知,本教材以"教学与实践深度共生"为核心理念,在内容编排上实现了双重突破:一方面,系统梳理了市场调查与预测的理论根基——从经典的抽样理论、调查问卷设计,到定量分析手段在预测中的应用,确保读者能建立完整的知识框架;另一方面,创新性地引入数据收集、处理与分析等技术作为教学组织工具,将"系统性、严谨性、整体性、合理性"四大原则贯穿于知识体系构建的全过程。

本教材内容的打磨始终围绕"知识底座坚实、案例场景鲜活、实践工具完备"三大目标展开。在理论层面，我们既保留了市场调查方法论中的经典范式（如定量研究中的时间序列预测、因果关系预测），又新增了数字时代特有的研究方法（如数据收集技术、移动调查技术），形成了"传统与现代交融"的理论矩阵。在案例选择上，我们摒弃了抽象化的概念阐释，而是以真实商业场景为蓝本，案例覆盖了不同行业、不同规模组织的需求，调研场景化的设计让读者能沉浸式感受市场研究的实践逻辑。

总之，本教材的价值不仅在于提供一套完整的知识体系，更在于培养一种"数字时代的市场洞察力"。初学者可以借助清晰的知识体系快速掌握核心概念与工具操作；进阶者能够通过案例解析理解复杂场景下的方法论选择；研究者则可从理论演进与技术融合的论述中获得学术启发。

本教材由河北传媒学院刘常宝任主编，负责对全书进行构思、统稿、总撰、修改、定稿。全书共分 12 章，第 1 章～第 4 章由刘常宝编写，第 5 章～第 6 章由广州现代信息工程职业技术学院肖元婧编写，第 7 章～第 8 章由辽宁师范大学海华学院王志凯编写，第 9 章～第 10 章由枣庄应用技术职业学院刘欣编写，第 11 章由广州科技职业技术大学谢晓冲、王艳华编写，第 12 章由广东技术师范大学智能终端产业研究院郑雪吟编写。

在数字经济的浪潮中，市场调查与预测不再是少数专家的"秘术"，而是每一个组织生存与发展的"基本功"。我们期待，本教材能够成为读者手中的"导航仪"——既指引大家穿越纷繁复杂的市场数据迷雾，也帮助大家在数字时代的商业版图中找到精准的坐标。由于编者水平有限，教材中难免存在疏漏与不足，恳请学界同仁与广大读者不吝赐教。

刘常宝

# 教学建议

在教学中，本课程应着眼于市场调查与预测活动在互联网技术不断发展过程中的实际运用，把握从传统思维构架、现代调查与预测模型到调查与预测活动模拟实战三个环节上的逻辑衔接，在建立调查与预测双驱动结构模式的基础上，对市场调查与预测课程知识进行全面的传授。教学内容主要包括市场调查概述、设计调查方案、市场调查方法、调查问卷设计、市场调查技术、调查材料与数据分析、网上市场调查、市场调查报告、市场预测、定量预测、国际市场调查、市场调查与预测的主要数字技术。在教学过程中力求案例解释角度新颖、体例条理清晰，使调查与预测分析模型具有创新性和实战性。通过学习，读者能够理解市场调查与预测活动的现实意义，并能够在数字技术背景下掌握企业实施调查与预测活动的基本模型、流程与技巧。建议教学课时为54课时，具体参见学时分配表。

## 学时分配表

| 章 号 | 内 容 | 建议课时 |
| --- | --- | --- |
| 第1章 | 市场调查概述 | 4 |
| 第2章 | 设计调查方案 | 6 |
| 第3章 | 市场调查方法 | 4 |
| 第4章 | 调查问卷设计 | 6 |
| 第5章 | 市场调查技术 | 4 |
| 第6章 | 调查材料与数据分析 | 4 |
| 第7章 | 网上市场调查 | 6 |
| 第8章 | 市场调查报告 | 4 |
| 第9章 | 市场预测 | 4 |
| 第10章 | 定量预测 | 4 |
| 第11章 | 国际市场调查 | 4 |
| 第12章 | 市场调查与预测的主要数字技术 | 4 |
| 总计 |  | 54 |

# 目　　录

前　　言
教学建议

## 第 1 章　市场调查概述 / 1

学习目标 / 1
引导案例　网购黄金市场乱象调查：足金"不足"、证书不"真"/ 1
1.1　市场调查的起源与发展 / 2
1.2　市场调查的含义与特征 / 5
1.3　市场调查的作用与意义 / 9
1.4　市场调查的类型 / 10
1.5　市场调查的内容及原则 / 13
1.6　市场调查的功能与机构 / 15
本章小结 / 19
复习思考题 / 19
课堂实训 / 20
课外实训 / 21
案例分析　营养健康产业呈现六大发展趋势 / 21
知识解析 / 22

## 第 2 章　设计调查方案 / 23

学习目标 / 23

引导案例　万象更新人潮涌：各地文旅市场回暖复苏调查 / 23

2.1　市场调查方案概述 / 24

2.2　市场调查总体方案设计 / 25

2.3　调查方案的可行性研究 / 29

2.4　市场调查质量控制 / 30

2.5　市场调查方案设计分析 / 35

本章小结 / 37

复习思考题 / 37

课堂实训 / 38

课外实训 / 38

案例分析　2024—2030 年中国医药市场深度调查研究及发展趋势分析报告 / 39

知识解析 / 39

## 第 3 章　市场调查方法 / 40

学习目标 / 40

引导案例　济南消费者回归理性 / 40

3.1　文案调查法 / 41

3.2　询问调查法 / 42

3.3　邮寄调查法 / 45

3.4　留置问卷调查法 / 47

3.5　网上调查法 / 47

3.6　观察调查法 / 49

3.7　实验调查法 / 51

本章小结 / 56

复习思考题 / 56

课堂实训 / 57

案例分析　案例 1：培养家具设计师的市场调查与分析能力 / 57
　　　　　　案例 2：北京市城乡居民垃圾分类意识及现状调查 / 58

知识解析 / 59

# 第 4 章 调查问卷设计 / 60

学习目标 / 60

引导案例　2024 年中国经济研判问卷调查出炉 / 60

4.1　调查问卷设计的基本概念 / 62

4.2　调查问卷设计的原则和程序 / 65

4.3　调查问卷问题设计的类型和要求 / 67

4.4　调查问卷的要素配置 / 72

4.5　调查问卷的度量标准 / 74

4.6　调查问卷的排版、装订 / 81

本章小结 / 82

复习思考题 / 82

课堂实训 / 83

课外实训 / 83

案例分析　中国新茶饮行业调研 / 85

知识解析 / 86

# 第 5 章 市场调查技术 / 87

学习目标 / 87

引导案例　运用数字技术推进深度调研 / 87

5.1　大数据与全面调查 / 88

5.2　抽样调查 / 94

5.3　随机抽样 / 97

5.4　非随机抽样 / 104

本章小结 / 107

复习思考题 / 108

课堂实训 / 109

课外实训 / 109

案例分析　上汽集团 2024 年积极配合欧盟反补贴调查 / 109

知识解析 / 110

## 第6章 调查材料与数据分析 / 111

学习目标 / 111

引导案例 美国就业数据严重失真 / 111

6.1 调查材料处理概述 / 112

6.2 数据处理的基本概念 / 118

6.3 数据处理的基本方法 / 119

6.4 误差处理中的显著性差异分析方法 / 124

6.5 大数据分析 / 128

本章小结 / 133

复习思考题 / 134

课堂实训 / 135

课外实训 / 135

案例分析 全国瘦肉型白条猪肉市场情况统计 / 135

知识解析 / 138

## 第7章 网上市场调查 / 139

学习目标 / 139

引导案例 众言科技SVP详解网络调研多元化应用 / 139

7.1 网上市场调查概述 / 140

7.2 网上市场调查的方法 / 144

7.3 网上市场调查的步骤与策略 / 148

7.4 网上市场信息的收集与渠道 / 152

本章小结 / 156

复习思考题 / 156

课堂实训 / 157

课外实训 / 158

案例分析 "消费者购买家电渠道选择行为偏好问卷调查"结果出炉 / 158

知识解析 / 160

## 第8章 市场调查报告 / 161

学习目标 / 161

引导案例　如何撰写调研报告 / 161

8.1　市场调查报告的概念 / 163

8.2　市场调查报告的价值分析 / 175

本章小结 / 178

复习思考题 / 178

课堂实训 / 179

案例分析　案例1：QB乡农家乐经营调查报告 / 180

　　　　　案例2：毕马威中国重磅发布证券业最新调查报告 / 182

知识解析 / 183

## 第9章　市场预测 / 184

学习目标 / 184

引导案例　功能性饮料市场发展趋势预测 / 184

9.1　市场预测概述 / 185

9.2　产品市场预测 / 187

9.3　服务市场预测 / 190

9.4　定性预测概述 / 195

本章小结 / 203

复习思考题 / 204

课堂实训 / 206

课外实训 / 206

案例分析　更充分释放养老家政服务业就业潜力 / 206

知识解析 / 207

## 第10章　定量预测 / 208

学习目标 / 208

引导案例　泰伯智库发布《全球及中国低空经济全景深度研究报告（2024）》/ 208

10.1　定量预测概述 / 209

10.2　时间序列预测 / 210

10.3　时间序列预测法 / 211

10.4　指数平滑法 / 216

10.5　因果关系预测法 / 220

本章小结 / 224

复习思考题 / 225

课堂实训 / 226

课外实训 / 226

案例分析　时间序列预测类问题下的建模方案探索 / 226

知识解析 / 228

## 第 11 章　国际市场调查 / 229

学习目标 / 229

引导案例　海尔的全球化与本地化战略 / 229

11.1　国际市场调查概述 / 230

11.2　国际市场调查的内容 / 234

11.3　国际市场调查的方法与程序 / 236

11.4　国际市场调查的新思路 / 237

本章小结 / 241

复习思考题 / 241

课堂实训 / 243

课外实训 / 243

案例分析　传音控股在非洲市场的成功 / 243

知识解析 / 244

## 第 12 章　市场调查与预测的主要数字技术 / 245

学习目标 / 245

引导案例　沃尔玛蔬菜数据收集与整合 / 245

12.1　数据收集技术 / 246

12.2　数据处理与分析技术 / 248

12.3　预测技术 / 252

12.4　数字技术与市场调查报告撰写 / 255

12.5　移动调查技术 / 258

12.6　市场调查伦理 / 259

本章小结 / 260

复习思考题 / 260

课堂实训 / 262

案例分析　京东"11·11"购物节引爆消费热潮，详解成功背后的 AI 智慧 / 262

知识解析 / 263

**参考文献 / 264**

# 第1章 市场调查概述

## 学习目标

1. 了解市场调查的概念及特征。
2. 理解市场调查的作用、意义、起源和发展。
3. 熟知市场调查的类型。
4. 熟悉大数据背景下市场调查的特征和要求。
5. 掌握市场调查的基本理论以及在实践中的价值,能够根据调查对象、调查内容以及调查目的确定初步的调查方案。

## 引导案例

### 网购黄金市场乱象调查:足金"不足"、证书不"真"

"足金纯黄金,假一赔十""来薅羊毛,不计成本只为涨粉,不上车就亏了"……网络直播间里,黄金销售一派火热。

随着国际金价攀升,买黄金、"攒金豆"等在消费者中形成热潮。但记者近期调查发现,网购黄金存在不少猫腻。

**投诉增多,网购黄金"套路"多**

中国消费者协会发布的"2023年全国消协组织受理投诉情况分析"表明,2023年黄金珠宝首饰投诉量大幅增加。

记者在黑猫投诉平台上以"黄金"为关键词检索,发现共有3万余条投诉信息,其中不少是关于"网购黄金被骗"。记者调查发现,网购黄金存在多重乱象。

"999足金",实则"掺钨、掺铜"。天津的张女士告诉记者,1月中旬她通过某直播间购买了8颗1g重的"金豆"。"第一次'攒金豆',谨慎起见拿去送检,结果发现并不是商家说的'999足金',里面掺了钨。"张女士说。在黑猫投诉平台上,也有多名消费者表示,自己网购的"999足金"中被检测出掺铜。

"一口价"黄金,计价模式"雾里看花",购买页面难觅"重要信息"。

消费者李欣(化名)说,自己在某平台店铺购买黄金吊坠,页面没有标注"一口价"黄金,也找不到克重信息,买回家发现吊坠工艺普通且仅重0.7g,售价却近900元,比购买时黄金价格翻了1倍多。

李欣认为商家故意隐瞒克重等重要信息，客服却表示，的确没有标明克重和"一口价"，但写了3D硬金工艺就是证明。某网络电商平台商家王祎（化名）告诉记者，不少店铺刻意不标"一口价"等字眼，甚至将"克重"改为"长、宽"等数据，就是为了吸引消费者购买，"不知克重，看着不小，买回家却发现是中空的"。

"大品牌"金饰，钢印"消失"、二维码错误。黄金首饰上的印记是打印或刻印的永久性标识，一般标注着厂家代号、贵金属材料及其纯度。

湖南长沙的消费者徐阳（化名）投诉，自己网购某"知名品牌"金锁，收到后就发现上面完全没有品牌标识和足金字样，商家却回复："金锁这么小，钢印糊了很正常。"随后，他扫描检测证签上的二维码，却屡屡显示"运行时错误"。

记者通过检索还发现，一些商家被投诉的原因集中在"混淆概念"等问题上。如将"真金"解释为"真的金属制品"，与消费者玩起了文字游戏。

**辨别真假难，维权同样难**

不少消费者反映，辨别网购黄金的真假，"难度系数"越来越高。用火烤是大多数消费者最传统的验真方式。但记者调查发现，一些"掺假黄金"很难通过此办法辨别。一名电商客服坦言，有"黄金"拿火烧不变色，但实际上掺了银。

还有一些网购黄金看似出货单、质保单、吊牌齐全，甚至拿到的发票上都是购买当日的市场金价，但却"货不对板""以次充好"。消费者杨女士表示，自己在2023年年底网购的金饰断了之后中间露出银白色，但拿到的"鉴定证书"上却都写着"999足金"。

张女士表示，发现网购黄金造假后，希望商家兑现"假一赔十"等承诺，即便给客服拿出相关证明，却仅能实现退货退款，向网络平台投诉也是不了了之。多位消费者也反映，在电商平台投诉后，平台客服一直拒绝处理，甚至强制让消费者选择"退货退款"。

王祎表示："黄金行业的透明度低、专业门槛高。即便明知商家售假，维权却往往耗时耗力。"

资料来源：齐鲁壹点，《网购黄金市场乱象调查：足金"不足"、证书不"真"》，2024年3月29日。

问题：
1. 网购黄金时，消费者如何准确判断产品的真实纯度，避免购买到掺假的黄金？
2. 网络直播间的黄金销售乱象频发，平台方应如何加强监管，确保消费者权益不受侵害？
3. 对于"一口价"品牌黄金销售模式，商家是否有义务明确标注克重等重要信息，以避免误导消费者？
4. 黄金首饰上的品牌标识和纯度印记对于消费者辨别真假的重要性有多大？商家应如何确保这些信息的准确性和完整性？

## 1.1 市场调查的起源与发展

### 1.1.1 市场调查的起源

市场调查作为一种经商之道和经营手段，是伴随着市场经营活动的产生而出现的，它的历史同营销一样久远。

在企业生产经营的过程中，经营者要想销售自己的产品，向社会提供服务，实现产品或服务的价值，就必须首先了解市场需求的现状和发展趋势。市场调查与预测作为一种有效获取市场信息的方法，在很早以前就已经被人们广泛采用。我国古代的一些著名商人（如春秋时期的范蠡）就非常注意运用市场调查与预测来经营自己的生意。

⊙ **知识链接**

范蠡是我国春秋末期著名的政治家、军事家和经济学家，被后人尊称为"商圣"，是"南阳五圣"之一。他虽出身贫贱，但是博学多才。传说他帮助勾践兴越国、灭吴国，一雪会稽之耻，功成名就之后急流勇退，化姓名为鸱夷子皮。其间他三次经商成巨富，三散家财，自号陶朱公。世人誉之："忠以为国；智以保身；商以致富，成名天下。"后世许多生意人皆供奉他的塑像，尊之为财神。

在古代，粮食市场一直是最大的销售市场。范蠡很好地掌握了粮食收获的规律，根据每年的季节气候来判断产量，因此就在丰收之时大胆收进粮食，也不怕囤积，等到粮食价格上涨的时候就尽量抛售，也不怕没有进货机会。这样一来范蠡不仅财富大涨，也抑制了物价夸张地浮动，使农民不因丰年和灾年受到过多影响。在现在看来，范蠡的一些经营之道、商业理念是很先进的。

"贵出如粪土，贱取如珠玉。"这句话是范蠡经商常用的理论，讲的是当有些货物的价格上涨得很高时，切记要对待它犹如粪土，毫不吝啬地将其卖掉；反之，若价格下跌得多时，要待它如珠宝，大胆地买进。

范蠡很看重物品的价格变动，比如他看见竹子和芦苇很便宜无人购买，便以极低的价格把它们全部买下来，然后制成扫帚或芦苇席等物，再以适当的价格卖给百姓，从中获取利润，这也是范蠡的生财之道。

"夏则资皮，冬则资绨，旱则资舟，水则资车"，意思是商人要有看准商机的双眼，要早于人们的需要准备东西，正如在夏天非常炎热的时候就要准备冬天的商品，在冬天冰雪寒冷时就要准备夏天之物，就算在大旱天时也要准备船只，在发生水灾时要准备车辆。

这就是我们现在所说的防患于未然，商人永远要先掌握商机，要在某个市场出现之前就先预测好，这才是生财之道。

以范蠡经商为代表的我国古代的市场调查与预测活动，在很大程度上是一种个体实践经验的积累，这种预测具有局部性、零散性、随意性和主观性，缺乏系统、科学的理论支撑，其方法也不具有普遍的推广价值。

## 1.1.2 市场调查的发展

市场调查体系是在企业生产经营的实践过程中逐渐形成和完善的，市场调查理论体系也伴随现代科学技术的推进和企业经营理念的创新而发展，市场调查的内涵和外延在不断发生实质性的变化。

**1. 市场调查的萌芽阶段**

该阶段起源于工业革命的初期，由于产品生产效率逐步提高，消费品的买方市场业已形成，企业开始自觉运用市场调查进行产品推广。但是受到科技水平和经营管理能力的限制，市场调查还未发展成为一门专业的学科和独立业务活动模块，也没有形成系统的理论知识，只是积累了一些市场调查和统计分析的经验。在这一阶段，陆续确立了实地调查法、观察法和实验法，也发展了调查表法和抽样理论。

专业的市场调查始于1823年美国人A.C.尼尔森创建的专业市场调查公司，该公司以自己建立的营销信息系统作为市场调查的平台，使得市场调查活动开始成为市场营销活动的重要部分。1919年，美国柯蒂斯出版公司运用市场调查技术，系统地收集、分析各种读者的习惯和偏好，为出版物市场的决策提供依据，此举也可以看作大规模市场调查活动的开端。

**2. 市场调查的成熟阶段**

第二次世界大战之后，军工企业大量转型，产品总量迅速提升，西方国家的买方市场完全形成，市场调查成为企业扩大市场占有率、提高产品销量的重要手段。这一时期的市场调查以座谈会形式的定性市场调研方法为主，这一方法在市场研究中得到广泛应用，同时，营销活动的深入也带动市场调查理论的不断深化。经营决策问题与市场调查问题侧重点对比如表1-1所示。

表1-1 经营决策问题与市场调查问题侧重点对比

| 经营决策问题 | 市场调查问题 |
| --- | --- |
| 是否推出一种新产品 | 消费者对新产品的偏好程度以及购买意向 |
| 是否进军一个新市场 | 新市场的供求状况以及相关的制约因素 |
| 是否改变广告活动 | 新旧广告的效果及对新广告的费用支持 |
| 是否提高产品价格 | 消费者的价格需求弹性、提价对销售量与盈利水平的影响 |

在20世纪30年代末和40年代初，调查样本设计技术取得很大进展，抽样调查方法逐渐兴起。到20世纪50年代之后，调查方法的革新使得市场调查方法应用得更加广泛，有关市场调查的图书陆续出版。越来越多的大学商学院开设了"市场调查"课程，市场调查类教科书也不断更新。在此期间，配额抽样、随机抽样、消费者固定样本调查、问卷调查、访问、统计推断、回归分析、简单相关分析、趋势分析等理论也得到了广泛的应用和发展。

**3. 市场调查的发展阶段**

20世纪50年代以后，以价值观与生活方式为先导的消费者行为研究成为消费者定性与定量研究的重要组成部分，市场调查的理论也开始在适应企业市场战略与策略的背景下不断变化，消费者行为使消费者定性与定量分析成为市场调查的重点。尤其是20世纪50年代后期，随着西方社会商品总量及品种的增加，日益庞大的买方市场使消费者需求的差异逐渐扩大，于是"市场细分"的概念浮出水面，这也是市场调查新的侧重点。

**4. 市场调查的创新阶段**

20世纪60年代后，市场调查进入了一个深入创新的繁荣发展阶段，主要是调查方法的进一步创新，从借助样本的抽样调查逐步过渡到借助信息技术的大数据全面调查，市场调查的广度和精度得到极大的提高。分析方法的发展和计算机技术的应用，以及互联网调查的产生也催生了许多创新的调查模式，出现了网络社区调查、摄像机器调查等新的调查方法。

进入21世纪，伴随经济全球化进程的加快，大数据技术的广泛运用为市场调查突破时空约束提供了极大可能，网络市场调查、全球市场调查应运而生。借助先进的调查手段，企业可以拓展调查的空间范围，而且借助互联网大数据和云计算，通过调查活动可以构建全球信息网，为跨地域市场开拓提供充分的外界条件。

在我国，20世纪80年代末到90年代初出现了一批民营的现代信息咨询与市场调查公司，开始为企业提供规范化、市场化的咨询服务，调查手段逐渐与世界先进水平接轨。从20世纪90年代中期开始，随着我国市场经济的日益发展，国外市场调查与预测公司大量进入我国经济发达地区，从此市场调查与预测行业告别了"点子"时代，进入了专业化创新的发展时期。

目前，全球已经进入数字时代，调查活动日益智能化，可以在现代信息技术、互联网技术以及物联网技术助力赋能下，利用产业链、区块链，帮助企业更好地了解顾客，并与顾客建立牢固的协作共赢关系。

## 1.2 市场调查的含义与特征

### 1.2.1 市场调查的相关概念及其含义

**1. 企业的含义**

企业，"企"表示企图，"业"表示事业，企业顾名思义是企图事业，但专用于商业领域，表示企图冒险从事某项获取利润的事业。企业作为一种组织，是指"应用资本赚取利润的经济组织实体"。由此可知，企业本身就是风险的产物，经营者必须在风险与收益之间寻找平衡点，规避风险，提高利润，这就需要经营者对所面对的市场进行不断的调查与预测。从一般意义上来说，企业是指从事生产、流通和服务等经济活动，为满足社会需要和盈利，实行独立核算，自主经营，自负盈亏，具有法人资格的基本经济单位。企业经营体系基本架构如图1-1所示。企业是市场经济中的经营主体，是由土地、劳动、资本、管理和知识等各种生产要素组成的集合体。

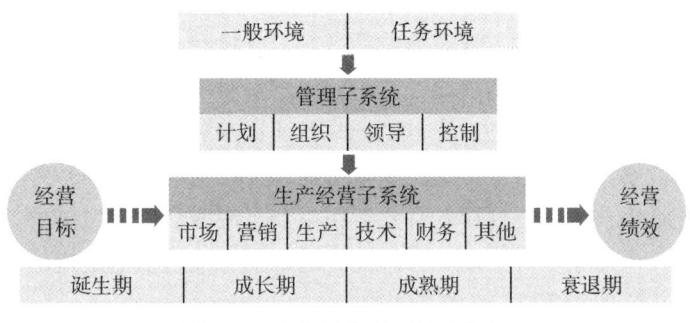

图1-1 企业经营体系基本架构

## 2. 市场的含义

市场是商品经济的产物。市场最初的含义是指买卖双方进行货物或服务交易的地方或场所，是一个空间概念。从现代市场营销学的角度出发，市场是指所有具有特定需要与欲望，并且愿意和能够以交换来满足彼此需要与欲望的潜在顾客的集合，其中包含构成市场的三要素，即人口数量、购买欲望和购买力。这三个要素相互制约、缺一不可，只有将三者结合起来才能构成现实的市场，才能体现市场的规模和容量。

随着商品生产和交换的发展，以及企业盈利模式的变化，市场的含义也发生了变化，现代市场不仅指具体的交易场所，而且指所有买者和卖者实现商品让渡的交换关系的总和，是商品交换关系和供需关系的总和。

## 3. 市场的分类

根据研究与应用的目的不同，人们从不同角度，按照不同标准对市场进行了分类。

（1）按购买主体的不同，市场分为消费者市场与组织市场。

1）消费者市场是指以个人或家庭为购买主体的市场。消费者市场是社会再生产消费环节的具体表现，是经济活动的最终市场，是整体市场最重要的组成部分。它具有广泛性、分散性、复杂性、易变性、替代性、季节性等特点。对消费者市场进行调查与预测是市场分析的基础，也是市场调查的最主要对象。

2）组织市场是指以单位、组织为购买主体的市场。组织市场也是经济活动最终市场的重要组成部分。与消费者市场相比，组织市场具有集中性、频率低、数量大、需求趋同、购买专业等特点。

（2）按购买对象、购买用途的不同，市场分为消费品市场与产业市场。

1）消费品市场是指直接用于满足人们物质文化需要的最终消费的商品与服务所构成的市场。消费品市场在市场体系中属于原生性市场，也属于基础性市场。消费品市场主要由吃、穿、用、住、行等方面的产品和服务组成，其特点是购买者人数众多，每个人都可以是消费品市场上的购买者。这种特点使得消费品市场广阔，设施分散，布局广泛；商品品种繁多、花色多样、规格齐全，具有一定的差异性；商品交易频繁，但每次交易的数量和金额较小；供求关系复杂多变，购买力流动性强；购买者容易受广告宣传、促销活动的影响。

2）产业市场又称生产要素市场，是指由满足生产经营活动需要的物资与服务所构成的市场。产业市场在市场体系中属于派生性市场，即生产经营者对产业货品的需求归根结底是由消费品市场的需求引申出来的。没有消费品市场，就没有产业市场。产业市场主要由生产资料、资本、劳动力、信息等市场组成。其中，生产资料市场是生产资料流通的场所，是提供生产资料以满足生产需要的市场；资本市场是指证券融资和经营一年以上中长期资本借贷的金融市场，包括股票市场、债券市场、基金市场和中长期信贷市场；劳动力市场是指在劳动力管理和就业领域中按照市场规律，自觉运用市场机制调节劳动力供求关系，对劳动力的流动进行合理引导，从而实现对劳动力合理配置的市场；信息市场是指信息商品交换或流通的场所或领域，它是信息商品交换关系的总和。

4. 市场调查的含义

市场调查就是市场调查主体通过对调查对象进行系统识别、信息收集、信息分析、信息分配和信息运用等活动，以此发现市场活动的内在本质，总结出市场活动规律，发现企业生产与营销服务活动中存在的机遇与风险，并提出有效的应对对策，为企业战略的制定提供科学依据。

市场调查是一项理性化的实践活动，是现象收集与理性分析的综合，基于这项活动本身相关的核心要件及其关联，学界和商界从多个角度对其概念做了解释。

美国市场营销协会（AMA）给市场调查下的定义是：市场调查是一种通过特定信息将消费者（顾客、客户和公众）与营销者（生产商、销售商）联系起来的手段。这些信息用于识别和定义营销问题与机遇，制定、完善和评估营销活动，检测营销绩效，改进人们对营销过程的理解。

美国市场营销专家 C.E.克拉克指出，市场调查是"对事实或近乎事实的收集与解释或对事实的估计与推测"，可以把回归分析、抽样技术和定性研究等引入市场研究中。

进入数字时代后出现的数字化市场调查是一种综合运用现代信息技术，以数据为核心，覆盖线上线下全渠道，注重实时监测与预警以及个性化客户体验的市场调查方法。它包括以下几个特征。

（1）技术应用：数字化市场调查广泛融合并深度应用数字化技术，如物联网、大数据、云计算、人工智能等，以提高市场调查的科学性和实效性。数字化市场调查强调用数据说话，通过大数据分析软件进行预测，形成价格走势预测图等，实现精准的市场分析和预测。

（2）效率提升：数字化手段可以节约市场调查的成本，提高时效性，通过远程会议、"云"参观、虚拟现实展示等方式实时获取一手资料。数字化市场调查不仅包括线上，也包括线下数据的高频率采集，通过与各大网商平台对接获取数据，以及线下数据采集，实现地区、年龄等不同层次的全面覆盖。

（3）实时监测与预警：数字化市场调查能够实时监测行业运转情况，预测工业原材料价格走向，及时发出价格波动警报，为政府决策提供支持。同时，数字化市场调查通过全渠道多触点的营销模式，实现精准营销，并利用大数据、人工智能等技术实时感知客户需求，提供个性化的客户体验。

（4）业务流程改造：数字化市场调查推动业务流程的数字化改造，能够提高企业销售供应链的敏捷性，提升运营效率。另外，数字化市场调查不仅是技术采纳问题，还涉及企业整体多维度的调整，需要从业务活动的单点突破到多业务整合打通再到生态互联，实现业务流程重塑、管理架构重组和生态环境重构。

## 1.2.2 市场调查的特征

上述概念是从营销调查的主体、客体、目的等方面对其进行揭示的，但是伴随市场的变化以及现代信息技术的不断更新，市场调查的概念也在内涵和外延方面不断深化与拓展。

市场调查主要有以下特征。

### 1. 系统性

系统性体现出市场调查是一个开放性、结构化、层次性的体系，其中包含体系、过程、活动三大要素。体系包括两个方面，一个是功能，另一个是要素；过程包括计划、执行、检查、纠正（Plan、Do、Check、Action，PDCA）四个方面；活动是系统中最小的元素，也是最关键的因素，市场调查是典型的现代商业系统中的子系统。

### 2. 社会性

市场调查是一项社会性活动，需要动用和整合社会资源来完成，在调查过程中需要包括政府在内的社会各界的共同支持和推动。目前，政府逐渐对市场调查给予高度重视，通过政府的行政方式，实现在更广地域上的社会资源调动和运作，也积累更多的原始文献资料，为企业科学全面地制定发展战略提供政策保障。

### 3. 客观性

企业战略决策的依据是市场调查报告和市场预测报告，但是，对市场调查而言，其工作的宗旨就是要坚持资料来源、分析判断的客观性，以事实为根据，杜绝主观臆断，为市场调查活动奠定坚实客观的基础。

### 4. 目标性

市场调查活动从规划设计到完成验收，整个过程都要有目标导向，调查对象、调查内容、调查目的等问题应该贯彻始终，保证调查活动的效度与信度。

### 5. 科学性

科学的本意就是研究事物的本质和规律，发现事物未来发展的趋势，这也是调查活动的终极目标所在。调查过程要遵循"现象收集—本质揭示—规律发现—趋势判断"的思路，保证调查结果具有科学价值。

### 6. 经济性

无论调查主体如何变化，作为一项商事活动，调查工作不能回避成本问题。如果能够以最小的成本换来更多有价值的信息，这对任何一个调查主体来说都是福音。

### 7. 保密性

信息是企业的无形资产，具有不可估量的价值。调查活动从一开始就与信息打交道，尤其是调查结果是智慧成果，也是知识产权。如何对信息内容保密是调查工作必须考虑的一个重要方面。

### 8. 不确定性

市场唯一的规律就是没有一成不变的运行轨迹，变化是永恒的主题，市场调查想一蹴而就显然与多变的现实相悖。只有把调查活动常态化，才能提高调查活动的实效性和针对性。

## 1.3 市场调查的作用与意义

对社会经济组织而言,市场调查是其实施行动的前提和基础,"没有调查就没有发言权",社会经济组织决策最重要的根据就是市场调查的结论,市场调查过程的逻辑关系如图 1-2 所示。

### 1.3.1 市场调查的作用

市场调查作为企业决策的前期活动和企业运营活动的起点,其本身存在的目的就是为企业制定适合自身发展的战略性计划服务,而其最大价值就是为企业经营的战略与策略提供科学的基础和依据。其主要作用体现在以下几点。

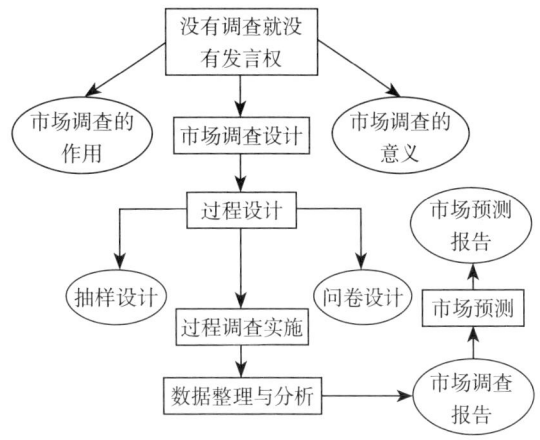

图 1-2 市场调查过程的逻辑关系图

(1)市场调查是企业运营的起点和先导。企业在进入市场之前必须做好调查工作。无论成熟市场还是新开拓市场,变化是市场的独特之处,市场调查活动的常态就是应对市场的变化,保证企业在进入市场之前就对市场的诸多状况有整体和系统的掌控。

(2)市场调查就是对市场风向的掌控。企业在产品或服务进入市场之后更应该时刻了解市场的动向。一旦进入市场,产品或服务就会面临市场的考验。深入细致地进行市场调查,可以保证产品或服务在盈利周期里完成企业的利润指标。在目前的市场竞争中,无论国内市场还是国外市场,填补空白的可能性都很低,同现实或潜在的竞争对手进行利润分割成为一种常态。企业必须对自己生存的宏观与微观环境进行详尽的调查,争取构建共赢的生态经营圈,实现绿色经营,实现经济效益与社会效益的共同提升。

(3)市场调查就是对市场趋势进行判断。准确把握企业产品或服务从成熟期进入衰退期的拐点,是市场调查活动定量分析的最高境界。产品或服务的生命周期是由市场决定的,经济组织可以着力的工作就是控制好周期,保证在拐点处及时调整经营方向和内容,规避风险。这也需要经济组织对市场保持高度的敏感度和洞察力,市场调查活动既可以保证企业激流勇进,也可以使企业全身而退,在风云多变的市场竞争中顺利实现产品或服务的转型、升级和优化,以此保证企业具有持续的核心竞争能力。

### 1.3.2 市场调查的意义

市场调查在企业的经营活动中有着重要的意义,主要体现在以下诸多方面。

(1)市场调查的结果——数据具有难以估量的价值。在数据为王的时代,各企业在决策过程中非常重视社会经济数据的准确度,很多企业的决策都是依靠对市场调查结果的分析而做出的。目前,大数据、云计算、人工智能成为企业进行市场调查活动所借助的技术平台和重要手段,数据信息在其中扮演着重要角色。

（2）市场调查过程的科学性成为企业执行决策的前提。目前，企业的经营决策活动逐渐走向科学化、系统化。很多企业有自己的智囊团，也有一些企业聘请专业的调查公司、咨询公司做顾问。在决策过程中，民主化倾向越发明显。市场调查作为企业经营的序曲和前奏，对后续工作的渐次开展起到示范和导向作用。

（3）市场调查可以使定量分析与定性分析有机衔接。现代市场调查运用的原理是大数据、云计算、归纳统计和概率原理，同时也不能忽视语言叙述、场景描述、本质规律解释的定性方法。采取定性分析与定量模型相结合的方式，才能消除人们对结果准确性的怀疑。

（4）市场调查可以使企业提高应变能力。面对多变的市场，企业要有更多应对策略和手段，以此降低企业经营风险。市场调查本身就具有策略与方案选择的性质，企业往往在市场调查的同时会不断调整自己的经营策略，以应对瞬息万变的市场。

（5）市场调查可以帮助企业及时纠错、纠偏，保证企业经营战略的一贯性。企业的战略决策是经营活动的指南针，在不同阶段和不同经营周期里，企业战略要保持一贯性并不容易。市场调查活动则从源头上保证企业战略不偏离原有的轨道，并且可以进行必要的纠偏。

（6）市场调查可以使企业保持持久的活力与竞争力。万事开头难，企业的任何一项经营活动的起点都是社会经济活动，市场调查成为考量企业活力的重要窗口，企业要保持良好的竞技状态和持久的竞争力，市场调查活动既是热身也是竞争的基础。

## 1.4 市场调查的类型

形式服务于内容，市场调查的形式也是伴随市场调查内涵的深入而不断变化的，在大数据、云计算的技术支撑背景下，市场调查的形式更加多样化、智能化。市场调查在跨行业融合和服务外包的背景下，也会表现出更多时代特色和外包趋势特点。

### 1.4.1 按研究目的分类

市场调查按其研究目的的不同，可分为探测性调查、描述性调查、因果关系调查、预测性调查。

#### 1. 探测性调查

探测性调查也称非正式调查，往往在市场调查之初实施。当市场调查的问题或范围尚未明确，无法确定究竟应研究什么问题时，可采用探测性调查，找出问题所在，以便拟定调查的重点。例如，某企业近几个月市场占有率明显下降，究竟是什么原因导致的难以确定：是竞争激烈，产品或服务质量下降，还是销售中间商的投入不足？导致市场占有率下降的因素有很多，我们要努力发现问题所在，至于问题究竟应该如何解决则依赖于进一步的信息收集。

探测性调查的资料来源包括现存资料、有关人士的讲述、以往类似的实例等。用现存资料来寻找解决问题的方法是最节省费用的一种方法，并且花费时间短。现存资料是已有资料，如行业协会公布的资料、消费者的来信、企业年报等。

### 2. 描述性调查

从实际运用看，多数市场调查为描述性调查。例如，市场潜力调查、市场占有率调查、销售渠道调查等。在描述性调查中可找出相关变量，能够描述调查对象的特征，说明"怎样"或"如何"的问题，但并不说明何者是因、何者是果，也不解释"为什么"的问题。例如，在品牌研究中发现品牌销售量与公共关系预算有很大的关联，提供了进一步深入研究的基本资料，如想了解品牌销售量与公共关系预算的因果关系，则须做因果关系方面的研究。此外，没有描述性调查所提供的资料，也无法开展预测性调查的工作。描述性调查有两种类型：纵向调查和横向调查。

（1）纵向调查是指描述一个时间段内重复地测量某个事件的调查。例如，一个关于洗衣液的市场调查在相隔三个月的时间点 $T_1$、$T_2$ 进行。假定同样的 2 000 个家庭在时间点 $T_1$ 和 $T_2$ 接受访问，以品牌使用频率为依据的调查结果可以通过图示体现。

（2）横向调查是指描述一个特定时间点上某个事件的不同形态的调查。可以将事件按照表现形态的不同进行有效的分类，以此呈现事件变化的趋势。

### 3. 因果关系调查

因果关系调查用于探索并建立变量之间可能的因果关系。当且仅当一个变量的变化将导致另一个变量的变化时，可以认为两个变量之间是因果关系。在描述性调查中，对收集的变量资料，要指出其间究竟有何种关联，以此探究事物的因果关系。

从描述性调查的资料来看，销售额的增加与广告支出的增加有关联，但是有关联不一定就表示两者之间有因果关系，有可能是竞争企业的产品质量下降或销售不力所造成的。假如销售额与广告支出有因果关联，那么何者为因、何者为果依旧需要考量。销售额增加不一定是受广告支出增加影响，也可能广告支出的增加是销售额增加的结果，因为一些企业的广告支出预算是根据销售额的某一固定比例确定的。究竟两者的真正关系如何，就要通过因果关系调查来解答。在市场调查的方法中，实验法是因果关系调查的重要工具。

### 4. 预测性调查

市场营销所面临的最大问题是需求问题。未来市场的需求估计对每个企业来说关系重大，因为销售预算是企业所有预算活动的起点，也是企业所有计划的出发点。对企业产品的未来需求如果不了解或无从估计的话，在市场上所冒的风险显然很大，可能发生生产过剩或生产不足，这都会给企业带来损失，因此预测性调查意义重大。

预测性调查所需的资料主要来自描述性调查与因果关系调查的资料。例如，要预测企业未来五年的市场销售量（$y$），则须通过描述与销售量有关的因素，如家庭收入（$X_1$）与家庭数目（$X_2$），在分清因果关系的基础上，建立预测模型 $y=a+bX_1+cX_2$。假定其他因素不变的情况下，将未来五年所估计的 $X_1$ 与 $X_2$ 的值代入预测模型，即可预测未来五年的销售量。

四种调查类型的比较如下。

通过对探测性、描述性、因果关系、预测性调查类型的阐述，我们不难发现调查问题是否明确会影响调查类型的选择。在调查的早期阶段，当调查人员还不能肯定问题的性质时，通常实施探测性调查；当调查人员意识到了问题但对有关情形缺乏完整的认识时，通常进行描述性调查；因果关系调查（测试假设）则要求严格地定义问题。基于对市场需求问题的关注，企业在持续性经营活动中必然会对未来市场的状况进行科学预测，预测性调查就是为完成这项任务服务的。

当然，任何一项调查都有目的性，但总有某种调查类型比其他调查类型更适合于某些目的。调查设计来源于问题，这是调查中决定性的一点，每种类型只适合于某些特定的问题类型，所以，上述四种调查类型也可以看作一个连续过程的不同阶段。

### 1.4.2 按调查时间的连续性分类

市场调查按调查时间的连续性的不同，可分为经常性调查和一次性调查。

（1）经常性调查是指在选定调查的课题和内容之后，组织长时间不间断的调查，以收集具有时间序列化的信息资料。例如，对企业产品产量、材料消耗量、商品销售量等内容的调查，就需要采用经常性调查。

（2）一次性调查又称临时性调查，是为了研究某一特殊问题而进行的一次性市场调查。例如，对人口数、在校学生数、产品库存量、网购人数等方面的调查，就需要采用一次性调查。一次性调查既可以是定期调查，也可以是不定期调查。

### 1.4.3 按调查的组织形式分类

市场调查按其组织形式的不同，可分为专项调查、连续性调查和搭车调查。

（1）专项调查是指受某个客户委托，针对某些问题进行的一次性调查，即从给定的总体中一次性地抽取样本个体进行调查，并且只从样本个体中获取一次性信息。专项调查既可以是定量的调查，也可以是定性的调查。

（2）连续性调查是指对一个（或几个）固定的样本进行定期、反复的调查。样本中被调查对象（人或单位）一般不随调查时间的变化而变化。例如，消费者固定样本组或其他固定样本组调查，连续的跟踪研究、品牌测量、零售调查研究和连续的媒体研究都属于连续性调查。

（3）搭车调查是指多个客户共同利用一个样本进行调查，就像大家一起搭乘一辆公共汽车一样，根据客户搭车调查问题的个数和类型决定客户的费用。一般有搭车调查业务的公司，每年实施搭车调查的时间和价格都是固定的，如每月实施一次或每周实施一次。由于搭车调查的实施一般都是固定的，因此，搭车调查经常被归入连续性调查，但要注意的是，搭车调查每次所用的样本不一定固定。

### 1.4.4 按调查对象分类

市场调查按调查对象的不同，可分为产业调查、行业调查、企业调查、产品与客户调查。

（1）产业调查。产业调查就是全面系统地调查特定区域的三大产业构成比例以及发展现状和发展趋势。产业调查的意义在于引导产业转型升级，促使产业结构趋向合理和优化，为结构调整提供依据。

（2）行业调查。行业调查是全面系统地调查整个行业和主要企业的发展现状及发展趋势。行业调查的意义不在于指导企业如何进行具体的营销操作，而在于为企业提供若干方向性的思路和选择依据，从而使企业避免发生方向性的错误。

（3）企业调查。企业调查的范围很广，从企业内部的人财物、生产，到企业外部的市场供给和需求状况、消费者心理、法律规定、竞争对手情况等，都是企业需要调查的内容。但从实际经营活动看，不同企业对环境调查的广度和深度是不同的。

（4）产品与客户调查。进行产品与客户调查的原因主要有两方面。一是生产不同产品的企业与社会环境的关系不同。比如企业产品的销售范围不同，有地区性的、全国性的、国际性的。二是产品的用途不同，有的用作生产资料，有的用作生活资料。这些差异会产生对环境调查的范围、重点的不同需求。一般来说，产品在本地销售，只须调查本地的环境，如果生产所需原材料、配件等需要进口或生产的产品须出口，就需要调查国际环境。

### 1.4.5 按调查活动实施主体分类

伴随市场调查活动的深入，调查的复杂性和专业性越来越强，尤其是互联网与电子商务的发展以及现代信息技术的使用，使得调查活动本身的技术含量增加，企业自身难以承担大型复杂的调查活动。负责专业调查的第三方服务机构应运而生，使调查活动本身也具有市场化倾向。所以，按照调查活动实施主体的不同，可以将市场调查分为企业自主调查和服务公司调查。

（1）企业自主调查。企业根据自身的实力和调查成本及调研需求，决定采取自主调查或外包给专业的服务公司调查。企业自主调查可以结合自己的调查需求，以成本导向开展调查活动。

（2）服务公司调查。服务公司调查的类型有以下七种。

1）全程服务：负责调查活动的全程服务。

2）专项研究：负责调查活动的某一个专项服务。

3）资讯服务：提供调查活动所需要的信息资源。

4）标准化服务：提供调查活动的相关技术标准。

5）现场调查：提供线下场景调查活动的设计与安排。

6）编码和数据录入服务：提供调查问卷编码及录入、统计数据录入及其他各种类型数据录入的服务。

7）数据分析服务：建立数据架构并对非结构化大数据进行集成。

## 1.5 市场调查的内容及原则

### 1.5.1 市场调查的内容

市场调查的内容一般分为市场宏观环境的调查和市场微观环境的调查。

#### 1. 市场宏观环境的调查

市场宏观环境是指对企业营销活动提供市场机会和造成威胁的主要社会力量。

对市场宏观环境的调查包括以下几个方面，如图1-3所示。

（1）政治法律环境。
（2）科学技术环境。
（3）经济环境。
（4）人口环境。
（5）文化环境。
（6）自然环境。

**2. 市场微观环境的调查**

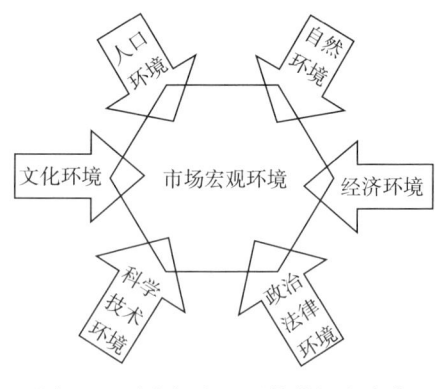

图1-3  对市场宏观环境的调查内容

市场微观环境的调查是指企业为了达到一定的营销目的，在特定范围内对选定的专题所进行的调查，主要有以下几个方面。

（1）目标市场的调查。
（2）产品研究的调查。
（3）产品实体的调查。
（4）企业和品牌的调查。
（5）消费者的调查。
（6）销售和促销的调查。
（7）竞争对手状况的调查。

## 1.5.2  市场调查的原则

市场调查是通过收集、分类、筛选资料，为企业生产经营提供正确依据的活动，需要遵循以下原则。

**1. 客观性原则**

市场调查的客观性强调实事求是的重要性，市场调查人员应当采用科学的方法设计方案、定义问题、采集数据和分析数据，从中提取有效的、相关的、准确的、可靠的、有代表性的、当前的信息资料。

**2. 时效性原则**

市场调查的时效性表现为应及时捕捉和抓住市场上任何有用的情报、信息，及时分析、反馈，为企业在经营过程中适时地制定和调整策略创造条件。

**3. 准确性原则**

市场调查收集到的资料，必须体现准确性原则，对调查资料的分析必须实事求是，尊重客观实际，切忌以主观臆造来代替科学的分析。同样，片面、以偏概全也是不可取的。要使企业的经营活动在正确的轨道上运行，就必须有准确的信息作为依据，这样才能瞄准市场，看清问题，抓住时机。

#### 4. 系统性原则

市场调查的系统性表现为应全面收集有关企业生产和经营方面的信息资料。市场调查人员既要了解企业的生产和经营实际，也要了解竞争对手的有关情况；既要认识到企业内部机构设置、人员配备、管理方式等方面对经营的影响，也要调查社会环境的各方面对企业和消费者的影响程度。

#### 5. 经济性原则

市场调查是一项耗费时间、精力、财力的活动。它不仅需要人的体力和脑力，同时需要利用一定的物质手段，以确保调查工作的顺利进行和调查结果的准确。市场调查要讲求经济效益，力争以较少的投入取得最好的效果。

#### 6. 科学性原则

市场调查不是简单地收集情报、信息的活动，为了在时间和经费都有限的情况下，获得更多、更准确的资料和信息，必须对调查的过程进行科学的安排。分析人员要掌握和运用相关信息化手段、数学模型和公式，将汇总的资料以理性化的数据、图表方式表示出来，精确地反映调查结果。

#### 7. 保密性原则

市场调查的保密性原则体现在为客户保密方面。许多市场调查是客户委托市场调查公司进行的，因此，市场调查公司以及从事市场调查的人员必须对调查所获得的信息保密，不能将信息泄露给第三者。如果将信息泄露出去有可能损害客户的利益，同时会损害市场调查公司的信誉。

## 1.6 市场调查的功能与机构

### 1.6.1 市场调查的功能

一般来说，市场调查的功能分为描述功能、诊断功能、信息功能和预测功能。

#### 1. 描述功能

描述就是收集并陈述事实。企业了解将要涉足的市场是取得成功的前提，测定产品或服务是否有市场需求，这是制订经营计划的关键。一旦决定了所要生产的产品或提供的服务项目，就必须首先分析市场的现状及未来的发展趋势，包括走访竞争对手、原材料供应商和未来客户的全过程。

#### 2. 诊断功能

诊断就是解释信息。市场调查的诊断功能就是分析测量市场、营销环境以及企业本身状况的不确定性，因为正确认识客观事物的前提是充分占有并正确理解有关信息。人们在没有或不完全占有市场信息的情况下，对市场及营销环境在认识上必然会存在不确定性。这种不确定性的存在，将影响市场营销活动的正常进行。因此，消除营销主体对市场、营销环境及其本身状况认识的不确定性是开展市场营销的必要条件。

#### 3．信息功能

市场调查的目的在于准确、及时、全面、系统地收集各种市场信息，为宏观调控和企业决策提供依据。可见，市场调查具有信息功能，这种功能表现为市场调查所获得的市场信息是市场预测与决策的先决条件和基础。

#### 4．预测功能

通过市场调查，企业可以了解产品市场和生产要素市场的需求变化情况，为企业制订下一期营销计划提供数据依据和参考。例如，通过对某产品或服务的市场需求和偏好的调查与预测，企业可以采取最优的销售方法，制定关键性的短期和中期目标，并初步确定市场的利润界限。

### 1.6.2 市场调查机构

市场调查机构是指专门从事市场调查和研究的组织或公司，它们通过收集、分析和解释市场数据来帮助客户理解市场动态、消费者行为和市场趋势。以下是市场调查机构的主要内涵。

（1）服务对象：市场调查机构服务于企业、政府机构、非营利组织等，帮助它们做出基于数据的决策。不同的市场调查机构可能专注于不同的行业或领域，如消费者市场、B2B市场、特定产品类别等。

（2）数据收集与分析：市场调查机构使用多种方法收集数据，包括在线调查、电话调查、面对面访谈、焦点小组讨论、观察研究等。收集到的数据需要通过统计分析、数据挖掘等技术进行处理和分析，以提取有价值的信息。

（3）报告洞察与决策支持：市场调查机构将分析结果整理成报告，提供市场趋势、消费者偏好、竞争对手分析等洞察。市场调查机构的最终目标是帮助客户基于调查结果做出更明智的商业决策，如产品开发、市场定位、广告投放等。

（4）研究方法论与法规：市场调查机构通常遵循一套科学的方法论，确保调查结果的可靠性和有效性。市场调查机构在进行调查时必须遵守相关的法律法规，如隐私保护、数据安全等。

（5）技术应用：随着技术的发展，市场调查机构越来越多地使用数字化工具和平台，如在线调查软件、大数据分析工具等。市场调查不仅限于一次性活动，许多机构提供持续的市场监测服务，帮助客户跟踪市场变化。

（6）定制服务：市场调查机构能够根据客户的具体需求提供定制化的调查服务。许多市场调查机构在全球范围内提供服务，能够进行跨国或跨地区的市场研究。市场调查机构是连接市场供需、促进信息透明和帮助企业优化决策的重要桥梁。通过专业的市场调查，企业可以更好地理解市场环境，制订有效的市场策略。

市场调查机构包括企业外部专业的市场调查机构和企业内部自设的调查部门。

**1. 企业外部专业的市场调查机构**

企业外部专业的市场调查机构的主要业务特点如下。

（1）专业性。企业外部专业的市场调查机构通常拥有专业的调查人员，他们具备丰富的统计学、社会学、心理学和市场营销学等多学科知识。例如，在进行消费者行为调查时，调查人员会运用心理学原理来设计问题，了解消费者的购买动机、偏好等深层次心理因素。

这些机构掌握先进的调查技术和方法，像计算机辅助电话调查（CATI）、在线调查、深度访谈等。以在线调查为例，它们能够通过专业的软件平台，精准地推送问卷给目标人群，并且对数据进行实时收集和初步分析。

此外，这些机构积累了大量的行业经验。它们可能为不同行业的企业（如汽车、快消品、电子产品等）提供过服务。比如，一家长期为汽车企业服务的调查机构，对汽车行业的市场趋势、消费者对汽车性能和外观的偏好变化等有着深刻的理解。这些机构对市场调查的流程非常熟悉，从项目规划、样本抽取、数据收集，到数据分析和报告撰写，每一个环节都有标准化的操作流程，能够保证调查的质量和效率。

（2）客观性。企业外部专业的市场调查机构是独立于被调查企业和市场的第三方。它们没有企业内部的利益牵绊，不会因为企业内部的主观意愿而影响调查结果。例如，当企业内部希望得到一个有利于自身产品推广的调查结果时，外部调查机构不会受到这种压力，能够按照科学的调查方法和客观的事实进行调查。

这些机构注重数据的真实性和准确性。它们会采用科学的抽样方法来选取样本，确保样本能够代表总体。比如，在进行全国性的消费者满意度调查时，会按照地域、年龄、性别、收入等不同的维度进行分层抽样，以保证调查结果能够真实反映不同群体的消费者意见。

调查机构会对数据进行严格的审核和验证。在数据收集完成后，会检查数据的完整性和一致性，对于异常数据进行甄别和处理，从而保证调查结果的客观性。

（3）服务性。企业外部专业的市场调查机构以满足客户需求为核心。它们会根据企业的具体需求来定制调查方案。例如，一家企业想要了解其新产品在市场上的潜在需求，调查机构就会设计针对性的市场调研项目，包括对目标市场的潜在客户进行需求分析、竞争对手产品分析等内容。

调查机构会与企业保持密切沟通，及时了解企业在调查过程中的反馈和新的需求。比如，在调查过程中，企业可能会发现新的问题需要进一步调查，调查机构会根据企业的反馈及时调整调查方向和方法。

除了提供调查结果，这些机构还会基于调查数据为企业提供有价值的建议和解决方案。例如，通过市场调查发现某产品的市场占有率下降是由于竞争对手推出了更具性价比的产品，调查机构会建议企业从产品定价、功能改进或者营销策略调整等方面来应对竞争。

（4）创新性。企业外部专业的市场调查机构会不断探索和应用新的调查方法。随着科技的发展，大数据分析、人工智能等技术被引入市场调查领域。例如，利用大数据分析可以对海量的消费者行为数据进行挖掘，发现消费者潜在的购买模式和偏好。

它们还会结合多种调查方法进行综合调查。比如，将传统的问卷调查与社交媒体调查相结合，通过分析社交媒体上消费者对产品的评论和反馈，补充问卷调查的不足，更全面地了解市场情况。

这些机构能够从不同的视角来分析市场。除了传统的从产品和消费者角度进行调查，还会关注宏观经济环境、政策法规变化等因素对市场的影响。例如，在房地产市场调查中，除了分析消费者购房意愿和房地产产品特点，还会考虑国家的房地产政策调整、城市发展规划等因素对房地产市场的影响。

#### 2. 企业内部自设的调查部门

企业内部自设的调查部门通常是为了更好地理解市场动态、消费者行为、产品反馈和内部运营效率等关键信息而设立的。这些部门可能被称为市场研究部门、数据分析部门、内部审计部门或企业情报部门等。以下是一些企业内部自设的调查部门可能承担的职责和功能。

（1）市场研究：分析市场趋势，研究消费者行为和偏好，以及竞争对手的动态。

（2）产品反馈收集：通过调查和反馈机制收集用户对产品的使用体验和改进建议。

（3）内部审计：确保企业内部流程和操作符合法规要求，以及检查财务和运营的合规性。

（4）风险评估：识别和评估企业运营中可能遇到的风险，包括市场风险、信用风险和操作风险。

（5）客户满意度调查：定期进行客户满意度调查，以提高服务质量和客户忠诚度。

（6）员工满意度调查：了解员工的工作满意度和工作环境，以提高员工留存率和工作效率。

（7）业务分析：分析业务数据，以优化业务流程和提高效率。

（8）竞争情报收集：收集和分析竞争对手的信息，以制订有效的竞争策略。质量控制信息包括监控产品质量，确保产品符合标准和客户期望。

（9）战略规划支持：提供数据支持，帮助企业制订长期战略规划。

（10）数据治理：确保企业数据的质量和安全，以及合规使用数据。

（11）消费者洞察：深入理解消费者需求和行为，为产品开发和市场定位提供依据。

企业内部自设的调查部门的职责和功能会根据企业的业务需求、规模和资源而有所不同。这些部门通常由专业的市场研究人员、数据分析师、审计师和情报专家组成，他们使用各种工具和技术（如调查问卷、数据分析软件、CRM 系统等）来收集和分析数据，以支持企业的决策过程。

### 1.6.3 市场调查人员的选择和培训

#### 1. 市场调查人员的选择

根据市场调查的特征，选择市场调查人员时应考虑以下四个条件。

（1）学识能力。学识能力主要体现在六个方面：一是需要受过高等教育（大专以上程度）；二是有组织策划能力及采访能力；三是口齿伶俐，善于沟通与表达；四是有忍耐力，肯用心研究；五是有一定的社会工作经验；六是掌握现代信息技术，如数据处理技术、网页设计、数据更新等。

（2）个人品格。个人品格即要求市场调查与预测人员要有责任心和事业心，重视社会公德，尊重他人人格，乐于为人服务。

（3）性格、仪表特征。性格、仪表特征主要体现在三个方面：一是亲和力强，性格外向开朗;二是仪表端正;三是态度客观中立,判断力强,有敏感性和主动性。

(4)社会关系。市场调查与预测人员应该了解当地情况,熟悉当地的文化习惯及地理环境,且社会关系较为广泛。

### 2. 市场调查人员的培训

市场调查是一项专业且要求严格的工作,重视并强化对人员的培训非常重要。培训的方式主要有两种:项目培训和日常培训。培训的具体方法一般有以下三种。

(1)模拟式训练法。这是侧重于操作技能和敏捷反应的培训方法,它通过把受训者置于模拟的现实工作环境中,让受训者反复操作训练,以解决实际工作中可能出现的各种问题,为进入实际工作岗位打下基础。模拟式训练法可以减少培训开支、提高学习效率和降低风险。

(2)集中式课堂教授法。这种方法是借鉴学校教育的方式,对受训者在时间及内容相对集中的情况下,实施有效的面授培训。因执行简单、针对性较强,所以这种方法在企业内部培训中也最为常用。由于该方法以教师向学生单方面讲授为主,因此师资力量对培训效果影响很大。

(3)哈雷斯培训法。哈雷斯培训法是经济学家哈雷斯根据市场调查的经验提出的。他认为对于调查人员,除了进行一般的调查知识培训,还应针对市场调查人员的不同层次、调查的不同程度和内容进行培训。在培训对象上,哈雷斯认为应将受训者分为监督员和访问员。监督员是较高层次的调查员,他们要召集和训练访问员,检查指导访问员的工作,控制调查进度。由于监督员需要熟悉调查的每一个步骤,带领和训练访问员,故对他们要进行更为严格的全面训练。在培训方法上,哈雷斯认为主要应采用两种培训方法,即书面训练法和口头训练法,前者是为了增加必要的知识,后者是为了提高应变能力。

## 本章小结

市场调查就是运用科学的方法,系统地收集、记录、整理和分析市场信息资料,从而了解市场发展变化的现状和趋势,为市场预测和经营决策服务的工作过程,是伴随市场的产生而出现的一种管理活动。市场调查可以按研究目的、调查时间的连续性、调查的组织形式、调查对象、调查活动实施主体等进行不同的分类。市场调查主要包括市场宏观环境的调查和市场微观环境的调查两方面内容。市场调查的功能有描述功能、诊断功能、信息功能和预测功能。

## 复习思考题

### 一、单项选择题

1. 据考证,市场调查始于 1823 年(　　)人 A.C. 尼尔森创建的专业市场调查公司。
   A. 英国　　　　　　B. 德国
   C. 法国　　　　　　D. 美国

2. 大规模市场调查活动始于(　　)年美国柯蒂斯出版公司市场调查技术的运用。
   A. 1934　　　　　　B. 1919
   C. 1840　　　　　　D. 1939

3. 20 世纪 40 年代初,以(　　)形式为主的定性市场调查方法在市场研究中得到广泛应用。
A. 抽样分析　　　　B. 座谈会
C. 发问卷　　　　　D. 访谈

4. 20世纪50年代以后,以(　　)为先导的消费者行为研究成为消费者定性与定量研究的重要组成部分。
A. 道德观与生活方式
B. 人生观与生活方式
C. 世界观与生活方式
D. 价值观与生活方式

5. 企业外部的市场调查机构是独立于被调查企业和市场的第三方。它们没有企业内部的利益牵绊,不会因为企业内部的主观意愿而影响调查结果,这体现出企业外部市场调查活动的(　　)。
A. 创新性　　　　　B. 服务性
C. 客观性　　　　　D. 专业性

6. 市场调查是一项(　　)化的实践活动,是现象收集与理性分析的综合。
A. 理性　　　　　　B. 个性
C. 感性　　　　　　D. 知性

7. 当市场调查的问题或范围尚未明确,无法确定究竟应研究什么问题时,可采用(　　)调查。
A. 描述性　　　　　B. 探测性
C. 因果关系　　　　D. 预测性

8. 预测性调查所需的资料主要来自描述性调查与(　　)调查的资料。
A. 描述性　　　　　B. 探测性
C. 因果关系　　　　D. 预测性

9. 市场调查的(　　)功能可以消除营销主体对市场、营销环境以及企业本身状况认识的不确定性。
A. 描述　　　　　　B. 诊断
C. 信息　　　　　　D. 预测

10. 通过市场调查,企业可以了解产品市场和生产要素市场的需求变化情况,为企业制订下一期营销计划提供数据依据和参考,这体现出市场调查的(　　)功能。
A. 描述　　　　　　B. 诊断
C. 信息　　　　　　D. 预测

## 二、多项选择题

1. 市场调查的特征主要有(　　)。
A. 系统性　　　　　B. 社会性
C. 客观性　　　　　D. 目标性
E. 科学性

2. 市场调查按其组织形式的不同,可分为(　　)。
A. 专项调查　　　　B. 连续性调查
C. 搭车调查　　　　D. 目标调查
E. 科学调查

3. 按调查的对象不同,市场调查可以分为(　　)。
A. 产业调查　　　　B. 企业调查
C. 行业调查　　　　D. 产品与客户调查
E. 社会调查

4. 市场调查应遵循的原则有(　　)。
A. 客观性原则　　　B. 时效性原则
C. 准确性原则　　　D. 系统性原则
E. 经济性原则

5. 市场调查人员的培训方法包括(　　)。
A. 模拟式训练法　　B. 集中式课堂教授法
C. 哈雷斯培训法　　D. 讲演法
E. 座谈法

## 课堂实训

假如你被公司委以一项市场调查任务,你力求将此项调查活动做得圆满,那么你做的这项市场调查将包括哪些基本内容?调查的主要程序包括哪些?

## 课外实训

以小组为单位，利用业余时间对校园周边市场进行一次调查。根据自己对商家了解的情况，自行拟订初步方案，设计简单的调查流程，调查完后做出调研PPT，要有图片和说明性文字。

## 案例分析

### 营养健康产业呈现六大发展趋势

2024年春节，我国"健康年货"的消费增长迅猛。相关线上销售数据显示，用于营养保健的产品销售增幅超过100%。

随着健康需求的不断激发，更加健康、更高品质的营养健康产品成为消费者关注的重点。未来营养健康产业的发展将呈现"创新日益增强、国货产品份额增大"等六大趋势。

#### "健康年货"消费增长迅猛

以"京东健康年货节"为例，数据显示，养肝清肺礼盒销售同比增长169%；婴童营养礼盒商品销售同比增长160%；益生菌销售同比增长104%；助行器、电动轮椅、牵引器等帮助老人出行的健康器械品类成交额同比增长超过80%。此外，春节期间，同比去年农历同期，深海鱼油等调节"三高"的品类成交额同比增长81%。

艾媒咨询研究认为，2024年中国新春年货消费者的选择趋向多样化，健康和品质成为消费者关注的重点。商家需要关注消费者的需求和偏好，提供更加健康、高品质的产品和服务，以满足消费者的需求。

营养保健品行业呈现稳步向上的增长态势，吸引越来越多的企业布局。以"保健食品"为例，天眼查专业版数据显示，截至2023年，我国现存与"保健食品"相关的企业有672.5万余家，自2018年以来，相关企业注册量及注册增速呈现出逐年上涨的态势，新增企业年度注册增速保持在24%以上。2024年1月，新增保健食品相关注册企业13.2万余家，与2023年同期相比上涨122.6%。

#### 健康需求加速行业变革

营养健康产业的六大趋势值得关注。

一是行业创新日益增强。无论注册还是备案，2023年保健食品利好政策不断，保健食品新产品将日益丰富。除此之外，药食两用物质目录的发布，将进一步推进传统药食两用产品的爆发。

二是科技助力市场营销。越来越多的企业更多地展示产品的科技含量，通过科技手段提供健康服务，倡导健康生活方式，科技营销日趋流行。

三是国际贸易持续活跃。中国是全球最大的营养保健原料供应国，未来该领域的产业链供应链优势将进一步发挥，中国制造走出去的步伐将进一步加快，中国营养保健食品出口增速将超过进口增速。

四是国货产品份额增大。随着国内品牌和产品的提升，产品剂型更适合中国消费者以及严格的上市监管政策，国货产品将更受青睐。

五是龙头企业优势明显。尽管有市场压力，但强者恒强。随着新功能、新原料、新产品的通路打开，龙头企业的优势将更加明显。

六是产品更新迭代加速。随着年轻消费群体的崛起，针对年轻人的产品，一方面向"快消品""打爆品"（指精心策划和推广的深受市场欢迎的热门商品或服务）的方向发展，催生更多功能化、便捷化、个性化、定制化和有趣好玩的产品；另一方面，由于朋克养生的兴起，注重体感和效果的产品也将大受欢迎。

全球知名医药健康数据、咨询和临床研究服务供应商艾昆纬（IQVIA）预计，营养保健市场的消费热忱将持续升温，消费者需求也会变得更加深入，产品将体现三个方面的特点：一是需求个性化，不同消费群体更倾向于根据自身的营养及健康需求选择科学的产品组合；二是原料多元化，消费者对产品成分的安全性期望提高，并注重天然植物提取物的溯源和技术工艺；三是功效复合化，消费者在免疫提升、消化健康、机能修护等多方面健康诉求合一。

资料来源：新华社客户端，《营养健康产业呈现六大发展趋势》，2024年3月6日。

问题：

1. 在"健康年货"消费增长迅猛的背景下，各大品牌是如何抓住这一市场机遇，通过哪些策略或产品创新来满足消费者的健康需求的？
2. 随着健康需求的增长，营养健康行业中的创新趋势具体体现在哪些方面？有哪些新的技术或理念被引入产品开发中？
3. 未来营养健康产业的发展趋势如何？有哪些潜在的市场机遇和挑战需要企业关注和应对？

## 知识解析

# 第 2 章　设计调查方案

## 学习目标

1. 了解市场调查总体方案设计的全过程。
2. 掌握市场调查方案的设计原则。
3. 熟悉市场调查质量控制等基本理论和基本知识。

## 引导案例

### 万象更新人潮涌：各地文旅市场回暖复苏调查

"万物皆可游，处处是场景。"醉人春风吹彻中华大地，为文旅市场带来了全面回暖、复苏活力的大好时机。

随着天气逐渐转暖，地方纷纷优化政策、提升服务，加强文旅融合。各地游客"开闸式出游"，交通、住宿甚至一位难求，经营主体普遍信心十足，全国文化和旅游市场呈现出持续回暖的态势。

从黄海之滨的青岛到两江交汇的重庆，从西安大唐不夜城到湖南秀美张家界，从西双版纳泼水节到厦门鼓浪屿……各地山水、民俗、人文、演艺项目精彩纷呈。各大景区熙熙攘攘的客流共同描绘着文旅消费复苏的景象。

2023年春节期间，电视剧《去有风的地方》带火大理旅游，成为"影视+文旅"的一个鲜活案例。一段时间以来，游客纷纷追随剧中的同款旅游线路，一一打卡，感受大理的治愈系风景和慢节奏生活。

在各方努力下，2023年云南旅游业强劲复苏，实现"开门红"。统计显示，1—3月云南全省共接待游客2.85亿人次，实现旅游收入3 374.25亿元，同比分别增长超过60%和70%。

春暖花开的季节，山东青岛的海洋旅游航线十分吸引游客。

自2023年1月22日正式开通试运行以来，青岛奥帆中心往返海底世界航线迅速成为青岛海上旅游的"明星"航线，最多一日发出四十多个航次，单日最高接待游客约5 000人。尤其进入3月以来，随着游客增多，排队坐船成为"日常"。截至目前，该航线已实现票务销售11.5万多人次。

在崂山风景区，结合"品质提升""文化赋能"等举措，景区一季度游客接待量创历史新高，累计接待游客76.4万人次，同比增长199.1%，比2019年同期增长了127.4%。

在湖南张家界，一季度武陵源、天门山、大峡谷、茅岩河四大景区共接待游客224.79万人次，与2022年同期相比增长418.34%。

在重庆，2023年1月，重庆市重点监测的120家景区接待游客超920万人次，比2022年同期增长45.3%，恢复到2019年同期的94.6%。1—2月重庆全市接待过夜游客1 517.82万人次，同比增长77.9%。

根据文化和旅游部数据中心统计，2023年春节假期全国国内旅游出游3.08亿人次，同比增长23.1%，恢复至2019年同期的88.6%；实现国内旅游收入3758.43亿元，同比增长30%，恢复至2019年同期的73.1%。

资料来源：新华网，《万象更新人潮涌——各地文旅市场回暖复苏调查》，2023年4月24日。

**问题：**
1. 在这个文旅市场回暖复苏的案例中，各地是如何优化政策、提升服务，加强文旅融合的？
2. 电视剧《去有风的地方》如何成为"影视＋文旅"的一个鲜活案例？它如何带动了大理的旅游热潮？
3. 根据案例描述，云南旅游业强劲复苏的原因有哪些？请列举并分析几个主要因素。
4. 随着文旅市场的回暖复苏，各地景区和旅游酒店客流量超过2019年水平，这对当地经济乃至品牌有哪些积极的影响？请结合案例内容，具体阐述其影响。

## 2.1 市场调查方案概述

市场调查方案也称市场调查计划书、市场调查策划书。市场调查方案是调查活动的指导文件，只有对整个调查项目进行统一考虑和安排，才能保证调查工作有秩序、有步骤地顺利进行。

### 2.1.1 设计市场调查方案的意义

市场调查是一项复杂的、严肃的、技术性较强的工作，为了圆满完成调查任务，事先设计一个科学、严密、可行的调查方案是十分重要和必要的，具体体现在以下几个方面。

（1）从认识上讲，调查方案设计常常是从定性认识过渡到定量认识的开始阶段。
（2）从工作上讲，调查方案设计起着统筹兼顾、统一协调的作用。
（3）从实践要求上讲，调查方案设计能够适应现代市场调查发展的需要。
（4）从市场竞争角度讲，调查方案是第三方调查公司在竞标中取胜的关键。

### 2.1.2 设计市场调查方案的原则

设计市场调查方案可以遵循以下三个原则。

#### 1. 可行性原则

可行性原则是指在调查的基础上，通过市场分析、技术分析、财务分析和国民经济分析，对各种市场调查方案的可行性与经济合理性进行综合评估，提出可行的调查方案。可行性研究的基本任务是对市场调查方案的可行性问题，从技术经济角度进行全面的分析研究，并对市场调查方案实施后的经济效果进行预测，在既定的范围内进行方案论证的选择，以便最合理地利用资源，达到预定的社会效益和经济效益。

2. 经济性原则

经济性原则是指市场调查方案为最优方案，包括资金的使用、人力时间的耗费，必要时可以预测一下自己实际的产出和投入的比值，这个比值越大越好。

3. 灵活性原则

灵活性原则是设计市场调查方案最主要的原则，它主要针对市场调查方案的执行过程，使方案本身具有适应性、适度性，要求调查方案的设计"量力而行，留有余地"。对于调查方案的执行，则必须严格准确，要"尽力而为，不留余地"。

## 2.2 市场调查总体方案设计

市场调查总体方案又称市场调查计划，是指在正式调查之前首先对客户所在行业的状况和企业所处的社会、经济、法律和技术等大环境进行简要分析，以此说明行业发展趋势和企业的生存环境，下面以第三方调查公司的市场调查为例。

先要了解客户的基本情况，并结合大市场环境进行分析，清楚地了解企业现状和所面临的主要问题，即弄清客户为什么要进行市场调查，从而确定本次调查工作的主题。

以上任务完成后就可以根据市场调查的目的和要求，对所要调查的各个方面和各个阶段做通盘考虑与安排。市场调查总体方案设计的程序包括第一阶段程序和第二阶段程序，如图 2-1 所示。

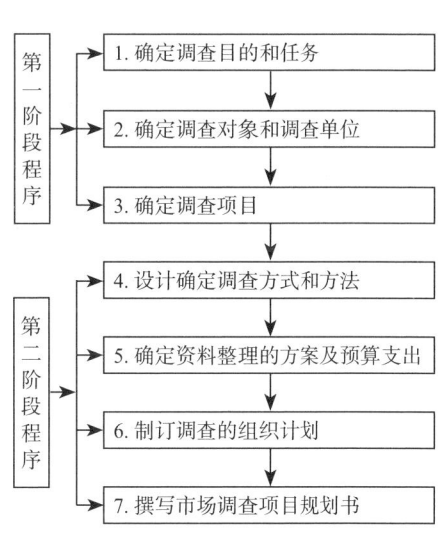

图 2-1　市场调查总体方案设计的流程图

### 2.2.1 第一阶段程序

第一阶段的主要任务是确定调查目的和任务、确定调查对象和调查单位、确定调查项目。

1. 确定调查目的和任务

调查目的的设定来自调查者对课题背景的认识和理解，其中包括问题由来及背景交代。根据这些因素，确定自己的调查目的，就是在调查课题中解决为何要调查、调查结果有何必要性等问题。

调查目的的指向和量化要求就是任务，调查任务就是指在调查目的既定的条件下，市场调查应获取哪些方面的信息才能满足调查的要求。

**2. 确定调查对象和调查单位**

调查对象就是在一定时空范围内所要调查的总体，是由客观存在的具有某一共同性质的许多个体单位组成的整体。调查对象可能是实体事物，也可能是一项不可存储的服务，但是，其对调查结果的评价标准却往往具有相似性。

调查单位则是调查总体中的各个体单位，是调查项目的承担者或信息源。确定调查对象和调查单位时应注意以下几个问题。

（1）必须严格规定调查对象的含义和范围。由于调查的时间、成本以及精力的限制，因而不能没有边界和限制地对市场所有方面进行调查，必须确定调查对象的含义和范围，以此约束调查行为，实现低成本高效率地完成调查活动。

（2）调查单位的确定应根据调查目的和对象而定。调查单位是具体实施调查活动的主体，其自身能力的高低直接决定调查结果的效度与信度。目前，许多有调查意向的企业都将调查活动委托给第三方专业调查服务机构，在业内专家的指导下，保证调查质量。

（3）调查单位和填报单位是两个不同的概念。调查单位是调查项目的承担者，填报单位是负责填写和报送调查资料的单位，两者有时一致，有时不一致。填报单位的体量也间接决定调查活动的成效。体量过大的填报单位可以采取分层抽样调查，降低调查难度，提高调查效率。

（4）调查单位的确定取决于调查方式的约束。确定了调查单位从某种意义上讲就明确了调查的范围和具体对象。

**3. 确定调查项目**

调查单位确定后再将调查范围内的调查对象进一步细化，可以明确调查单位个体为家庭或者社区。把家庭作为信息渠道来源，能保证调查活动的精准性。调查项目是将要向调查单位调查的内容，确定调查项目时应注意以下几点。

（1）调查项目的确定既要满足调查目的和任务的要求，又要能够取得足够的数据，包括在何处取得数据和如何取得数据，凡是不能取得数据的调查项目都应舍去。

（2）调查项目应包括调查对象的基本特征项目、调查课题的主体项目（回答是什么）、调查课题的相关项目（回答为什么）。

例如，消费者需求调查。
基本项目：年龄、性别、职业、行业、文化程度、家庭状况、居住地等。
主体项目：为何买、买什么、买多少、在哪里买、由谁买、何时买等。
相关项目：消费者收入、消费结构、储蓄、就业、产品价格等。

（3）调查项目的表达必须明确。调查项目的答案选项必须有确定的形式，如数值式、文字式等，以便规范统一被调查者填写的形式，便于调查数据的处理和汇总。

（4）调查项目之间应尽可能相互关联，以使取得的资料能够互相对应，具有一定的逻辑关系，便于了解调查现象发展变化的结果、原因，检查答案的准确性。

（5）调查项目的含义必须明确，必要时可附加调查项目指标解释及填写要求。

（6）设计调查表和问卷。调查表和问卷是把已确定的调查项目按照一定的结构与顺序排列成的表格和文档。

⊙ 知识链接

## 调查内容与项目的确定

### 市场基本环境的调查

1. 自然环境（自然、地理、气候）。
2. 经济环境（经济发展水平、消费水平）。
3. 政治法律环境。
4. 社会文化环境。

了解行业发展概况，把握市场自身的特点。

### 消费者的调查

1. 消费者基本情况（年龄、性别、文化程度、职业、收入、家庭状况）。
2. 购物情况（消费结构、购物频率、购物方式、购物特点、购买动机等）。

每个项目再进一步细化为一个个的问题。

### 关于竞争对手的调查

1. 同行的数量、规模、特色、市场份额。
2. 主要竞争对手的基本情况。
3. 竞争优劣势。

### 设计调查表或问卷

1. 调查表是用表格按一定顺序排列调查项目的形式。
2. 问卷是根据调查项目设计的对被调查者进行调查、询问并让被调查者填答的测试试卷。

### 确定调查时间和调查期限

1. 调查时间是指调查资料的所属时间。

（1）调查时期现象（收入、支出、产量、产值、销售额、利润额等流量指标）时，应确定数据或指标的起止时间。

（2）调查时点现象（期末人口、存货、设备、资产、负债等存量指标）时，应明确规定统一的标准时点（期初、期末或其他时点）。

2. 调查期限是指整个调查工作所占用的时间，即一项调查工作从调查策划到调查结束的时间长度。

## 2.2.2 第二阶段程序

第二阶段的主要任务是设计确定调查方式和方法、确定资料整理的方案及预算支出、制订调查的组织计划、撰写市场调查项目规划书。

### 1. 设计确定调查方式和方法

市场调查活动具有科学性和时代性，先进的方法来自社会发展、技术进步和客观环境的要求，在明确调查活动的内容要求之后，重视方法则会事半功倍。

（1）市场调查方式是指市场调查的组织形式，通常有市场普查、重点市场调查、典型市场调查、抽样市场调查、非概率抽样调查等。市场调查方式应根据调查的目的和任务、调查对象的特点、调查费用的多少、调查的精度要求做出选择。

（2）市场调查方法是指在调查方式既定的情况下搜集资料的具体方法，通常有观察法、访问法、实验法、网络调查法、文案调查法等。市场调查方法的确定应考虑调查资料收集的难易程度、调查对象的特点、数据取得的源头、数据的质量要求等。

例如，商场顾客流量和购物情况调查，通常采用系统抽样调查的组织方式，即按日历顺序等距抽取若干营业日来调查顾客流量和购物情况，而搜集资料的方法主要有顾客流量的人工计数或仪器计数、问卷测试、现场观察、顾客访问、焦点座谈等。

对商场实施的调查方法是：商场基本情况调查采取文案调查方法，消费者调查则采取实地调查法以及访谈法和问卷法。

2. 确定资料整理的方案及预算支出

对资料的审核、订正、编码、分类、汇总、陈示等做出具体的安排。大型的市场调查还应对计算机自动汇总软件的开发或购买做出安排。

市场调查经费预算支出要详尽，没有遗漏，并且要切合实际，落实到位。市场调查费用构成如表 2-1 所示。

表 2-1 市场调查费用构成

| 费用项目 | 备注 |
| --- | --- |
| 总体方案策划费与设计费 | |
| 抽样方案设计费、实施费 | |
| 问卷设计费（包括测试费） | |
| 问卷印刷费、装订费 | |
| 调查实施费用 | 包括调查费、调查员劳务费、被调查者礼品费、督导员劳务费、异地实施差旅费、交通费等 |
| 数据录入费 | 包括问卷编码、录入、查错等 |
| 数据统计分析费 | 包括上机、统计、制表、作图及必需品花费等 |
| 调查报告撰写费 | |
| 资料费、复印费、通信联络费等办公费用 | |
| 管理费和税金等 | |
| 专家咨询费 | |
| 劳务费 | 包括公关、协作人员的劳务费等 |
| 鉴定费、新闻发布会及出版印刷费用等 | |

3. 制订调查的组织计划

调查的组织计划是指确保实施调查的具体工作计划。值得注意的是，调查人员的素质往往直接影响调查的质量，因此在组织大型调查之前必须组织相关人员进行必要的专门训练，落实经费的来源，制订切实可行的调查经费计划。

（1）调查的组织计划。调查的组织计划包括调查的组织领导、调查机构的设置、调查员的选择与培训、课题负责人及成员的确定、各项调查工作的分工等。

企业委托外部市场调查机构进行市场调查时，还应对双方的责任人、联系人、联系方式做出规定。

（2）市场调查方案的构成。市场调查方案的构成要素包括标题、导语（或摘要）、主体和附录等。

主体部分包括确定调查目的和任务、确定调查对象和调查单位、确定调查项目、设计调查表和问卷、设计确定调查方式和方法、确定资料整理的方案及预算支出等内容。

附录主要包括调查项目负责人及主要参加者、抽样方案及技术说明、问卷及有关技术说明、数据处理所用软件等。

市场调查方案中还包括市场调查方案的评价及可行性分析。

（3）调查方案的优劣评价标准。它包括方案设计是否体现调查目的和要求，方案设计是否科学、完整和适用，方案设计能否使调查质量有所提高，以及能否检验调查实效。

### 4. 撰写市场调查项目规划书

撰写市场调查项目规划书以及市场调查报告书应根据调查任务、目的和所收集到的市场信息资料，经过分析研究，得出判断性结论，提出建设性的措施、意见，使调查报告在企业生产、营销工作中起到指导性的作用。市场调查项目规划书撰写的具体内容如图2-2所示。

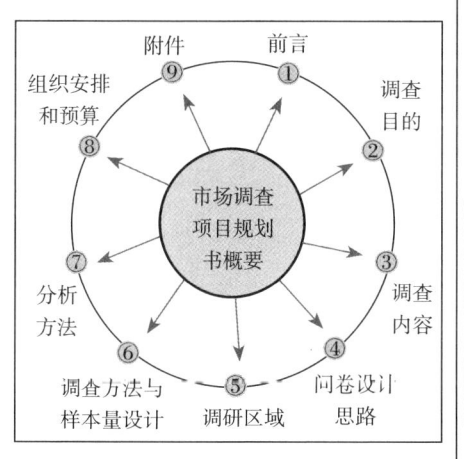
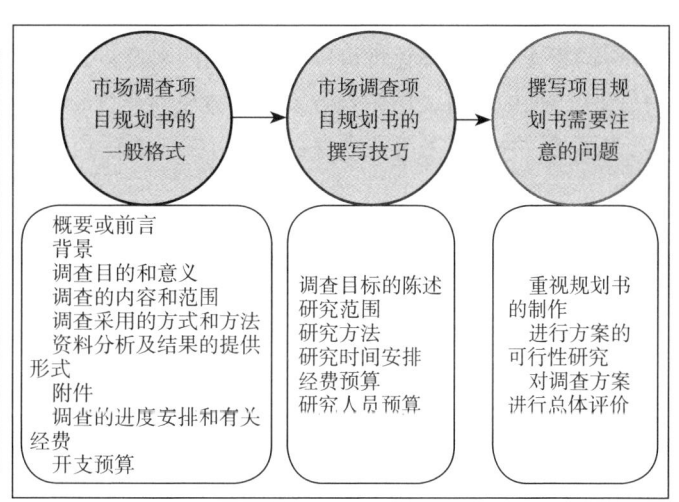

图2-2 市场调查项目规划书的撰写内容

## 2.3 调查方案的可行性研究

### 2.3.1 调查方案的可行性研究方法

市场调查活动应按照项目化管理模式实施，在项目启动与计划阶段应进行可行性研究，这是项目实施中最重要的一项工作内容。调查方案的可行性研究方法包括逻辑分析法、经验判断法和试点调查法。

1. 逻辑分析法

逻辑分析法是指从逻辑层面对调查方案进行把关，考察其是否符合思维逻辑和自然逻辑以及情理。

2. 经验判断法

经验判断法是指通过组织一些具有丰富的市场调查经验的人士，对设计出来的市场调查方案进行初步研究和判断，以验证调查方案的合理性和可行性。

3. 试点调查法

试点调查法是通过在小范围内选择部分单位进行试点调查，对调查方案进行实地检验，以验证调查方案的可行性。

### 2.3.2 调查方案的模拟实施

按照项目化运作流程，制订方案之后就是调查方案的模拟实施，模拟实施对调查内容的顺利完成十分重要。只对调查规模很大的调查项目采用模拟实施，并非所有的调查方案都需要进行模拟实施。模拟实施的方式主要有：客户论证会和专家评审会等。

### 2.3.3 调查方案的总体评价

调查方案的总体评价可以从不同角度来衡量。在一般情况下，对调查方案进行评价应包括四个方面的内容，即调查方案是否体现调查目的和要求，调查方案是否具有可操作性，调查方案是否科学、系统和完整，调查方案能否达到调查质量高、效果好的标准。

## 2.4 市场调查质量控制

市场调查质量控制就是检查和核实所从事的调查活动在质量上是否符合调查要求，发现调查中的缺点和错误，对调查过程中可能产生的各种误差及时给予预防和纠正。

### 2.4.1 市场调查质量控制原则

调查质量与调查误差具有负相关性：调查误差越小，调查质量越高；调查误差越大，调查质量越低。市场调查质量控制原则如下。

（1）客观控制。对调查质量的衡量和评价应当是客观的，应以规定的标准或决策所需要的准确度来衡量，不能因干扰因素而降低标准或者对质量提出更高标准。

（2）全面控制。市场调查方案必须具有全程性、全地域性、全员性。

（3）超前控制。它要求所有调查人员放弃那种等到出现问题时才提出解决问题办法的被动控制方式。调查人员应根据情况的发展变化，提出解决问题的预案，对可能出现的调查误差加以预防控制。

（4）质量控制。应适当处理好与其他相关问题的关系，特别是要解决好质量控制与调查成本之间的关系。对调查结果、质量控制的关系给予有效的科学控制，杜绝只求降低成本而增加调查误差的做法。

### 2.4.2 市场调查质量控制标准

市场调查是一个系统工程，一方面是经费、人力和设备的合理利用，另一方面是抽样比例、抽样方法、现场调查方式和人员的有机组成。对有限区域市场进行的抽样调查，其方法已逐渐成熟，抽样框的建立和维护随着周期性的普查也将逐步规范，目前面临的最大问题是现场调查的组织和数据的质量控制。质量控制的目的是尽量避免与减少误差，使调查结果能反映所调查事物的真实情况。

#### 1. 统计数据质量标准

统计数据质量是指统计信息对用户需求的满足程度。国际公认的标准包括如下几个方面。
（1）适用性。适用性是指收集的统计信息是否有用，是否符合用户的需求。
（2）准确性。准确性是指统计估算值与目标特征值（即"真值"）之间的差异程度。
（3）及时性。及时性是指调查基准期与统计数据发布时间的间隔时间。
（4）可比性。可比性是指同一项目的统计数据在时间和空间上的可比程度。
（5）可衔接性。可衔接性是指不同统计项目之间（即同一统计机构内部不同统计调查项目之间）、不同机构之间以及与国际组织之间统计数据的衔接程度。
（6）可取得性。可取得性是指用户从统计部门取得统计信息的容易程度，包括列明用户从统计机构可以取得的统计信息内容以及应用先进便捷的统计信息服务方式。

#### 2. 统计数据质量控制与质量保证

质量控制是对实际操作性能进行测量并与标准相比较，一旦出现偏差就采取相应措施进行调整。质量保证应包括以保证质量为目标的一切活动。质量保证的目标是防止、减少或控制调查中误差的发生，并在第一时间予以纠正。质量保证是预防问题，而质量控制则是对已经确认的问题进行相应处理。质量保证主要是关注预期的结果，组织或机构必须有效地实施质量控制，在此基础上才能提供质量保证。

### 2.4.3 误差对调查质量的影响

误差泛指原始数据及其统计指标与真实情况之间的差别。凡是调查就一定有误差，误差或大或小总是存在的，不可能完全避免。在抽样调查过程中，误差可分成抽样框误差、抽样误差、现场调查误差及数据处理误差。其中抽样误差是因抽样而产生的，是能够计量和控制的；现场调查误差虽不像抽样误差那样可以估计或测量，但它可以使用质量控制技术对误差加以控制，尽管难度较大，但能使误差达到最小。

现场调查误差的两种主要类型如下。
（1）计量误差。计量误差是指对一个问题所做的回答记录与它的真值不同，这可能是由被调查者、调查员、调查问卷、收集数据的形式或测量工具等造成的。
（2）无回答误差。无回答误差是由于种种原因，没有对抽出的样本单元或问卷中的某些项目进行计量。无回答误差包括单元无回答误差和项目无回答误差。单元无回答误差可用权数调整法补救，项目无回答误差可用插补、臆测等方法补救。

### 2.4.4 影响市场调查数据质量的因素

可以从调查内容、调查的条件和环境、被调查者的特征、调查员的特征四个方面对影响市场调查数据质量的因素做简要分析。

1. 调查内容对数据质量的影响

（1）调查内容的敏感性。调查内容的敏感性是指被调查者对所制定的市场调查内容的细节产生怀疑，如会不会增加税费，对被调查者的名誉是否有负面影响，被调查者单位或个人的隐私或机密是否会被泄露，被调查者回答起来是否负担过重等。

（2）问题的难度。问题的难度是指调查问卷的长度和复杂程度、访问时间长度和难易程度、调查的指标用现有的技术能否进行测量等。

（3）被调查者对问题的兴趣。在设计问卷时，应充分考虑被调查者的特点，尽量使用通俗易懂的语言，使用友好、操作简便的界面。要让被调查者了解调查的目的、作用，以引起被调查者的兴趣。

2. 调查的条件和环境对数据质量的影响

（1）调查经费。现场调查的费用主要包括调查员的培训费、交通费、住宿费、调查补助费、通信费、设备租金以及用于数据质量控制的复核费用等，调查经费的使用合理与否对数据质量的影响是非常大的。

（2）调查的人力和设备。人力和设备资源的合理利用也是影响数据质量的重要因素之一。如一名调查员在一个调查周期内最多能走访多少家企业，在一个调查区域内多少家企业需配备一名调查员，电话、手机、传真机、掌上电脑等通信工具以及交通工具的合理利用等。

（3）调查的时间。调查开展的时间、占用的时间、面访的时机对调查数据质量都有影响。例如，对乡村市场的调查就不应在农忙时进行，应尽量避免在用餐、会客或被调查者特别忙时进行面访。

（4）被调查社区对调查的态度。在现行的行政管理体制下，基层社区村（居）委会对调查给予支持配合非常重要。要注意加强对被调查社区的宣传，如调查前发一封致样本村（居）委会的公开信等。

3. 被调查者的特征对数据质量的影响

（1）被调查者的社会特征。例如，面访的对象是企业主、业务主管、会计还是其他人；如果是个体户，面访的是户主还是其家属；如果是消费者，是直接消费者还是间接消费者，等等。

（2）被调查者对入户访问的态度和合作程度。现场调查很重要的环节就是加大宣传力度，以取得被调查者的信任。调查员可以通过行政手段、熟人介绍、自我介绍等方法，最大限度地争取被调查者的合作，被调查者不愿合作的调查通常是难以成功的。

（3）被调查者对问题的理解能力。被调查者的素质不同，对问题的理解能力也不同。例如,在调查营业人员时,有的营业人员就可能把营业收入当成纯收入,而对应付工资等包括的范围理解也不同。

(4)被调查者的回答能力及方式。被调查者的回答能力、礼貌偏误、迎合偏误、社会期望偏误、回答问题简单化等均可造成误差。

#### 4. 调查员的特征对数据质量的影响

(1)调查员对调查技术的掌握程度。企业或第三方调查机构需要每年对调查员进行一两次调查技能培训,明确调查员的职责,提高调查员的调查技能。为合格的调查员颁发调查证,并建立调查员激励机制,对工作负责、调查业务水平高的调查员进行物质和精神奖励,对责任心不强、工作差错多的调查员进行批评教育或者调换调查员。

(2)调查员的工作积极性和责任心。抽样调查的数据采集工作主要是通过调查员来完成的,调查员的工作积极性和责任心是保证样本数据质量最重要的基础,也是抽样调查推算结果的重要依据。

(3)调查员可能产生的误差。调查员本身的原因可能影响调查数据质量。例如,调查员的选择不符合调查要求,调查员在面访时态度不好、提问不正确或擅自改变原定问题,提问时提出有歧义的问题,对被调查者进行诱导,记录错误、漏记或者字迹不清,等等。市场调查质量的核查如表2-2所示。

表 2-2 市场调查质量的核查表

| 误差源 | 表现形式 | 控制方法 |
| --- | --- | --- |
| 调查员有意误差 | 欺骗或作弊 | 监督及检查 |
| | 诱导被调查者 | 复核及核实 |
| 调查员无意误差 | 调查员个性特征 | 严格挑选和培训调查员 |
| | 误解或操作失误 | 实习和模拟训练 |
| | 疲劳 | 休息 |
| 被调查者有意误差 | 谎言 | 确保匿名和保密 |
| | | 激励或鼓励 |
| | | 逻辑检查或复核 |
| | | 第三者技巧(不直接询问而将问题制作成针对一个与被调查者相似的第三者) |
| | 不响应 | 多次接触被调查者 |
| | | 确保匿名和保密 |
| | | 激励或鼓励 |
| | | 第三者技巧(不直接询问而将问题制作成针对一个与被调查者相似的第三者) |
| 被调查者无意误差 | 误解 | 周密设计问卷,详细指引和解释 |
| | 猜测 | 设计直接、清晰的问题 |
| | 注意力减弱 | 排除干扰,吸引被调查者 |
| | 疲劳 | 短暂休息,激发兴趣 |

### 2.4.5 市场调查的质量控制阶段及其内容

市场调查的质量控制分为现场调查准备阶段、调查实施阶段、调查资料整理审核与评估三个阶段。各阶段的质量控制内容如下。

**1. 现场调查准备阶段的质量控制内容**

（1）现场调查的组织模式。理想的组织模式应是按项目管理要求，借鉴政府、社会普查的经验，企业可以组成高效灵活的调查队伍，形成相对稳定的调查网络，项目、经费、人员和设备形成一个有机的整体（也称系统工程）。

（2）调查员的聘用。必须强调的是，市场调查一定要让企业自己组织现场调查，完全委托别人不是一个完整的抽样调查。调查员的聘用、培训、管理应由企业督导员直接负责，包括经费下发、进度控制、质量管理等。

（3）调查员的培训。培训的内容主要是职业道德教育和严格的调查技能训练，采用讲演、角色扮演、模拟训练等方法进行培训，经考核合格后，正式签订聘用合同。

（4）调查问卷设计中的质量控制。根据调查目的，将原有的调查表设计成专门的面访调查问卷。问卷中每个问题的意思必须明确，确保理解一致；尽量通俗化，使问题易懂，敏感问题要排在后面；有些指标要尽可能分解成可测量值；要有填表说明；要有"访员记录""初审、复审者签名"等。

（5）质量控制表的设计。设计控制表的目的是便于控制、管理和规范操作程序。其作用有三方面：一是做到调查过程中的每一环节都责任到人，有利于加强管理；二是保留详细记录，有利于发现问题，改进调查；三是使得整个调查过程有一个规范的操作准则。

（6）建立调查质量的核查制度。建立严格的调查质量控制与核查制度并严格执行，包括针对调查员和督导员的调查质量核查制度。调查员在现场登记完毕，当即进行逻辑审核和评估，有疑问现场解决。督导员要对所有的样本进行复核，录入数据时还要利用计算机进行逻辑审核。建立现场调查回访制度，要求调查者在每次上报问卷前，都要抽取一部分样本进行深入回访，发现调查中存在的问题并予以解决。

**2. 调查实施阶段的质量控制内容**

从系统思想的角度看，过程是"输入+活动+输出"，其中输入就是调查数据处理阶段。调查实施阶段包括市场调查数据编码、数据录入、手工纠错等，而调查活动实施的产出可用两种质量观点来看待：输出反映的是单独的产品或服务，这些产品或服务要么达到了标准（合格），要么没有达到标准（不合格），质量管理认为产品就是输出的结果；产出也可以看成在相对稳定的状态下产生的结果，这是一种过程控制的观点。

质量实施过程控制一般采取两种方法：调查结果控制、调查过程控制。

（1）调查结果控制。调查结果控制是指通过抽样检查来决定哪个批次的市场调查工作可以接受，哪个批次的市场调查工作不能接受。调查结果控制是矫正性的，被判定为不合格的批次，要么通过返工改进质量，要么被剔除。市场验收抽样是调查结果控制采用的主要方法。

例如，某批次1 000个市场调查样本中，若误差小于$\alpha=5\%$，则认为该批次样本合格。怎样检验该批次的调查结果是否合格？

思路：

1）明确概率的运用方法。

2）计算不合格率。

检验步骤：

1）将 1 000 个市场调查样本分为 20 个小批次，每个小批次数量为 50 个。

2）从每个小批次中抽取一个样本量为 20 的样本。

3）检查样本中的所有单元，计算样本总数，样本中不合格的单元数为 $d$，不合格率为 $P$。

4）比较 $P$ 与 $\alpha$ 的大小。如果 $P > \alpha$，那么应拒绝该批次，通常对这样的批次应进行全部检查；如果 $P < \alpha$，那么该批次的调查结果可以被接受。

（2）调查过程控制。调查过程控制的目的是从运行良好的过程中进行系统抽样，以判断过程中的情况是否都未发生变化（即是否恶化）。调查过程控制也是一种预防性措施，因为当调查过程出现失控时过程就会中断。调查过程控制可以通过采集样本来实施，如果我们建立了科学有效的市场调查反馈系统，当有证据表明市场调查过程发生重大变化（即过程失控）时，控制系统就会及时报警，调查过程就会中断，直至检查出导致变化的原因后才恢复过程。

### 3. 调查资料整理审核与评估阶段的质量控制内容

这一阶段的质量控制包括调查资料收集结束后的审核评估环节，在这个环节中应该注意以下几个问题。

（1）采用项目管理小组和指导委员会集体审核方式，以确保调查项目资料科学、准确。

（2）采用跨学科的项目小组或项目管理小组方式进行调查设计和实施，保证在该过程中能够适当考虑到质量要求。

（3）一些新技术和新方法（包括问卷）必须得到严格测试与评估。

（4）在设计或重新设计阶段以及不间断复核的过程中，对推荐的调查方法进行技术评估，也应该对操作效果、费用和性能进行评估。

（5）数据分析不仅可以用来获取调查现象的信息，还可以用来评估或测量调查数据的准确性和一致性。

总之，市场调查工作的质量控制的主要做法包括严谨的市场调查计划，进行市场调查可行性研究，对市场调查者、督导员、数据录入人员和编码员等进行培训，进行细致的市场调查练习，改进市场调查抽样框，改进市场调查样本设计，改进市场调查问卷设计，调整市场调查数据收集方法（如用 CA 方法代替纸张收集），优化市场调查追踪回访方法，改善市场调查数据处理程序，在处理系统得到实际使用前进行全面测试，对市场调查活动的重要数据进行及时核查等。

## 2.5 市场调查方案设计分析

为使学生对市场调查方案设计有更清晰的认识，下面以一次互联网消费活动调查方案设计为例进行分析。

### 2.5.1 调查背景分析

21 世纪是一个数字化的时代。在这个时代，谁最先拥有先进的数字技术，谁就可能先成功。互联网造就了数字化的生存环境，促进了全球的信息化和经济一体化。在网络环境下，时间和空间的概念，市场的性质，消费者的需求、愿望和行为等都发生了巨大的变化。如何适应这种变化，成为企业必须面对的新课题。企业必须调整经营战略，建立电子商务的商业模式，在互联网上发现与推广商机，进而开展网络营销，只有这样才能迎接挑战。

为了对本市的女性网络消费情况有个初步的了解，特进行此次"××市网络消费状况调查"，以便在分析女性网络消费情况的基础上，找出影响网络营销的关键因素，提出网络营销模式，以达到在互联网上消费者与商家双赢的目的。

本次调查始于 2020 年 7 月 15 日，于 2020 年 9 月 30 日结束，历时两个半月。

### 2.5.2 调查对象

中国互联网络信息中心（CNNIC）发布的相关资料显示：女性网民规模近年来有了较快增长，是不可忽视的潜在消费群体。鉴于调研者为工业大学在校研究生，故本次调查以××市女性消费者为主要对象。

### 2.5.3 调查内容

（1）女性网络消费者的基本情况（年龄、月收入、职业等）。
（2）女性网络消费者的上网目的。
（3）女性网络消费者的网络消费情况。
（4）女性网络消费者对网络营销的了解程度。
（5）女性网络消费者对网络广告的看法。

### 2.5.4 调查时间

2020 年 7 月 15 日—2020 年 9 月 30 日。

### 2.5.5 调查方法

本次调查采用网上调查和实地调查。
（1）网上调查：设计网上调查问卷，采用被动式调查法，由填写者填写后递交。
（2）实地调查：抽样调查法。从主要行业或人员（包括行政人员、专业人员、学术界或教育界、电脑或工程人员、机械技术员、服务行业、文员、销售市场部、贸易行业、高等院校学生、中小学生、家庭工业、自雇人员、待业人员、已退休人员及其他人员）中抽取有代表性的 8 类作为调查对象：行政人员、销售市场部、服务行业、贸易行业、学术界或教育界、电脑或工程人员、高等院校学生、中小学生，每个行业或人员中拟抽取 25 位，共调查 200 位女性网络消费者。拟采用电话调查法、拦截调查法、入户（或工作场所）调查法。

### 2.5.6 调查问卷设计及组织调查者

调查问卷设计见第 4 章的具体内容，本次调查的组织人员为某大学企业管理系的 5 位在读研究生，指导老师为大学教授。

## 2.5.7 研究进度

调查从 2020 年 7 月 15 日开始，网上调查问卷发出后至 2020 年 9 月 1 日截止并开始统计，实地调查拟分为以下四个阶段：

（1）实地调查（2020 年 7 月 15 日—2020 年 8 月 15 日）。
（2）整理资料（2020 年 8 月 16 日—2020 年 8 月 20 日）。
（3）分析资料（2020 年 8 月 21 日—2020 年 8 月 31 日）。
（4）形成报告（2020 年 9 月 1 日—2020 年 9 月 30 日）。

## 2.5.8 调查经费

调查经费主要包括调查人员的差旅费、课题资料费（书籍、统计资料、文献的费用以及复印费等）、调查表格的印刷费、调查人员和协作人员的劳务费、文具费等。

⊙ **知识链接**

针对学龄前儿童的特点，运用观察法调查儿童对玩具的兴趣行为，调查人员设计出对一组儿童与某些玩具的观察方案。在观察这一组儿童玩玩具的过程中，记录下每个孩子的行为，例如：孩子对某一玩具是否特别感兴趣？孩子玩这一玩具的时间有多长？其他的孩子对这一玩具也同样感兴趣吗？

## 本章小结

通过本章学习，学生可以了解市场调查的组织策划与市场调查方案设计的全过程，掌握市场调查方案设计、市场调查质量控制等基本理论和基本知识，为市场调查策划的开展提供基础知识储备。调查方案的可行性研究方法有逻辑分析法、经验判断法、试点调查法。市场调查的质量控制分为现场调查准备、调查实施、调查资料整理审核与评估三个阶段。

## 复习思考题

**一、单项选择题**

1. 从认识上讲，调查方案设计常常是从定性认识过渡到（　　）认识的开始阶段。
   A. 定量　　　　　　B. 理性
   C. 感性　　　　　　D. 知性
2. 确定调查的目的和任务，是市场调查总体方案设计程序中的第（　　）阶段程序。
   A. 二　　　　　　　B. 一
   C. 三　　　　　　　D. 四
3. 调查单位的确定取决于调查方式的约束。确定了调查单位从某种意义上讲就明确了调查的范围和具体（　　）。
   A. 对象　　　　　　B. 内容
   C. 方法　　　　　　D. 手段
4. 第二阶段的主要任务是设计确定调查方式和方法、确定资料整理的方案及预算支出、制订调查的组织计划、撰写（　　）项目规划书。
   A. 市场决策　　　　B. 市场分析
   C. 市场追踪　　　　D. 市场调查

5. 市场调查方案的构成要素包括标题、导语（或摘要）、（　　）和附录等。
   A. 说明　　B. 内容　　C. 主体　　D. 核心
6. 市场调查质量控制的目的是要尽量避免与减少（　　），使调查结果能反映所调查事物的真实情况。
   A. 误差　　B. 离差　　C. 方差　　D. 极差
7. 要建立严格的调查质量控制与核查制度并严格执行，包括针对（　　）和督导员的调查质量核查制度。
   A. 评估员　　　　B. 调查员
   C. 分析员　　　　D. 研究员
8. 抽样调查的数据采集工作主要通过（　　）来完成。
   A. 评估员　　　　B. 调查员
   C. 分析员　　　　D. 研究员
9. （　　）是指对一个问题所做的回答记录与它的真值不同。
   A. 计量误差　　　B. 分析误差
   C. 信息误差　　　D. 判断误差
10. 对商场实施的调查方法是：商场基本情况调查采取（　　）方法，消费者调查则采取实地调查法以及访谈法和问卷法。
    A. 访谈　　　　B. 问卷
    C. 实地调查　　D. 文案调查

## 二、多项选择题

1. 设计市场调查方案的原则有（　　）。
   A. 可行性　　　　B. 经济性
   C. 灵活性　　　　D. 目标性
   E. 科学性
2. 市场调查方式是指市场调查的组织形式，通常有（　　）等。
   A. 市场普查　　　B. 重点市场调查
   C. 典型市场调查　D. 抽样市场调查
   E. 非概率抽样调查
3. 市场调查方法的确定应考虑（　　）等做出选择。
   A. 调查资料收集的难易程度
   B. 调查对象的特点
   C. 数据取得的源头
   D. 数据的质量要求
   E. 调查者性别
4. 调查方案的可行性研究方法包括（　　）。
   A. 逻辑分析法　　B. 经验判断法
   C. 试点调查法　　D. 系统性
   E. 经济性
5. 市场调查质量控制原则包括（　　）。
   A. 客观控制　　　B. 全面控制
   C. 超前控制　　　D. 实际控制
   E. 随机控制

## 课堂实训

在了解市场调查方案设计含义的基础上，明确市场调查方案设计的意义；掌握市场调查总体方案设计的基本内容；在了解市场调查可行性研究方法的基础上，能对各种方案进行分析评价，主要关注调查什么以及如何调查的问题。

## 课外实训

A 商场是一家具有 30 年历史的国有商业企业，在该地区商誉较好，知名度较高，尤其是中老年人对其有深厚的感情。但自从在商场的斜对面建起了一家与其规模相当的商场后，尽管同类商品的价格低于竞争者，但是客流量还是不断减少，效益明显下滑，为此 A 商场决定开展一次调查活动。

问题：

1. 为什么要进行市场调查？是因为商场客流量不断减少，效益明显下滑，还是其他原因？

2. 商场在市场调查中想了解什么？顾客为何不喜欢来了，对该商场有何看法？顾客期望的商场是什么样的？
3. 市场调查结果有什么作用？找出企业经营中的问题，找出潜在客户，规划企业的发展战略。
4. 谁最想知道市场调查的结果？商场的高层主管对市场调查结果会采取什么态度？

## 案例分析

### 2024—2030年中国医药市场深度调查研究及发展趋势分析报告

医药行业是我国国民经济的重要组成部分，是传统产业和现代产业相结合，一、二、三产业为一体的产业。医药行业对于保护和增进人民健康、提高生活质量，为计划生育、救灾防疫、军需战备以及促进经济发展和社会进步均具有十分重要的作用。随着国内人民生活水平的提高和对医疗保健需求的不断增加，我国医药行业越来越受到公众及政府的关注，在国民经济中占据着越来越重要的位置。

由于医药制造业高投入、高风险、高回报、研发周期长的发展特点，促使行业发展必须实现三大集聚：向园区集聚、向经济发达地区集聚、向专业智力密集区集聚。中国医药制造业的区域特征为：集聚于东部沿海地区科研院所集中和创新能力较强的省份以及少数中西部的中心城市，初步形成以长三角、环渤海地区为核心，珠三角、东北地区等中东部地区快速发展的空间格局。

产业调研网发布的《2024—2030年中国医药市场深度调查研究及发展趋势分析报告》认为，医药行业被称为永不衰落的朝阳产业，未来医药行业的总体发展趋势非常明确：人口老龄化、城市化、健康意识的增强以及疾病谱的不断扩大促使医药需求持续增长；生物科技的发展使得供给从技术上能够保证医药创新研发，满足医药需求；政府对医疗投入的不断加大提供了满足需求的资金。

《2024—2030年中国医药市场深度调查研究及发展趋势分析报告》在多年医药行业研究结论的基础上，结合中国医药行业市场的发展现状，通过资深研究团队对医药市场各类资讯进行整理分析，并依托国家权威数据资源和长期市场监测的数据库，对医药行业进行了全面、细致的调查研究。

产业调研网发布的《2024—2030年中国医药市场深度调查研究及发展趋势分析报告》可以帮助投资者准确把握医药行业的市场现状，为投资者进行投资做出医药行业前景预判，挖掘医药行业投资价值，同时提出医药行业投资策略、营销策略等方面的建议。

资料来源：产业调研网。

问题：
1. 结合本案例说明，调查研究及发展趋势分析报告是否对等于调查预测报告？为什么？
2. 调查的意义和作用应该放在报告的哪个位置？本报告是如何处理的？
3. 调研报告对行业的总体分析以及目的、意义如何设计？本报告是怎样处理的？

## 知识解析

# 第 3 章　市场调查方法

○ 学习目标

1. 掌握各种市场调查方法及其适用范围。
2. 了解各种市场调查方法在市场调查中的重要作用。
3. 重点掌握市场调查方法中的文案调查法和询问调查法，了解实验调查法。

○ 引导案例

## 济南消费者回归理性

前几天，央视新闻发起"未来你还会吃日本海鲜吗"的投票，一天之内，共计42.4万人投票。其中，41.2万人表示"不会"，仅1.1万人表示"会"。记者走访了济南多家商超、日料餐饮店发现，目前市面上均无日本进口水产品在售。

记者曾到市中区经四路老商埠附近一家日料店了解情况。"这家店以前挺火爆的，但现在客人不多了，"一位受访者说。消费者心里确实也有顾虑，如果能给消费者开通绿色通道，"探探"后厨、检查下具体的食材，消费者会更放心。晚上7时，记者在市中区俊秀路附近一家日料店看到，有七八位食客在店内就餐。日料店工作人员称，"我们承诺拒绝使用日本水产品，生意暂时还没有受到明显影响"。记者通过走访了解到，目前，不少连锁日料店通过线上发声，店内产品均非日本进口水产品，并公示了食材原产地。

一家日料店负责人张顺告诉记者："很多日料店的三文鱼食材来自北欧，店里的其他食材也能在国内市场找到替代品。"而且，中国海关总署已经宣布，将全面暂停进口日本水产品。很多商家在通过线上平台公示、解说的同时，也在积极引入多样化的水产品。

记者采访发现，面对林林总总的防辐射产品，济南市民表现得十分理性。"要尊重科学""相信我国政府有能力维护食品安全和公众健康"，不少接受采访的市民表现出这样的态度。

市民张先生认为，要理性对待目前市场上出现的防辐射产品，"比如说，使用专业核辐射检测仪有一定的门槛，需要专业的人员、特定的方法以及严格的环境"。

槐荫区潍坊路一家药店的工作人员表示，目前市面上常见的核辐射检测仪，大多量程小、精度低、适用对象局限、数值可靠性差，无法满足对海水、海产品、化妆品等多种物质的放射性测量。

资料来源：济南日报百家号，《深调查：防辐射产品，有必要买吗？记者调查市场发现，济南消费者表现理性》，2023年8月30日。

问题：
1. 本案例中的市场调查方法是什么？这一方法对该类调查有何益处？其不足之处在哪里？
2. 支持"济南消费者表现理性"这一结论的依据是什么？本调查为什么要提出这一观点？

## 3.1 文案调查法

文案调查法是利用企业内部或外部现有的各种信息、情报资料，对调查内容进行分析研究的一种调查方法。文案调查是市场调查的基础性工作，是整个调查工作的前奏。大数据给我们实施文案调查提供了海量的信息资源，尽管这些资源来自不同的渠道和途径，但是，只要深度挖掘，就可以将海量信息资源变为有价值的调查文案资源。

### 3.1.1 文案调查法的特点

文案调查法所收集的资料是已经加工过的次级资料以文献性信息为主，具体表现为文件、音像、图表、书籍等载体。文案调查法所收集的资料包括动态和静态两个方面，实际操作中尤其偏重于动态信息的收集。

### 3.1.2 文案调查法的分析功能

大数据时代，数据的分析和挖掘在企业市场调查及资料收集过程中，发挥着越来越显著的作用，文案调查法也应当对数据材料给予高度重视。无论是在产品的构想、原型设计阶段，还是在产品的测试、上市流通阶段，用户需求与市场竞争信息的数据都会在网络平台上呈现出来。在这种情况下，要秉承以用户为中心的理念，综合技术、市场两种驱动能力，采用科学严谨的方法，通过各种渠道，准确有效地收集企业本身的基本运营情况，并通过外部渠道，掌握用户订购及使用产品的评价、动机及行为等信息，为产品运营、业务支撑和数据管理等相关人员的工作提供系统化的指导，可以利用先进的数据处理软件来分析整理数据，以帮助企业管理人员解决经营决策中的问题。

采用文案调查法需要做好以下几个方面的分析。

（1）市场供求趋势分析，即通过收集各种市场动态资料并加以分析对比，以观察市场发展方向。

（2）相关性和回归分析，即利用一系列相互联系的现有资料进行相关性和回归分析，以研究现象之间相互影响的方向和程度，并在此基础上进行预测。

（3）市场占有率分析，即根据各方面的资料，计算出本企业某种产品的市场销售量占该市场同种产品总销售量的份额，以了解市场需求及本企业所处的市场地位。

（4）市场覆盖率分析，即用本企业某种产品的投放点与全国该种产品市场销售点总数进行比较，以反映企业产品销售的广度和宽度。

### 3.1.3 文案调查法的渠道

企业应用文案调查法的渠道有很多，主要包括企业内部资料的收集和企业外部资料的收集。

#### 1. 企业内部资料的收集

企业内部资料大体可以概括为三种。第一，企业经济活动的各种业务记录和业务资料，包括与企业业务经济活动有关的各种资料，如订货单、进货单、发货单、合同文本、发票、销售记录、业务员访问报告等。第二，统计资料，主要包括各类统计报表，企业生产、销售、库存等各种数据资料，各类统计分析资料等。第三，财务资料，主要反映企业活动和物化管理的占用和消耗情况及所取得的经济效益，通过对这些资料进行研究，可以确定企业的发展前景，考核企业的经济效益。企业可以利用大数据、云计算技术建立数据库，对以上资料进行分类管理。

#### 2. 企业外部资料的收集

企业外部资料来源包括统计部门与各级各类政府主管部门公布的有关资料，各种经济网络信息中心、专业信息咨询机构、各行业协会网站提供的市场信息和有关行业情报，国内外有关书籍、报纸、杂志所提供的文献资料，有关生产和经营机构提供的商品目录、广告说明书、专利资料及商品价目表等，各地电台、电视台提供的有关市场信息，各种国际组织、外国使馆、商会所提供的国际市场信息，国内外各种博览会、展销会、交易会、订货会等以及专业性、学术性经验交流会议上发放的文件和材料等。

## 3.2 询问调查法

询问调查法又称访问询问法，就是调查人员采用访谈、询问的方式向被调查者了解市场情况的一种方法。它是市场调查中最常用、最基本，也是最传统的调查方法。

根据调查实施方式的不同，询问调查法可分为直接访问法、电话调查法。

#### 1. 直接访问法

直接访问法又称面谈访问法。面谈访问法属于较为传统的调查方法，对调查员的心理素质和应变能力的要求很高，目前在一些产品或服务类市场调查活动中仍经常被使用，具有一定的实际效果。直接访问法的流程如图 3-1 所示。

（1）直接访问法一般包括三种形式：入户面访调查、街头或商城拦截式面访调查、计算机辅助个人面访调查。

1）入户面访调查就是调查员按照抽样方案中的要求，到抽样选中的家庭或单位中，按事先规定的方法选取适当的访问对象，再依照问卷或调查提纲进行面对面的直接访问。

对于入户面访调查，首先是要决定到哪些户（单位）去访问。研究者赋予调查员的抽样主动权应保持在尽可能小的范围，按等距抽样法规定起始点，

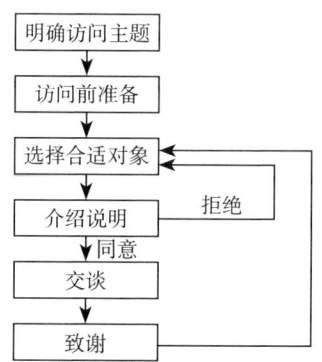

图 3-1 直接访问法流程图

计算抽样间距、行走路线。抽样方案中还应给出被抽中的家庭户内无人或被抽中的家庭户拒绝接受访问时的处理方法。确定访问对象，一般是访问户主或最具决定权的家庭成员，不管是哪一种情况，抽样方案中都要规定具体的方法，使调查员有据可循。

入户面访调查对调查员的特别要求主要是：认真负责、诚实可靠、不怕困难和善于交流。

2）街头或商城拦截式面访调查具体分为两种形式。

第一种形式是由经过培训的调查员在事先选定的若干个地点，如交通路口、户外广告牌、商城或购物中心内外、展览会内外，按照一定的程序和要求，如每隔几分钟拦截一位行人或每隔几个行人拦截一位行人等，选取访问对象，征得其同意后，在现场按照问卷要求进行简短的面访调查，此法适合于小样本的探索性研究。街头或商城拦截式面访流程如图3-2所示。

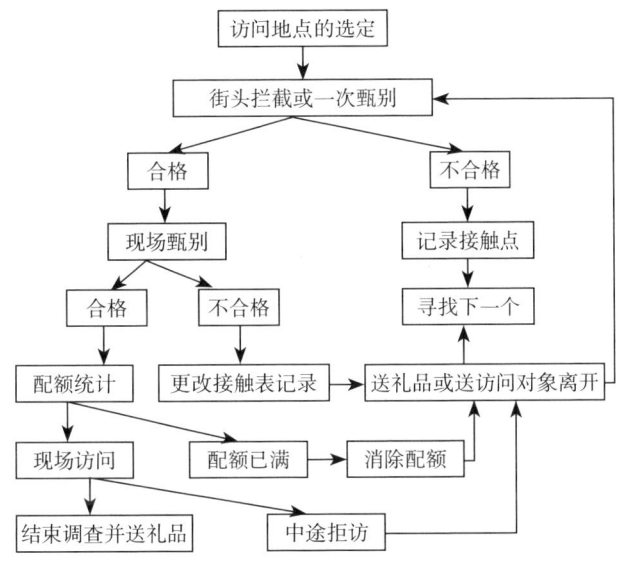

图 3-2　街头或商城拦截式面访流程图

第二种形式是中心地调查或厅堂测试（Hall Test），是在事先选定的若干场所内，租借好访问专用的房间或厅堂，根据研究的要求，可能还要摆放若干供访问对象观看或试用的产品，为访问对象营造市场调查的客观环境。中心地调查流程如图3-3所示。

3）计算机辅助个人面访调查（Computer-Assisted Personal Interviewing，CAPI）在一些发达国家使用得比较广泛。可以是入户的CAPI，也可以是街头或商城拦截式的CAPI。其主要有两种形式：第一种形式也是更为常见的形式，是由经过培训的调查人员手持普通的笔记本电脑对访问对象进行面访调查；第二种形式是对访问对象进行简单的培训或指导后，让访问对象面对计算机屏幕上的问卷，通过键盘、鼠标或计算机专用笔，逐题地将自己的答案亲自直接输入笔记

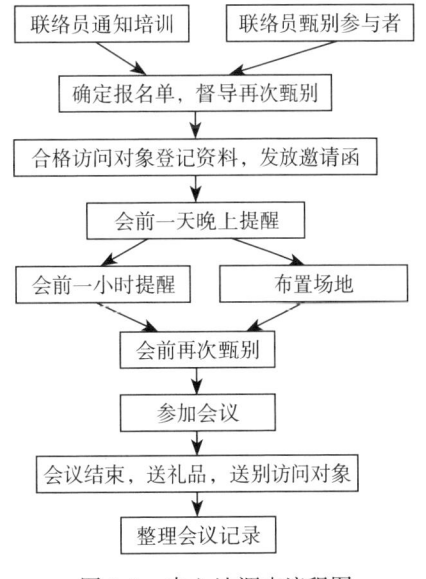

图 3-3　中心地调查流程图

本电脑内。

（2）直接访问法的注意事项。直接访问法是一种调查者和相关的访问对象之间面对面接触，进行有目的的对话，以此得到调查者感兴趣的资料的方法。直接访问法与日常交谈有一定的区别，通常来说有两点不同。

第一是直接访问法相对于日常交谈更具有目的性，日常交谈的目的性通常来说是不明确的，或者说没有目的，但是直接访问法一定具有目的性。从目的的广度上来看，日常交谈的目的是更加宽泛的，但是，通常来说，直接访问调查的话题与主题都是比较单一和局限的。

第二是交谈双方在关系上有所不同。日常交谈是随意的，而直接访问调查需要对方按照访谈的议题进行应答。总之，直接访问调查要做好准备，并对样本做好选择，最后要控制好质量。

（3）直接访问法的评价。直接访问法既有优点也有缺点，具体如下。

直接访问法的优点：回答率高；可通过调查人员的解释和启发来帮助访问对象完成调查任务；具有较强的灵活性；可对调查的环境和调查背景进行了解。

直接访问法的缺点：人力、物力耗费较大；要求调查人员有较高的素质；对调查人员的管理较困难。此方法可能会因遭到一些单位或家庭的拒绝而无法完成。

### 2. 电话调查法

电话调查法的流程如图3-4所示。

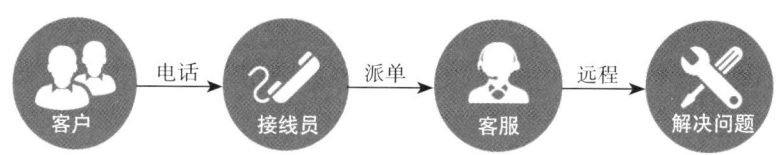

图3-4 电话调查法流程图

（1）电话调查法的分类。电话调查法分为传统的电话调查和计算机辅助电话调查。

1）传统的电话调查。传统的电话调查采取随机拨号的方法，是根据随机抽样的原理设计的，有以下几种常用的做法。

①利用现成的电话号码簿作为抽样框，借助随机数字表，随机地选取拨打号码，或采用等距抽样的方法从电话号码簿中抽取拨打号码。

②按照所调查地区的具体情况和抽样方案先确定拨打号码的前几位，再按照随机原则确定后几位。

2）计算机辅助电话调查（Computer-Assisted Telephone Interviewing，CATI）。计算机辅助电话调查在发达国家使用得比较普遍，通常是在一个装有CATI设备的中心地点进行。

计算机辅助电话调查的结果真实。由于采用CATI系统，问卷不外流，不与被调查者当面接触，可打消被调查者的顾虑，调查成功率高，原始数据和汇总数据接触人员少，保密性强。

目前，CATI技术已成为国内外专业调查机构开展民意研究和市场调查最主要的数据收集工具。

（2）电话访问员与客户沟通的必备素质。①专注聆听。在通话过程中，切忌中途打断客户说话。专注地听完客户的叙述是电话访问员与客户建立友好关系的第一步，从客户的叙述中，抓住有价值的信息是了解市场趋势的重要途径。②微笑应答。微笑是对客户的尊重，客户看不到不意味着不知道你的态度。一般来说，在无法面对面的情况下，发自内心的微笑更容易被对方所感知。微笑是优质服务的具体内容，是真诚的表现。③积极询问。电话访问员不是单纯的记录员，一个优秀的电话访问员需要通过积极主动的询问来获知市场需求信息以及发现市场动态，用询问打开客户的心扉，达到真正意义上的心与心的交流。同时，电话访问员要发音正确、口齿清楚、声速适中和听力良好。

电话是电话访问员与客户每日沟通的唯一工具，也限制了电话访问员与客户接触的方式。利用电话与客户进行有效沟通是电话访问员订单成功的决定性因素。一个优秀的电话访问员不仅要遵守规范的电话访问操作流程，保证订单的准确率，而且应该能够在有限的时间内使信息顺畅地到达客户端，并从客户端得到对产品的市场反馈信息，懂得如何与客户进行心与心的双向交流，从而建立起客户对公司的依赖感及忠诚度。

（3）电话调查法的评价。电话调查法既有优点也有缺点。

电话调查法的优点：电话调查法具有很大的灵活性，可以对问题进行深入的探索，有效地控制交谈的过程，对被调查者的各种疑问进行解释。与问卷调查相比，电话调查的回答率较高。即使在被调查者因文化程度低或其他原因不能填写调查问卷的情况下，电话调查也能得到被调查者的合作，获得所需的资料。

电话调查法的缺点：组织工作复杂，耗费较多的人力、时间与经费；电话访问员与被调查者之间的直接交谈，有可能使被调查者出现猜测和迎合访问员意图的倾向，也可能使被调查者感到调查不具备保密性，不愿提供敏感性的资料。

（4）自动电话调查系统访问。自动电话调查系统访问是利用通信手段进行调查，如使用现代化计算机程序控制通信设备进行的随机电话访问方式。在进行电话访问时，必须事先输入受访人的电话号码，由计算机按程序自动拨号，电话访问员在接通电话后不知道对方身份，只负责按规定的访问内容进行访问对话。访问过程和内容可以实时录音，以确保调查访问内容的真实可靠。

自动电话调查系统访问具有以下几个特点。

1）效率高。该方法省去了传统调查所需的印刷问卷、上门入户或邮寄问卷、审核问卷、数据录入等环节，在短时间内即可完成调查，访问结束后几十分钟内即可汇总数据，周期较短。

2）科学性强。调查过程全程监控，没有中间环节，不必进行层层组织和布置，可排除调查过程中的人为干扰因素，使得调查结果更加客观和公正，数据质量高。所有调查访问均以录音方式保存下来以供复核，不易出现作弊现象。

3）代表性强。利用计算机系统按照统计理论进行抽样调查，确保其随机性；可按区域等方式进行分组调查；可对电话号码和问卷答题的出现顺序进行控制，可避免因跳问或选择错误的答项而导致的数据差错或丢失。

## 3.3 邮寄调查法

邮寄调查法是指将事先设计好的调查表（又称问卷）投寄给被调查者，要求被调查者填好后寄回的方法。这种形式是在被调查者不愿面谈，或者面谈内容可能被被调查者曲解的情况下所能采取的最好办法。问卷必须简洁、问题明了。通常邮寄调查表的回收率较低，回收时间较迟缓。

### 3.3.1 邮寄调查法的适用范围及类型

目前我国市场调查中极少采用邮寄调查法来收集数据。在欧洲，邮寄调查法所占的比例也远远低于直接访问法和电话调查法，主要原因是邮寄调查法有一定的局限性。一般来说，在调查的时效性要求不高，被调查者的名单和地址都比较清楚，调查经费比较紧缺，而调查的内容又比较多、比较敏感的情况下，采用邮寄调查法是比较合适的。邮寄调查法的流程如图 3-5 所示。

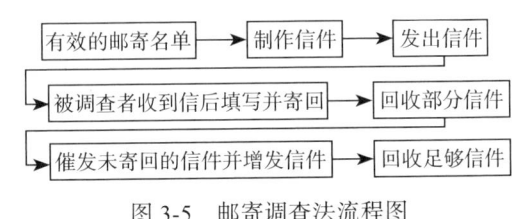

图 3-5　邮寄调查法流程图

**1. 邮寄调查法的适用情况**

（1）空间范围大。在一个地区可以邮寄到许多地方甚至是全国、国际市场进行调查。这种方法不受调查所在地区的限制，只要通邮的地方，都可被选为调查样本。

（2）样本数目可以很多，而费用开支较少。按随机原则选定的调查样本可以达到一定数量，同时发放和回收问卷，调查时间短。

（3）被调查者有较充裕的时间来回答问卷，并可避免在面谈中受调查者倾向性意见的影响，调查者可了解较为真实可靠的情况。

**2. 邮寄调查法的类型**

邮寄调查法的类型包括报刊问卷调查、商品附发问卷调查、电子网络传送问卷调查、销售广告随附商品问卷调查、报纸杂志社读者意见问卷调查、家用电器顾客意见问卷调查等。这些调查类型基本上都是将所售出的商品作为传递调研问卷的媒介，商品的购买者即被调查者。

### 3.3.2 邮寄调查法的评价

**1. 邮寄调查法的优点**

邮寄调查法具有以下几个优点。

（1）扩大了调查范围。

（2）增加了样本量。

（3）减少了调查人员的劳务费，免除了对调查人员的管理。

（4）被调查者能避免因与陌生人接触而引起的情绪波动。

（5）被调查者有充足的时间填答问卷。

（6）可以对较敏感或较隐私的问题进行调查。

### 2. 邮寄调查法的缺点

邮寄调查法具有以下几个缺点。
（1）问卷回收率较低。
（2）信息反馈周期长，影响收集资料的时效。
（3）要求被调查者有较好的文字表达能力。
（4）问卷的内容和题型不能太难。
（5）难以甄别被调查者是否符合条件。
（6）调查内容要易引起被调查者的兴趣。
（7）成本较高，难以控制。

入户面访调查、街头或商城拦截式面访调查、电话调查法、邮寄调查法各有优缺点，因此调查效果各不相同，四种调查方式效果对比如表3-1所示。

表3-1 四种调查方式效果对比

| 比较维度 | 调查方式 | | | |
|---|---|---|---|---|
| | 入户面访调查 | 街头或商城拦截式面访调查 | 电话调查法 | 邮寄调查法 |
| 资料收集的灵活性 | 高 | 高 | 一般 | 高 |
| 调查问题的多样性 | 高 | 高 | 低 | 一般 |
| 物质刺激的作用 | 一般 | 高 | 低 | 一般 |
| 样本控制 | 高 | 高 | 一般 | 低 |
| 资料收集环境的控制 | 一般 | 高 | 一般 | 低 |
| 资料的数量 | 高 | 一般 | 一般 | 一般 |
| 应答率 | 高 | 高 | 一般 | 低 |
| 有见解的匿名人 | 低 | 低 | 一般 | 高 |
| 社会期望 | 高 | 高 | 一般 | 低 |
| 调查人员偏见的潜在性 | 高 | 高 | 一般 | 无 |
| 速度 | 一般 | 一般 | 高 | 低 |
| 成本 | 高 | 一般 | 一般 | 低 |

## 3.4 留置问卷调查法

留置问卷调查法是指将调查问卷当面交给被调查者，说明填写的要求并留下问卷，让被调查者自行填写，由调查人员定期收回的一种市场调查方法。它是介于邮寄调查法和直接访问法之间的一种方法，既综合了邮寄调查法由于匿名而保密性强的优点，又综合了直接访问法回收率高的优点，保证匿名性。

对留置问卷调查法的评价：优点是回收率高，有利于被调查者独立思考并回答问题；缺点是费用高，空间范围小。

## 3.5 网上调查法

网上调查法是借助联机网络、计算机通信技术和数字交互式媒体实现研究目的的市场调查方法。目前可借助的互联网平台媒介包括网站、QQ、微信、微博、微信公众号等。网上调查法大规模发展于 20 世纪 90 年代。网上调查法具有自愿性、定向性、及时性、互动性、经济性与匿名性的特点。

现在许多企业和社会组织都开始使用网上调查法完成对社会经济信息的收集与整理工作，并以此作为制定决策的依据。利用互联网进行调查有很多优点，比如快速、方便、费用低、不受时间和地理区域限制等。另外，由于不需要和用户进行面对面的交流，避免了当面访谈可能对被调查者造成误导，或者被调查者因顾及对方面子而羞于选择不利于企业的问题等情况。尽管网上调查有其优越的一面，但也有一定的缺陷，主要在在线调查表的设计、样本的数量和质量、个人信息保护等方面存在不足。在实践中，人们总结出成功的网上调查必须具备以下要件。

1. 在线调查表的设计

无论采取哪种网上调查法，设计相应的在线调查表并预先进行测试，在大多数情况下都是必不可少的，而且在线调查表设计水平的高低直接关系到调查结果的质量。由于在线调查占用被调查者的上网时间，因此在设计上应该简洁明了，尽可能少占用填写表单的时间和上网费用，时间控制十分重要，如果一份网络问卷需要 10 分钟以上的时间作答，多数人没有这种耐心，最后只能使被调查者因产生抵触情绪而拒绝填写或者敷衍了事。

2. 样本的数量

样本数量太少难以保证调查结果的真实性，这是网上调查最大的局限之一。如果没有足够的样本数量，调查结果就不能反映总体的实际状况，也就没有实际价值，足够的访问量或者流量是一个网站进行网上调查的必要条件之一。

3. 样本的质量

由于网上调查的对象仅限于上网的用户，从网民中随机抽样取得的样本可能与消费者总体之间有一定的差别。另外，用户地理分布的差异和不同网站拥有特定的用户群体也是影响调查结果不可忽视的原因，注重样本质量也是保证网上调查质量的重要一环。

4. 个人信息保护

网上调查应该在法律法规允许的范围内操作，尤其是对个人或企业的敏感信息，一定要注意保护。为了尽量在人们不反感的情况下获取足够的信息，网上调查应尽可能避免调查较敏感的资料，如住址、家庭电话、身份证号码等。

5. 被调查者的因素

由于被调查者提供信息的真实性直接影响到网上调查结果的准确性。所以，对于被调查者的某些信息，调查者要进行科学甄别，尤其是个人信息，要保证信息的真实性和准确度。

6. 建立信息分析处理系统

网上调查收集到的信息必须经过有效处理后，才能具有一定的价值。此项工作最好选派专人完成，用数据库组织管理信息，并加以存储分析，以备将来查询。在调查过程中，调查者经常会收到很多垃圾邮件，当前，在网上查到的资讯有些不够真实准确，特别是同行业在网上公开的信息有很多虚假成分，所以必须以用户身份去了解，才可能得到比较准确的信息，而建立一个高效的信息分析处理系统非常重要。

## 3.6 观察调查法

观察调查法是指观察者根据一定的研究目的、研究提纲或观察表，用自己的感官和借助辅助工具直接观察被观察对象，从而获得第一手资料的一种方法。通常是观察者凭借自己的感官和各种记录工具，深入调查现场，在被调查者未察觉的情况下，直接观察和记录被调查者的行为，以收集市场信息。

科学的观察具有目的性、计划性、系统性和可重复性等特点。常见的观察方法有核对清单法、级别量表法、记叙性描述。观察者一般利用眼睛、耳朵等感觉器官去感知和观察被调查者。由于人的感觉器官具有一定的局限性，观察者往往要借助各种现代化的仪器，如照相机、录音机、显微录像机等来辅助观察。

⊙ **知识链接**

全球领先的消费者研究与零售监测公司尼尔森IQ（NIQ）2024年发布的《通往2025：全球消费者展望》报告显示，尽管不确定性依然存在，消费者正从谨慎型消费转向目的型消费。他们保持韧性，并在消费上更加审慎和有目的性，优先考虑那些能提升消费者富足感和幸福感的产品。

随着全球经济面临持续且前所未有的挑战，洞察消费者行为已成为企业发展的关键任务。该报告全面分析了经济趋势对消费者信心、消费者态度变化的影响，以及对购买决策产生影响的关键因素，以助力企业驾驭趋势并规划可持续增长。同时，该报告分为全球篇、亚太篇及中国篇，其中全球篇从消费者现状、消费驱动因素、财务状况分化、重新定义"折扣"和值得关注的趋势五个方面入手，全面展示全球消费者的购买行为及动机。

### 3.6.1 观察调查法的基本类型

观察调查法依据不同的分类标准有多种分类方法。

（1）按观察者置身于观察活动中的深浅程度，观察调查法可划分为完全参与观察、半参与观察和非参与观察。

1）完全参与观察是观察者长期生活在被观察的群体中，甚至隐瞒或改变自己的身份，成为群体中的一员，完全进入角色并被被观察者的组织当成"自己人"。此法与警察办案的卧底类似，但是可能会受到道德或法律的制裁。

2）半参与观察是指观察者不改变身份进入群体中，观察者的身份虽然显露，但他至少被群体中的人视为可接纳或可容忍的"客人"，肯德基的定期督导类似于这种情况。

3）非参与观察是指观察者以旁观者的身份置身于被观察对象群体之外进行的观察，神秘顾客以及酒店试睡员等属于这种情况。

（2）按观察的情景条件，观察调查法可划分为实验观察、自然观察。

1)实验观察是指观察对象、观察范围处在某种程度上受人为控制的环境中的观察,适用于因果性调查。这种方法通常是指调查机构事先设计模拟一种场景,观察者在一个已经设计好并接近自然的环境中观察被观察对象的行为举止。所设置的场景越接近自然,被观察者的行为就越真实。

2)自然观察是指观察对象处在完全自然的环境中的观察,适用于机会调查、探测性调查以及有深度的专题调查。这种观察是观察者在一个自然环境中,如超市、展示地点、服务中心等,观察被观察对象的行为举止。

(3)按观察的具体形式,观察调查法可划分为人员观察、机器观察、实际痕迹观察和掩饰观察。

1)人员观察。人员观察是指由接受过相关培训或指导的个人,如神秘购物者以潜在消费者或真实消费者的身份,对任意一种顾客服务过程进行体验与评价,然后通过某种方式详细客观地反馈其消费体验。

2)机器观察。机器观察如尼尔森公司的视听检测仪,该系统由 Adobe 为尼尔森公司开发,能够直接将在线视频与数字播客或一篇文章的流行程度或点击率进行对比。同时,新的系统数据包括尼尔森 IQ 传统的渠道、来自 Adobe 网络流量监测以及网络电视调查系统的数据。

在某些情况下,用机器观察取代人员观察具有一定的可行性。在一些特定的环境中,机器可能比人员更经济、更精确和更容易完成工作。

3)实际痕迹观察。实际痕迹观察是指通过一定的途径来了解消费者的痕迹和行为,而不是直接观察消费者的行为。

4)掩饰观察。在实际调查活动中,如果被观察对象知道自己被观察,其行为可能会有所不同,观察的结果也就不够真实,调查所获得的数据也会出现偏差。掩饰观察就是在不为被观察对象所知的情况下监视其行为过程。

⊙ **知识链接**

**案例 1**:某公司为了弄清哪种媒体可以把更多的商品信息传播出去,选择了几种媒体做同类广告并在广告中附有回条,顾客凭回条可到公司去购买优惠折扣的商品,根据回条的统计数,就可找出适合该公司的最佳广告媒体。

**案例 2**:某快餐店推出一套填空题,就本店的产品特色、产品系列和环境特色等请客流群体中愿回答者答卷,根据答对的程度分别给予从饮料免费至套餐免费的不同奖励,调查员根据回收的答卷分析了解本店在顾客心目中的印象和品牌知名度等情况。

**案例 3**:某商场如想调查顾客购买电器后的反应,可到各维修点调查哪些产品维修最多、哪些部件替换最快、消费者的评价如何等。国外有家饮料公司曾根据垃圾站饮料瓶的回收状况,来分析消费者的口味偏好。

## 3.6.2 观察调查法的要求、使用原则和适用范围

**1. 观察调查法的要求**

(1)养成观察习惯,形成观察的灵敏性;集中精力全面、多角度地进行观察;实地观察

与缜密思考相结合。

（2）制定好观察提纲。观察提纲是供观察者在观察调查的过程中使用的，所以应力求简洁，只需要列出观察内容、起止时间、观察地点和被观察对象即可，为使用方便还可以制成观察表或卡片。

（3）按计划实行观察。观察中要做好详细记录，最后整理、分析、概括观察结果，得出结论。

#### 2. 观察调查法的使用原则

使用观察调查法时应遵循以下原则。

（1）全方位原则。在使用观察调查法进行社会调查时，应尽量从多方面、多角度、不同层次进行观察，搜集资料。

（2）求实原则。要做到求实原则，观察者必须密切注意各种细节，做好详细的观察记录；确定范围，不遗漏偶然事件；积极开动脑筋，注重与理论的联系。

（3）规范性原则。观察者必须遵守国家的法律和社会道德准则。

#### 3. 观察调查法的适用范围

观察调查法可以在以下情况中使用。

（1）无法控制被观察对象。

（2）在控制条件下，可能影响某种行为的出现。

（3）由于社会道德的要求，不能对某种现象进行控制。

为避免主观臆测和偏颇，使用观察调查法时应注意以下几点。

（1）每次只观察一种行为。

（2）所观察的行为特征应事先有明确的说明。

（3）观察时要善于感受现象和发现事实。

（4）采取时间取样的方式进行观察。

## 3.7 实验调查法

实验调查法是指市场调查者有目的、有意识地改变一个或几个影响因素，来观察市场现象在这些因素影响下的变动情况，用以认识市场现象的本质特征和发展规律。它是在控制情况下对某种行为或者心理现象进行观察的方法。实验调查既是一种实践过程，又是一种认识过程，是将实践与认识统一起来的调查研究过程。

### 3.7.1 实验调查法的基本要素

实验调查法的基本要素如下。

#### 1. 实验者

实验者是实验调查有目的、有意识的活动主体，以一定的实验假设来指导自己的实验活动。

## 2. 实验对象

实验对象是实验者所要认识的客体，它既可能是事物，也可能是行为。实验对象往往被分成实验组和对照组。

## 3. 实验环境

实验环境是实验对象所处的各种社会条件的总和。实验环境分为人工实验环境和自然实验环境。

## 4. 实验活动

实验活动是改变实验对象所处社会条件的各种实验活动，在实验调查中被称为"实验激发"。

## 5. 实验检测

实验检测是在实验过程中对实验对象所做的检查或测定，这一活动分为实验激发前的检测和实验激发后的检测。

## 6. 实验调查的过程

实验调查的过程就是对这些要素相互作用、相互影响过程的分析，通过对比等方式观察实验结果。

## 7. 实验调查的目的

实验调查的目的是揭示社会现象间的因果关系，认识实验对象的本质及其发展规律，甚至可以探究事物的未来发展趋势。

### 3.7.2 实验调查法的一般程序

实验调查法的操作原理来源于"穆勒五法"中的差异法和共变法。在实际操作中，以实验假设为起点，包括设计实验方案—选择实验对象和实验环境—实验激发前的检测—通过实验激发改变实验对象所处的社会环境—实验激发后的检测—通过对前检测和后检测的对比对实验效果做出评价。

实验调查法将自然科学中的实验求证理论移植到市场调查活动中，在特定的理想条件下，对市场经济活动的某些内容及其变化加以实际验证、调查分析，从而获得市场资料。

### 3.7.3 实验调查法的分类

实验调查法按照实验的场所可分为实验室实验和现场实验。实验室实验是指在人为设定的环境中进行的实验，实验者可以进行严格的实验控制，比较容易操作，时间短，费用低。现场实验是指在实际的环境中进行的实验，其实验结果一般具有较强的指导意义。

**1. 实验调查法的一般步骤**

实验调查过程如图 3-6 所示。根据市场调查的课题提出研究假设，界定研究变量，界定实验单位，进行实验设计，确定实验方法，选择实验对象；进行实验；观察实验记录，得出实验结论。

**2. 实验调查法的种类**

常用的实验调查法主要有以下几种。

（1）无控制组的事前事后对比实验（差异法），如表 3-2 所示。采用这一方法是在同一个市场内，在实验开始前，在正常的情况下进行测量，收集必要的数据并进行现场实验，经过一段时间的实验以后，再测量收集实验过程中（或事后）的资料数据，然后进行事前事后对比，通过对比观察，了解实验变数的效果。

这是一种最简单的实验调查法，它是在不设置控制组（对照组）的情况下，考察实验组在引入实验因素前后实验对象量的变化，从而测定实验因素对实验对象（被调查者）产生影响的实验效果。

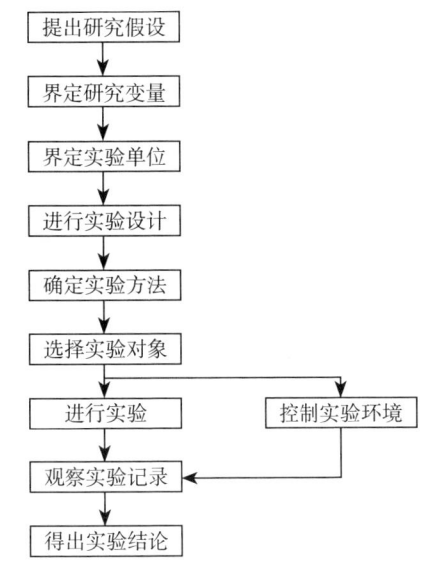

图 3-6 实验调查过程示意图

表 3-2 无控制组的事前事后对比实验

| 测定值 | 级别 | |
|---|---|---|
| | 实验组 | 控制组（对照组） |
| 事前测定值 | $x_1$ | — |
| 事后测定值 | $x_2$ | — |

例如，某保健品厂生产的保健品质量在同类产品中是比较好的，但其销量总是不尽如人意。该厂市场营销人员经过调查研究，认为是该保健品的包装不理想所致，决定把原来的纸盒包装改为塑料盒包装和铁盒包装，但对新包装的效果没有把握。为此，该厂决定运用无控制组的事前事后对比实验来考察实验效果。

整个实验期为两个月，前一个月仍用旧包装，而后一个月采用新包装。实验结果是，采用旧包装的那个月的销量为 1 250 盒，采用新包装的那个月的销量为 1 650 盒，显然包装变换前后的销量有很大不同。

（2）有控制组的事前事后对比实验（共变法）。有控制组的事前事后对比实验是指控制组事前事后实验结果同实验组事前事后实验结果进行对比的一种实验调查方法。

这种方法不同于单纯地在同一个市场的事前事后对比实验，也不同于在同一时间的控制组同实验组的单纯的事后对比实验。

这一实验方法是在同一时间周期内，在不同的企业、单位之间，选取控制组和实验组，并且对实验结果分别进行事前测量和事后测量，再进行事前事后对比。

这一方法实验的变数多，有利于消除实验期间外来因素的影响，从而可以大大提高实验变数的准确性。

这种方法要求从实验对象中随机抽出两个样本组，在相同时间段内进行实验比较，其中一组为实验组，另一组为控制组。要求对实验组和控制组分别进行实验前测量和实验后测量，然后进行事前事后对比。

例如，要测定某一种商品改变包装后的销售情况，可以在实验前测定两组销售量，实验组为 $X_1$，控制组为 $Y_1$；实验后实验组的销量为 $X_2$，控制组的销量为 $Y_2$；两组事前事后对比的实验效果为 $(X_2-X_1)-(Y_2-Y_1)$。

假如某公司欲了解本公司速冻食品的新包装效果，选定 A、B、C 三家超市作为实验组，D、E、F 三家超市作为控制组，在 A、B、C 三家超市以新包装销售，在 D、E、F 三家超市以旧包装销售，实验期为一个月。

1）实验组和控制组在实验前的商品销售量均为 1 000 盒；实验组在实验后的商品销售量为 1 600 盒，控制组在实验后的商品销售量为 1 200 盒。

2）实验组实验前同实验后对比，其变动结果是商品销售量增加了 600 盒；控制组实验前同实验后对比，其变动结果是商品销售量增加了 200 盒，即

$$\begin{aligned}实验效果 &= (X_2-X_1)-(Y_2-Y_1)\\&=(1\,600-1\,000)-(1\,200-1\,000)\\&=600-200=400（盒）\end{aligned}$$

【分析提示】可以判断出，速冻食品采用新包装后销售量增加，因此可以扩大生产。

（3）控制组同实验组对比实验。控制组是指非实验单位（企业、市场），是与实验组做对照比较的，又称对照组。实验组是指实验单位（企业、市场）。

控制组同实验组对比实验，就是以实验单位的实验结果同非实验单位的实验结果进行比较而获取市场信息的一种实验调查法。

采用这种实验调查法的优点在于实验组与控制组在同一时间内进行现场销售对比，不需要按时间顺序分为事前事后，这样可以排除由于实验时间不同而可能出现的外来变数影响。

（4）随机对比实验。随机对比实验是指按随机抽样法选定实验单位所进行的实验调查。

当实验单位很多，市场情况十分复杂时，按主观的判断分析选定实验单位就比较困难。这时可以采用随机对比实验，即采用随机抽样法选定实验单位，使众多的实验单位都有被选中的可能性，从而保证实验结果的准确性。

随机对比实验有多种形式，其做法与随机抽样相似，如有单纯随机抽样、分层随机抽样、分群随机抽样等。采用何种形式选定实验单位并进行对比实验，必须从实际出发，根据具体条件而定。

除了上述常用的实验方法，在开发新产品，选定产品的规格、款式、型号时，还可以使用一种小规模市场实验的方法。通过小规模市场实验、试销，在销售客户和使用对象中听取意见，了解需求，收集市场信息资料。它的具体做法是：第一，选定一个小规模的实验市场，它的条件、特性要与准备进入的市场有较强的相似性；第二，选定新产品或新设计的产品规格、款式、型号，在这个小规模市场上试验销售；第三，进行销售结果分析，根据结果决定是投产扩大规模，还是放弃新产品。选定某一种款式，这样有助于提高决策的科学性，明确生产经营方向。

市场实验法是调查人员选择某一特定市场，控制一个或数个营销自变量，研究其他营销因变量的因果关系的方法。虽然市场上不能控制的因素很多，如消费者的偏好、国家的政策等，但探索因素关系这个特点是访问调查法和观察调查法所不具备的，市场实验法的最大特

点是把调查对象置于非自然的状态下开展市场调查。

### 3. 实验调查法的优缺点

社会科学中的实验不可能像自然科学中的实验一样准确。这是因为，市场上的实验对象要受到多种不可控制因素的影响，例如，在实验期间，宏观环境因素和微观环境因素都会不同程度地反映到市场上来，从而影响实验的效果。

在实验期间，社会不可能形成排除非主要因素的理想环境，因此其他因素的影响是不可避免的，这也影响着实验的准确性。从实践来看，通过实验调查法可以获取市场情况的第一手资料，对预测未来市场也有很大的帮助。

通过实验对比，还可以比较清楚地分析事物的因果关系，这是访问调查法和观察调查法所不具备的。在条件允许时，采用实验调查法还是大有益处的。

（1）实验调查法的优点。其优点主要体现在两方面：①可以有控制地分析、观察某些市场现象之间是否存在着因果关系，以及相互影响程度；②通过实验取得的数据比较客观，具有一定的可信度。诚然，优点是相对的，实践中影响经济现象的因素很多，可能由于非实验因素不可控制，而在一定程度上影响实验效果。

（2）实验调查法的缺点。实验调查法有一定的局限性并且费用较高。实验调查法只适用于对当前市场现象的影响分析，较少用于对历史情况和未来变化的影响分析。其所需时间较长，又因为实验中需要实际销售和试用商品，因而费用也较高。

采用这一方法，必须讲究操作的科学性，遵循市场变化的客观规律，具体要注意以下两点。

第一，寻找科学的实验场所。实验调查不能像自然科学一样在实验室中处理各种现象，而要在社会中寻找实验市场。但这个市场的实验条件与实验结果应尽可能符合市场的总体特征。

第二，实验中要正确控制无关因素的影响，减少干扰，使实验接近真实状态，否则，将失去结果的可信度。

实验调查法应用范围较广，一般来讲，改变产品品质、变换产品包装、调整产品价格、推出新产品、变动广告形式和内容、变动产品陈列方式等，都可以采用实验调查法测试其效果。

◆ 案例

## 小强实验室在汽车领域的表现评估

在汽车领域，小强实验室的出现引起了大众广泛的关注和讨论。要全面评价其综合表现，需要从多个方面进行考量。从实验方法的角度来看，小强实验室在一些实验设计上具有创新性。比如，在对汽车零部件的拆解和对比分析中，采用了直观的展示方式，让消费者能够清晰地看到不同车型之间的差异。

然而，部分实验方法可能存在不够严谨的情况，例如样本量较小，或者在对比过程中未充分考虑车辆的使用环境和个体差异等因素。在数据准确性方面，小强实验室有时提供的数据较为准确和详细，能够为消费者提供有价值的参考。但在一些情况下，数据的采集和处理可能不够精确，导致结论存在一定的偏差。再看实验内容的覆盖范围，小强实验室涉及汽车的多个方面，包括发动机、变速箱、底盘等重要部件。但在某些热门和关键的技术领域，如新能源汽车的电池技术和自动驾驶系统等方面，其研究和报道相对较少。

资料来源：和讯网，《如何评价小强实验室的综合表现？这种表现对实验结果有何影响？》，2024年10月17日。

## 本章小结

本章介绍了市场调查的七种主要方法：文案调查法、询问调查法、邮寄调查法、留置问卷调查法、网上调查法、观察调查法、实验调查法。各种调查方法有其自身的优缺点，在使用中可以衍生出不同的形式，它们有不同的规则和技巧。

## 复习思考题

### 一、单项选择题

1. 文案调查以收集（　　）信息为主，具体表现为文件、音像、图表、书籍等载体。
   A. 文献性　　　　B. 现实性
   C. 未来性　　　　D. 前瞻性

2. （　　）是市场调查中最常用、最基本，也是最传统的调查方法。
   A. 询问调查法　　B. 文案调查法
   C. 电话调查法　　D. 问卷调查法

3. 街头或商城拦截式面访调查适合于（　　）的探索性研究。
   A. 大样本　　　　B. 小样本
   C. 小模型　　　　D. 大模型

4. 由经过培训的调查者手持普通的笔记本电脑对被调查者进行面访调查称为（　　）。
   A. CLT　　　　　B. HT
   C. CAPP　　　　D. CAPI

5. （　　）系统是利用通信手段进行调查，如使用现代化计算机程序控制通信设备进行的随机电话访问方式。
   A. 邮寄调查　　　B. 计算机辅助电话
   C. 自动电话调查　D. 随机拨号

6. （　　）极适用于零售商业企业，可以提高顾客对零售商的好感。
   A. 邮寄调查　　　B. 自动电话
   C. 随机拨号　　　D. 计算机辅助电话

7. 借助联机网络、计算机通信技术和数字交互式媒体实现研究目的的市场调查方法是（　　）。
   A. 留置问卷调查法　B. 网上调查法
   C. 电话调查法　　　D. 问卷调查法

8. （　　）是指市场调查者有目的、有意识地改变一个或几个影响因素，来观察市场现象在这些因素影响下的变动情况，以认识市场现象的本质特征和发展规律。
   A. 实验调查法　　B. 观察调查法
   C. 文案调查法　　D. 询问调查法

9. （　　）是最简单的一种实验调查法。
   A. 无控制组的事前事后对比实验
   B. 有控制组的事前事后对比实验
   C. 控制组同实验组对比实验
   D. 随机对比实验

10. （　　）是调查者选择某一特定市场，控制一个或数个营销自变量，研究其他营销因变量的因果关系的方法。
    A. 心理实验法　　B. 行为实验法
    C. 模型实验法　　D. 市场实验法

### 二、多项选择题

1. 市场调查的四种主要方法是（　　）。
   A. 文案调查法　　B. 询问调查法
   C. 观察调查法　　D. 实验调查法
   E. 科学性

2. 根据调查实施方式的不同，询问调查法包括（　　）等。
   A. 直接访问法　　　　B. 电话调查法
   C. 邮寄调查法　　　　D. 留置问卷调查法
   E. 非概率抽样调查法
3. 电话访问员与客户沟通的必备素质是（　　）。
   A. 专注聆听　　　　　B. 微笑应答
   C. 话题源头　　　　　D. 话题质量
   E. 积极询问
4. 自动电话调查系统的特点包括（　　）。
   A. 效率高　　　　　　B. 科学性强
   C. 节省成本　　　　　D. 代表性高
   E. 结果真实
5. 网上调查具有（　　）的特点。
   A. 自愿性　　　　　　B. 定向性
   C. 及时性　　　　　　D. 互动性
   E. 经济性与匿名性

## 课堂实训

一家副食品连锁店店主想了解一下到他店里购买东西的顾客对本店的印象如何。同时他还想了解，顾客对他竞争对手的店的印象如何？他拨出少量经费，要求在三周内得到结果。你将推荐哪一种调查方法？为什么？

## 案例分析

案例1

### 培养家具设计师的市场调查与分析能力

过去，高校的家具设计教学认为，学生只要把家具作品设计得美观实惠，符合当前制作工艺就可以了，并不需要考虑产品是否符合家具的市场需求。这种严重缺乏系统的市场调查、研究的教学模式，导致学生的家具设计作品成为温室中的花朵，耐不住市场的严酷检验，更不要说应对当前家具市场一波波的疾风劲雨了。在教学活动中如何提高学生对知识的综合运用能力，同时直面市场需求，这是当下家具设计教学对接市场时必须面对的重要实践环节。

市场调查与分析能力已然成为"接地气"的家具设计师应具备的能力，也成为教学的重点内容。下面看看家具设计教学具体应该怎么做。

一、沟通

家具设计师必须保证学校与企业双向沟通，了解市场需求，明确设计任务。从课堂教学为主逐渐转化为与企业进行不断沟通的实习模式，这样可以更好地训练学生的团队协作能力及市场感知能力。学生自由组合成若干设计小组，从工作初始就是团队一起合作，可以更好地训练协作设计能力和团队合作能力。这样一来，学生能相互感染，激发强烈的设计兴趣与信心，着手家具设计的具体工作。在实践中，教师应注意教学环节的设计，认真听取每组的工作实时汇报，肯定学生的工作成绩，督促设计工作进展。

二、走入市场

通过前期对企业需求以及市场反馈的了解，确定设计目标的初步方向，此时需要与消费者沟通。家具设计的目的不仅是生产工业产品，还要服务于市场目标客户，所以设计不能与大众审美脱节。更为重要的是,设计要满足消费者的消费个性需求。市场家具设计作品不同于绘画、雕塑等纯艺术门类,不能完全按照设计者的个人爱好来设计,必须充分考虑大众化的文化诉求。接触消费者,了解消费者的消费心理、需求,掌握市场流行脉搏,这是对设计者的一大挑战。在这个环节中,学校要求学生继续以小组为单位,根据事前拟定的设计目标,进入家具卖场,掌握目标消费群体的资料,并近距离接触、了解消费者,调查方式具体可采用问卷调查法、询问调查法等,深入了解消费者的消费心理及实际需求,同时把家具企业满意度和品牌满意度等纳入调查范围,写出市场调查和分析报告,为制订设计方案打下基础。

### 三、制订设计方案

在实际教学中,每个小组均能认真地完成工作,从设计问卷与分发到消费者手中,再到回收统计并细致分析数据,有的小组还创造性地实行了消费者参与家具设计的"我的家具我做主"的调查活动。针对学龄前儿童、小学生及其家长,设计小组开展了以"健康成长儿童家具"为主题的调查活动。经过详细调查后,各小组再针对信息来源、消费心理、消费价值观等进行个性化分析,研究不同家具产品的品牌效应、流行趋势、市场需求量等问题。本次调查的最可喜成果是:运用调查数据最终确定了"百变儿童家具"的多功能、可变形、适应不同年龄阶段儿童行为特征的家具设计方案。

资料来源:百家号,《养成家具设计师的实践方案——市场调研与分析》,2020年1月3日。

**问题:**

1. 为什么高校家具设计专业也要学习并掌握市场调查方法?
2. 家具设计专业学生进入市场后的主要调查任务是什么?其采取的调查方法是什么?
3. 通过市场调查与分析,学生最终能设计出何种产品?

## 案例2

# 北京市城乡居民垃圾分类意识及现状调查

### 一、调查目的

2019年11月27日,《北京市生活垃圾管理条例》修改决定经北京市十五届人大常委会第十六次会议表决通过。2020年5月1日,《北京市生活垃圾管理条例》正式施行,全市垃圾分类工作持续发力推动,居民知晓率和重视度逐步提高。尽管《北京市生活垃圾管理条例》已实施近四年,但垃圾分类长效机制仍需要进一步巩固,垃圾分类源头减量需要进一步推进,垃圾分类设施体系也需要进一步完善。

为贯彻落实首都城市环境建设管理委员会《北京市生活垃圾分类工作行动方案》(首环建管〔2019〕5号)关于"制定居民参与生活垃圾分类的社会调查方案,定期组织开展"的有关要求,及时了解北京市生活垃圾分类工作推进情况,社区(村)垃圾分类现状及问题,居民垃圾分类的习惯、态度和期待,北京市统计局在全市16个区开展北京市城乡居民垃圾分类意识及现状调查。

### 二、调查内容

调查的主要内容包括:北京市城乡居民垃圾分类现状及问题,个人处理垃圾的习惯,以及对垃圾分类的态度和期待。

### 三、调查对象及范围

全市 16 个区范围内被抽中社区（村）中 18～80 周岁的城乡常住居民。

### 四、调查方法

北京市城乡居民垃圾分类意识及现状调查采用由调查员利用 PAD 在抽中的社区（村）内进行拦截访问的调查方法。

### 五、组织方式

本次调查由北京市统计局统一领导，区统计局负责具体组织实施。

### 六、数据发布

本调查数据仅供内部使用并仅限用于统计相关目的，不对外发布。

资料来源：国家统计局，《北京市城乡居民垃圾分类意识及现状调查》，2024 年 4 月 1 日。

问题：

1. 自《北京市生活垃圾管理条例》实施以来，北京市居民垃圾分类的知晓率、参与度和正确率分别达到了怎样的水平？
2. 在北京市的垃圾分类工作中，目前存在哪些主要问题和挑战？这些问题和挑战是如何影响垃圾分类工作的推进的？
3. 在进行城乡居民垃圾分类意识及现状调查时，调查员如何利用 PAD 在抽中的社区（村）中进行拦截访问？具体的操作流程是怎样的？

## 知识解析

# 第 4 章  调查问卷设计

○ 学习目标

1. 了解调查问卷设计的基本概念。
2. 熟悉调查问卷设计的原则和程序。
3. 掌握调查问卷问题设计的类型和要求,熟知度量的基本技术。

○ 引导案例

2024 年中国经济研判问卷调查出炉

近期,《证券时报》发起"时报经济眼:2024 年中国经济展望问卷调查",受访者包括来自政府部门、研究机构、知名院校的权威经济学家。希望调查结果有助于准确把握经济运行态势,并为下一阶段稳定经济大盘提供决策参考。

问卷分别从 2024 年经济形势研判、宏观政策预测两个维度共设计 14 个问题。截至 2024 年 1 月 11 日,共收集到 66 份答卷。在人员构成上,受访者有 34 人来自金融机构,10 人来自政府部门,22 人为高校、智库以及非金融企业相关人士。

调查显示,多数经济学家认为,2023 年经济增长目标可以顺利实现,在 2024 年一季度至未来半年内,民间投资信心将有所改善,物价水平将温和上涨。2024 年上半年,要重点关注企业家信心和房地产市场恢复进程,可以考虑通过上调赤字率、增发特别国债等方式加大财政扩张力度,并择机实施新一轮降准、降息。

2023 年,中国经济增长持续回升向好,前三季度国内生产总值(GDP)同比增速为 5.2%,四季度继续延续复苏向好态势。国际货币基金组织当时预测认为,2023 年中国经济增速将达到 5.4%,在全球大型经济体中保持领先。在本次调查中,受访者也普遍认为,2023 年全年 5% 的经济增长目标可以顺利实现。

调查显示,97% 的受访者相信 2023 年中国全年经济增速将不低于 5%。其中,半数(50%)受访者预计 2023 年中国全年经济增速将在 5.2%(含)~5.4% 区间,47% 的受访者预计中国全年经济增速将在 5%(含)~5.2% 区间。

当前,推动经济回升向好还须克服有效需求不足、社会预期偏弱等挑战。本次调查中,受访者对 2024 年一季度至未来半年内中国经济运行情况的预期偏谨慎保守。1.5% 的受访者预计中国经济在 2024 年一季度至未来半年内将表现为"偏热"态势，47%的受访者预计中国经济将保持适度增长，48.5%的受访者认为中国经济运行将"偏冷"，3%的受访者担忧中国经济运行可能"过冷"。根据问卷结果编制的 2024 年一季度"证券时报经济预期热度指数"为 36.75%，低于 50%荣枯线。

不过，受访者对民间投资信心的预期更趋乐观。近半（48.5%）受访者认为在 2024 年一季度到未来半年内，民间投资信心将小幅提升，较 2023 年四季度调查结果上升 2.6 个百分点；31.8%的受访者认为将基本持平当前形势；19.7%的受访者认为将有所回落。

随着消费逐步恢复，经济运行中的需求不足问题有望逐步缓解，多数受访者认为在 2024 年一季度到未来半年内，物价水平将温和上涨。其中，超六成（63.6%）受访者预计居民消费价格指数（CPI）同比增速区间在 0%（含）～1%区间，25.7%的受访者预期同比增速区间在 1%（含）～2%区间，4.6%的受访者认为 CPI 同比增速在 2%及以上。

2024 年新年之初，外部环境的复杂性、严峻性、不确定性持续上升，海外主要经济体的货币金融政策调整悬而未决，站在当时时点，多数受访者对 2024 年一季度至未来半年内的汇市、股市预期偏中性。

受访者认为在 2024 年一季度至未来半年内，人民币兑美元汇率将保持双向波动，多数受访者将人民币兑美元汇率的预期区间设定在 7～7.2。具体来说，近四成（39.4%）受访者的预期区间为 7.0（含）～7.1，超三成（34.8%）受访者的预期区间为 7.1（含）～7.2。

本次调查中，受访者对股市景气度的预期打分情况与 2023 年四季度调查结果相似。51.5%的受访者对 2024 年上半年股市景气度打出 3 分（满分 5 分，分数越高代表景气程度越高），30.3%的受访者打出 2 分，12.1%的受访者打出 4 分。

2023 年 12 月 14 日，中国证券监督管理委员会召开党委（扩大）会议强调，2024 年将全力维护资本市场平稳运行。推动健全有利于中长期资金入市的政策环境，引导投资机构强化逆周期布局，壮大"耐心资本"。

本次调查中，受访者对 2024 年一季度至未来半年内的房地产销售热度预期分化明显，认为销售热度将小幅提升、基本持平、小幅回落的受访者各占三成，分别为 31.8%、34.8%、30.3%。

2024 年开年以来，包括上海在内的诸多城市继续出台房地产宽松政策。一些观点认为，在经济企稳回升和房地产支持政策落地见效的综合影响下，房地产销售情况有望企稳；也有部分观点认为，房地产市场尚未走出困境，需要政府出台更多支持政策。

对于后续稳定房地产市场政策的建议，超六成受访者分别建议在 2024 年上半年全面解除限购、限售、限贷、限价政策，分别占到 63.6%、63.6%、62.1%，建议进一步加大对大型房地产开发企业的资金支持力度，进一步推动房贷利率降低；过半（53%）受访者强调要继续加大保交楼支持力度，全力以赴做好保交楼工作；超三成（33.3%）受访者呼吁进一步优化并降低交易税费。

中国民生银行首席经济学家温彬表示，2024 年宽松的政策环境将逐步增强房地产销售市场的活跃度，带动地产行业信心逐步企稳恢复。

2024 年是中华人民共和国成立 75 周年，是实现"十四五"规划目标任务的关键一年，做好经济工作意义重大。

展望 2024 年上半年，多数受访者认为中国经济将迎来诸多积极因素。其中，超八成

（84.8%）受访者相信宏观政策能够加强政策协调，进一步加码发力稳经济；超六成（63.6%）的受访者预计海外主要经济体货币政策将结束加息进程。此外，还有超三成（31.8%、36.4%）受访者分别认为居民消费、出口总值同比在上半年有望改善。

资料来源：证券时报百家号，《2024年中国经济展望问卷调查出炉》，2024年1月16日。

问题：
1. 根据调查结果，多数经济学家认为2023年经济增长目标可以顺利实现，但当时经济运行仍面临有效需求不足、社会预期偏弱等挑战。你认为这些挑战的具体表现是什么？它们如何影响中国经济的稳定与增长？
2. 在展望2024年经济形势时，多数受访者预期民间投资信心将有所改善，同时物价水平将温和上涨。请分析这些因素对2024年中国经济的影响，并分析它们可能带来的经济变化。
3. 受访者对2024年一季度至未来半年内的汇市、股市预期偏中性，你认为这种预期背后的原因是什么？在全球经济不确定性上升的背景下，中国应如何稳定汇市和股市，以确保资本市场的平稳运行？

## 4.1 调查问卷设计的基本概念

问卷调查是较为传统的调查方式，在近两个世纪的市场调查活动中扮演着重要的角色，无论是政治领域的总统竞选，还是经济领域的产品与服务调查，问卷调查始终有其应用空间和实用价值。

### 4.1.1 问卷概述

"问卷"译自法文"Questionnaire"一词，其原意是"一种为统计或调查所用的问题单"。问卷是一种以书面形式了解被调查者的反应和看法，并以此获得资料和信息的载体，是调查目的、调查问题具体化的体现，可以使调查者顺利地获取必要的信息资料，以便于统计分析。问卷也是通过由一系列问题构成的调查表来收集资料，以测量人的行为和态度的一种心理学基本研究方法。问卷调查是国际通行的一种调查方式，也是我国近年来推行最快、应用最广的一种调查手段。

1. 问卷的特点

问卷主要有四个特点，具体如下。

（1）主题突出，问题相互关联。问卷如同试卷，自身的信度与效度必须符合规范要求。问卷的内容必须与调查的目标保持一致。

（2）用语准确规范，易于使被调查者理解。问卷是规范性文件，需要存档待查，必要时要在媒体上公布，所以要格外重视语句、文法、逻辑、修辞问题，同时也要考虑被调查者的心理特征、知识能力、认识水平。

（3）问题形式多样，易懂易答。问卷要本着由简单到复杂的逻辑规律排列问题，先设置封闭性问题,再设置开放性问题,激发被调查者的信心和兴趣。

(4)易于统计整理和分析。对于一些能够量化的问题,能尽可能采用分类分级的方法列出明确的分值界线,使所得到的资料便于整理和分析。

### 2. 问卷的功能与作用

问卷的功能与作用主要体现在五个方面。

(1)问卷把研究目标转化为特定的问题。市场调查问卷是市场营销调查不可缺少的工具。

(2)使问题和回答范围标准化,让每个被调查者面临同样的问题环境。设计合理的调查问卷有利于全面、准确地搜集资料。

(3)通过委婉的措辞、科学的问题流程和良好的卷面形象来赢得被调查者的合作。

(4)可作为调查活动的永久记录。问卷要作为企业重要的文件存档备查,形成永久记录。

(5)量化性调查问卷可以加快数据分析进程,还可以节约调查时间,降低调查成本。

## 4.1.2 调查问卷设计概述

调查问卷设计是收集数据和信息的一种常用方法,它可以帮助研究者、市场调查人员、社会科学家等了解特定群体的观点、行为和特征。调查问卷设计工作内容具体如下。

(1)确定目标和目的:在设计调查问卷之前,首先要明确调查的目的是什么,希望通过问卷得到哪些信息。

(2)确定目标受众:确定想要调查的人群,这将影响问卷的语言、问题类型和问题的设置。

(3)设计问卷结构:调查问卷的基本结构一般包括三个部分——说明信及调查问卷说明、调查问卷设计的基本要素和结束语。

(4)编写问题:问题应该清晰、简洁、无歧义。问题可以分为开放式和封闭式两种。开放式问题允许自由回答,而封闭式问题提供有限的选择。

(5)确保问题的相关性和必要性,避免无关或不必要的问题。

(6)选择合适的问题类型:单选题、多选题、量表题(如李克特量表)、排序题、判断题等。

(7)测试问卷:在正式发布问卷前,对问卷进行预测试,以检查问题的清晰度和问卷的整体流畅性。

(8)确保问卷的可靠性和有效性:可靠性指的是问卷在不同时间或不同人群中得到一致结果的能力;有效性指的是问卷测量其意图测量内容的能力。

(9)考虑问卷的长度:问卷不应过长,以免引起受访者的疲劳和不耐烦。

(10)使用技术辅助:利用在线调查工具可以简化数据收集和分析过程。

(11)分析和解释数据:收集完数据后,使用统计软件进行数据分析,并根据结果得出结论。同时,确保问卷的设计与实施遵守相关的伦理准则,包括隐私保护和知情同意。根据问卷结果,可能需要对某些问题进行进一步的调查或跟进。

调查问卷设计是一个需要细致考虑和规划的过程,每一步都可能会对最终结果造成重要影响。

下面具体介绍调查问卷的三个基本结构部分：说明信及调查问卷说明、调查问卷设计的基本要素和结束语。

### 1. 说明信及调查问卷说明

说明信是调查者向被调查者写的一封简短的信，主要用于介绍调查的目的、意义、方法以及填答说明等。说明信的内容应包括对被调查者的问候语、主持调查的机构、调查者的身份、调查目的、被调查者意见的重要性、个人资料保密原则、访问所需时间等。有些调查问卷的说明信还交代交表时间、地点及其他事项等；有些则加上一些宣传内容，这样能使说明信更具说服力。

一般将说明信放在调查问卷的开篇。说明信有开门见山式和详尽式两种。

调查问卷说明一般放在问卷开篇，通过它可以使被调查者了解调查目的，消除顾虑，并按一定的要求填写问卷。

### 2. 调查问卷设计的基本要素

调查问卷设计的基本要素有：标题、被调查者的基本情况、调查的主要内容、编码、调查者的情况，如图4-1所示。

（1）标题。调查问卷的标题是概括说明调查研究主题，使被调查者对所要回答的问题有一个大致的了解。标题应简明扼要，易于引起被调查者的兴趣。一般格式是"时间＋地区＋对象＋调查内容＋文体"。

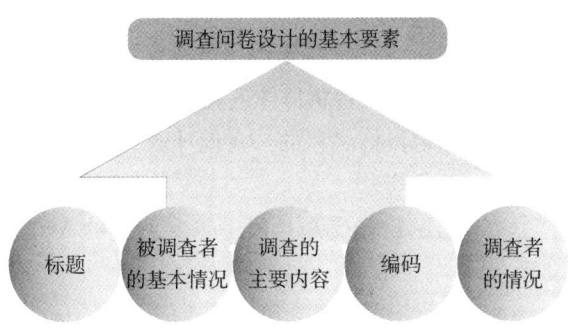

图4-1　调查问卷设计的基本要素示意图

例如

1）2024年北京地区大学生手机消费状况问卷调查。

2）大数据时代公众网络消费意识问卷调查。

3）2024年广州市居民住房消费问卷调查。

调查者应尽量采用"问卷调查"这样的标题，清晰说明文体。

（2）被调查者的基本情况。这是指被调查者的一些主要特征，通过这些项目，便于对调查资料进行统计分析。

在实际调查中，应详尽列入的项目及其数量，应根据调查目的、调查要求而定，对数量要适度控制，简明扼要地列出被调查者的主要特征。

讨论：在小户型住宅消费者需求前景调查中，就消费者的基本情况而言，调查问卷可有选择性地列出哪些项目？

（3）调查的主要内容。调查的主要内容是调查者所要了解的基本内容，也是调查问卷中最重要、最核心的部分。它主要是以提问的形式提供给被调查者，这部分内容的设计质量直接影响到整个调查的成效。

调查的主要内容包括三个方面：①对人们的行为进行调查，包括对被调查者本人的行为进行了解或通过被调查者了解他人的行为；②对人们的行为后果进行调查；③对人们的态度、意见、感觉、偏好等进行调查。

例如

**消费者权益保护意识调查**

1. 当您发现买到假货后，您的第一想法是_____。
A. 自认倒霉　　　B. 立即找卖家理论　　　C. 找产品生产者赔偿　　　D. 到消费者协会投诉
2. 如果您与销售商私下协商不成，您会到哪个部门寻求帮助？_____
A. 派出所　　　B. 居委会　　　C. 消费者协会　　　D. 法院
3. 当发现厂商或经销商公然侵犯您的合法权益时，您会采取什么行动？_____
A. 放弃购买该厂商或经销商的产品或服务　　　　　　　　B. 私下解决
C. 找媒体曝光　　　　　　　　　　　　　　　　　　　D. 诉诸法律

（4）编码。编码是将问卷中的调查项目编成数字的工作过程。通过编码，为调查问卷中的调查项目以及备选答案设计统一的代码。大多数市场调查问卷均需要加以编码，尤其是网络问卷，以便分类整理，易于进行计算机处理和统计分析。所以在设计调查问卷时，应确定每个调查项目的编号，并为相应的编码做准备，通常是在每一个调查项目的最左边按顺序编号。

编码包括预编码和后编码。预编码，即在设计问卷的同时就设计好编码；后编码，即等调查工作完成以后再进行编码。编码的特点：通常的表现形式是问题和答案编号；放在问句的前边；有利于计算机处理与分析和项目管理。

常见的编码方法：以答案序号作为编码号；从问卷编号开始编码；以答案本身的数字编码，这种编码方法常用于填入式问答题；对于无反应的问答题可采用"0""9"编码。

（5）调查者的情况。在调查表的最后，附上调查者的姓名、访问日期、时间等，以明确调查者的身份。如有必要，还可请被调查者选填其姓名、单位或家庭住址、电话等，以便于审核和进一步追踪调查。但对于一些涉及被调查者隐私的问卷，上述内容则不宜列入。

3. 结束语

结束语一般放在问卷的最后面，用简短的语句对被调查者的合作表示感谢，也可征询被调查者对问卷设计和问卷调查本身的看法和感受，有时可以包含调查过程的描述。

## 4.2 调查问卷设计的原则和程序

### 4.2.1 调查问卷设计的原则

调查问卷设计必须遵循严格的标准和尺度，严格按照一定的设计原则来实施，并且要在实施过程中不断完善、规范原则，使其更能适应不同的信息载体和传输方式的要求。

调查问卷设计应遵循的原则如下。

### 1. 目的性原则

目的性原则要求调查问卷中拟定的问题要反映调查的目的。对涉及范围较广的调查问卷，为防止问题游离于主题之外，应事先设定好问题的层次，梳理好目标架构。

### 2. 可接受性原则

可接受性原则要求调查问卷的设计要比较容易让被调查者接受。问卷提倡精准式问答，这样更容易使被调查者接受，从而提高问卷的回收率和质量。

### 3. 逻辑性原则

逻辑性原则要求调查问卷中的各种问题要排列有序且合理，即将容易回答的问题放在前面，将较难的问题放在中间，将敏感性问题放在后面；将封闭性问题放在前面，将开放性问题放在后面；将主体项目和相关项目放在前面，将调查者和被调查者的基本情况放在后面。

### 4. 简明性原则

简明性原则要求提问注意用语准确、含义清楚、简明扼要，还要避免诱导性提问；调查问卷设计的形式要简明易懂。

### 5. 匹配性原则

匹配性原则要求调查问卷便于进行被调查者回答的检查、数据处理和分析。所提问题都应事先考虑到能够对问题结果做适当分类和解释，使所得资料便于做交叉分析。

## 4.2.2 调查问卷设计的程序

一般认为调查问卷设计的程序包括以下十大步骤。
（1）确定所需信息。
（2）确定问卷的类型。
（3）确定问题的内容。
（4）确定问题的类型。
（5）确定问题的措辞。
（6）确定问题的顺序。
（7）问卷的排版和布局。
（8）问卷的预测试。
（9）问卷的定稿。
（10）问卷的评价。
可以将以上十大步骤概括为三个阶段：准备阶段、初步设计阶段、修改定稿阶段。

### 1. 准备阶段

准备阶段主要包括确定所需信息、确定问卷的类型和确定问题的内容。根据调查课题的范围和调查项目，将所需的资料全部列出，分析哪些是主要资料，哪些是次要资料，哪些是调查的必需资料，并分析哪些资料需要通过问卷来获得，需要向谁调查等，同时要分析被调查者的各种特征。

### 2. 初步设计阶段

初步设计阶段主要包括确定问题的类型、确定问题的措辞、确定问题的顺序、问卷的排版和布局。首先，应标明每项资料需要采用什么方式提问，并尽可能地列出各种问题。其次，对问题进行检查、筛选、编排，设计每个项目的问题。最后，对设计好的每个问题都要认真地考虑是否必要，是否能得到答案；还要考虑问卷是否需要编码，或者是否需要向被调查者说明调查目的、要求、基本注意事项等。

### 3. 修改定稿阶段

修改定稿阶段包括问卷的预测试、问卷的定稿，问卷的评价。对初步设计出来的问卷在小范围内进行试验性调查，以便弄清问卷在初稿中存在的问题，了解被调查者是否愿意回答或能够回答所有问题，哪些问题是多余的，还有哪些不完善或遗漏的地方。如果发现疏漏，应立即修改，以使问卷更加完善。问卷修改后即可印制成正式问卷。

## 4.3 调查问卷问题设计的类型和要求

调查问卷问题设计涉及诸多问题，如确定问题的类型、遵循一些基本要求等。

### 4.3.1 确定问题的类型

调查问卷中问题的类型归结起来可以分为三类：开放式问题、封闭式问题、混合型问题。

#### 1. 开放式问题

开放式问题也称自由问答题，只提问题或要求，不给具体答案，要求被调查者根据自身实际情况自由作答，类似正规考试题中的主观题。开放式问题主要限于探测性调查，经常需要联想或想象。例如，问卷中设计的问题："请您谈谈使用我们的新洗发水有何感受，这种洗发水的包装会使您联想到什么？"联想是问卷为了获得更详细的材料或使讨论继续下去而对被调查者进行诱导的一种形式，可以获得更深层次的信息。

（1）开放式问题的设计方式很多，主要有以下几类。

1）自由回答法。它要求被调查者根据问题的要求，用文字形式自由表述。

例如

"你对春秋航空公司有什么意见？"

2）词语联想法。给被调查者一个有许多意义的词或词表，让被调查者看到词后马上说出或者写出最先联想到的词。

例如

"当你听到下列文字时，你脑海中涌现的第一个词是什么？"

淘宝——

阿里巴巴——

网页——

3）句子完成法。提出一些不完整的句子，每次一句，由被调查者完成该句。

例如

"当我选择一个旅游公司时，在我的决定中最重要的考虑是_____。"

4）文章完成法。由调查者向被调查者提供有头无尾或有尾无头的文章，让被调查者按自己的意愿来完成，使之组成篇章，从而借以分析被调查者的隐秘动机。

例如

"我在几天前搭乘了南方航空公司的班机。我注意到该飞机的内部都是明亮的颜色，这使我产生了下列联想和感慨：_____。"（现在请你完成这一故事。）

5）角色扮演法。这种方式不让被调查者直接说出自己对某种产品的动机和态度，而是让他通过观察别人对这种产品的动机和态度来间接暴露自己的真实动机和态度。此法适用的情况有：①作为调查的引入或对调查的介绍；②当某个问题的答案太多或根本无法预料时；③由于研究需要，必须在研究报告中原文引用被调查者的原话时。

（2）开放式问题的优缺点。

开放式问题的优点如下。

第一，在开放式问题中，被调查者可以充分表达自己的意见和看法；被调查者的观点不受限制，便于深入了解被调查者的建设性意见、态度、需求问题等。

第二，开放式问题能调动被调查者的积极性；为调查者提供大量、丰富的信息；从回答中可以检查被调查者是否误解了问题。

第三，对开放式问题的回答可以防止固定选项对被调查者的诱导；对被调查者的回答进行分析有时能够作为解释封闭式问题的工具。

开放式问题的缺点如下。

第一，难于编码和统计。标准化程度低，调查结果不易处理，无法深入展开定量分析。

第二，调查者误差。调查者自身的文化修养、感知能力、心智模式对被调查者有一定的影响。

第三，要求被调查者有一定的文字表达能力。

第四，需要占用较多的时间，回答率比较低。

2. 封闭式问题

（1）封闭式问题就是给定备选答案，要求被调查者从中做出选择，或者给定事实性空格，要求如实填写。封闭式问题主要分为以下几种类型。

1）两项选择题。两项选择题也称是非题，是多项选择的一个特例，一般只设两个选项，如"是"与"否"、"有"与"没有"等。被调查者的回答非此即彼，不能有更多的选择。由于问题的答案只有两种，而且这两种答案是对立的、排斥的，逻辑上属于反对关系或者矛盾关系，所以可以用于询问较简单的问题。两项选择题的优点是简单明了、可以轻松解答；其缺点是所获信息量太小，容易产生大量的测量误差。

例如

1. 您是大学生吗? A. 是 B. 否
2. 您家现在有吸尘器吗? A. 有 B. 没有
3. 您最近三年内是否打算购买住房? A. 是 B. 否
4. 在这次旅行中，您是否打算使用美国航空公司的电话服务? A. 是 B. 否

2）多项选择题。多项选择题是从多个备选答案中择一或择多，这是各种调查问卷中采用最多的一种问题类型。由于所设答案不一定能表达出被调查者所有的看法，所以在问题的最后通常可设"其他"项目，以便被调查者表达自己的看法。设置这种问题时要避免遗漏与重复，也要注意排序，答案个数不能超过8个。多项选择题的优点是便于回答，容易进行问卷编码和统计；其缺点是选项的排列次序可能引起偏见。

例如

您更喜欢到以下哪个城市旅游?（在你认为合适的城市后画"√"。）

杭州（ ）南京（ ）上海（ ）海南（ ）广州（ ）北京（ ）其他（ ）

在本次乘车中，您和谁一起旅行?

没有（ ） 只有孩子（ ）

配偶（ ） 同事/朋友/亲属（ ）

配偶和孩子（ ） 一个游览组（ ） 其他（ ）

3）顺位式问题。顺位式问题又称序列式问题，是在多项选择的基础上，要求被调查者对问题的答案，按自己认为的重要程度和喜欢程度顺位排列。顺位法即列出若干项目，由被调查者按重要性决定先后顺序的市场问卷调查方法。顺位法便于被调查者对其意见、动机、感觉等做衡量，也便于调查者对调查结果加以统计。但调查项目不宜过多，过多则容易分散，很难顺位，同时选项的排列顺序也可能对被调查者产生某种暗示影响。

例如

请对下面列出的五类房地产广告按喜爱程度排序。

（ ）电视广告（ ）报纸广告（ ）广播广告（ ）路牌广告（ ）杂志广告

请对下面选项按您选用冰箱的主要依据进行排序（将答案按重要顺序1、2、3……填在括号中）。

（ ）价格便宜（ ）外形美观（ ）维修方便

（ ）牌子有名（ ）经久耐用（ ）噪声低

（ ）制冷效果（ ）耗电量低（ ）其他

请您对深圳航空公司的下列改进项目排列顺序。

（ ）食品服务（ ）卫生服务（ ）登机时间（ ）行李服务（ ）售票服务

4）填入式问题。填入式问题是一般只有唯一答案的问题，但是对于答案不固定的问题，

只能将其设计成开放式问题。

  例如

  您的工作年限是_____年。

  您的出生日期是_____年_____月_____日。

5）态度评比测量题。态度评比测量题是将消费者的态度分为多个层次进行测量，其目的在于尽可能多地了解和分析被调查者群体客观存在的态度。

  例如

  您喜不喜欢喝汇源果汁？

  （　）很不喜欢（　）不太喜欢（　）一般（　）比较喜欢（　）很喜欢

  小型航空公司一般比大型航空公司的服务好。

| 坚决不同意 | 1（　） |
| --- | --- |
| 不同意 | 2（　） |
| 不同意也不反对 | 3（　） |
| 同意 | 4（　） |
| 坚决同意 | 5（　） |

在态度评比测量题中应注意：设中性层次（中间层次），且其左右两端的层次数量最好相等。

6）矩阵式问题。矩阵式问题是将若干同类问题及几组答案集中在一起排列成一个矩阵，由被调查者按照题目要求选择答案。矩阵式问题可以采取表格式矩阵形式，也可以采取非表格式矩阵形式。矩阵式问题的优点：节省问卷篇幅；同类问题集中排列，回答方式相同，也节省了阅读和填写时间。矩阵式问题的缺点：集中排列方式较复杂，容易使被调查者产生厌烦情绪。

7）比较式问题。比较式问题是将若干可比较的事物整理成两两对比的形式，由被调查者进行比较后选择。

  例如

  您出国旅行优先考虑哪国的航空公司？

  （　）中国与德国　　（　）中国与日本　　（　）中国与泰国　　（　）中国与新加坡

（2）封闭式问题的优缺点。

封闭式问题的优点：标准化程度高，调查结果易于处理，便于定量分析；文化程度较低的被调查者也可使用；回答率较高；节省调查时间。

封闭式问题的缺点：选项可能不能准确表达被调查者的意见和看法；给出的选项可能对被调查者产生诱导；被调查者可能误解问题或圈错答案，使答案难以反映内容。

### 3. 混合型问题

混合型问题是开放式问题和封闭式问题的总和。它是指问卷已经给出一部分答案以供挑选，但若没有被调查者想选的答案，则可根据自身实际情况进行自由作答。

混合型问题通常采用比较法，要求被调查者做出肯定回答。比较法适用于对质量和效用等问题做出评价。应用比较法时要考虑被调查者对所要回答问题中的对象是否相当熟悉，否则将会导致空项发生。

例如

请比较下列不同牌子的饮料，哪种更好喝？（在您认为最好喝的牌子前画"√"。）

（　）可口可乐（　）百事可乐（　）雪碧（　）统一红茶（　）统一绿茶（　）脉动

你在选择上述饮料时，是如何对其进行排序的？您觉得软包装饮料有哪些优缺点？您认为应该如何改进饮料的电视广告？

在实践当中，为了能够更好地进行问卷调查，通常结合以上三种类型的问题，这样才能得到最好的效果。

## 4.3.2　调查问卷问题设计的要求

调查问卷问题设计需要遵循一些基本要求，以确保问卷的有效性和可靠性。以下是一些关键要求。

（1）明确性：每个问题都应该清晰明确，避免模糊不清或多重否定，使被调查者能够准确理解问题的意图。

（2）简洁性：问题应尽可能简短，避免冗长复杂的句子，以减少被调查者的阅读负担。

（3）中立性：问题应保持客观中立，避免引导性或带有偏见的语言，以免影响被调查者的回答。

（4）相关性：所有问题都应与研究目的直接相关，避免无关的问题。

（5）无歧义性：避免使用可能引起多种解释的词汇或短语。

（6）避免双重否定：使用双重否定会使句子更难理解，例如，"我不认为缺乏资金不是问题"可以简化为"我认为缺乏资金是问题"。

（7）避免使用专业术语或行话：除非目标受众熟悉这些术语，否则应使用通俗易懂的语言。

（8）避免引导性问题：避免暗示正确或期望答案的问题，这可能会影响被调查者的真实回答。

（9）避免假设性问题：避免基于未经证实的假设或前提的问题。

（10）避免复杂结构：避免使用会使句子更难理解的复杂结构。

（11）使用合适的量表：对于需要量化的问题，使用合适的量表（如李克特量表）来量化被调查者的回答。

（12）避免使用"总是""从不"等绝对词汇：这些词汇可能会限制被调查者的回答，导致不准确的数据。

（13）确保问题易于回答：问题应设计得易于被调查者回答，避免需要过多思考或回忆的问题。

（14）避免使用模糊的量词：如"经常""有时"等，因为不同人对这些词的理解可能不同。

（15）避免使用过去时态：除非特别需要，否则应使用现在时态，以减少被调查者的记忆负担。

（16）确保隐私和敏感性问题的处理：对于涉及隐私或敏感性的问题，应确保被调查者的匿名性和信息的保密性。

（17）测试和修订：在最终发布前，对问卷进行预测试，根据反馈进行必要的修改。

（18）逻辑性和顺序性：问题应按逻辑顺序排列，从一般到具体，或者按照主题分组。

遵循这些要求可以帮助调查者设计出高质量的调查问卷，从而获得更准确和可靠的数据。

## 4.4 调查问卷的要素配置

### 4.4.1 调查问卷介绍

调查问卷介绍的功能有以下几方面。

（1）对调查者进行验证，表明调查者的身份。

（2）说明调查目的。

（3）解释如何选择被调查者。

（4）激发参与兴趣。

（5）对被调查者进行筛选。

### 4.4.2 调查问卷的问句排列

调查问卷的问句排列顺序如下。

#### 1. 过滤

调查者必须通过过滤来决定被调查者是否真的符合要求并可以参加调查。例如，在为烘烤食品进行问卷发放时，过滤问题可能就是挑选出那些购买烤箱、在家中做饭并且至少一个月使用一次烤箱的人。当然，并非所有调查都要过滤，如果对一家商店所有客户做调查，就无须过滤，因为被调查者的范围早已被划定，即必须是与商家有账户往来的人。过滤性问题可以识别出合格的被调查者，应将开始的问题设计成一些易于引起兴趣的、易答的问题。一般性问题如引入概念、公司和产品类型，可以帮助被调查者思考有关问卷如何开始、涉及哪些方面的问题。

#### 2. 热身

一旦被调查者通过过滤问题，紧接着就是热身，这部分都是简单、易答的问题，往往不触及调查主题，主要是为了提高被调查者的兴趣，让他感到调查的问题都是很简单、很快就能回答的。例如，在过去一个月中您做过烧烤食品吗？在过去的一周内您去过××店吗？

#### 3. 过渡

过渡主要是让被调查者注意下面可能要换一个话题或提问的方式。例如，"我现在想问您一下，您在路上有看手机的习惯吗"就是一个过渡问题，这类问题主要是让被调查者跟上问卷的思路。过渡问题引出下面所要提的一个或一系列问题，例如，可以问："当你烤蛋糕时，是随便用一些手头上有的原料还是用专门的蛋糕混合料？"如果被调查者回答是使用蛋糕混合料，那么关于使用手头现有原料的问题就不适用，这个问题的作用就是要判断是否可以跳过这些问题。跳跃问题是较难处理的，因而在得出最后结果前，最好再进行几次确认。

### 4. 深入性问题

这部分通常会被设计成开放式问题，进一步深入的提问会遇到复杂和较难回答的问题。这部分主要是一些关于度量的提问，或是一些需要一定活动基础的内容，如评价、提出观点、回顾自己以往经历等问题，将这类问题安排在后面的理由如下。

（1）当被调查者接触此类问题时，他已回答了一些简单的有关问题，并且已经比较适应这一调查形式。尽管此部分的问题要费些精力，但被调查者感觉完成比放弃好。

（2）这部分问题可以采取的组织方式：当被调查者在回答这些问题时发现只剩下一小部分问题，一旦答完眼前的这些难题，调查也就结束了。在面对面的调查中，可以在问题中加入一些提示，由调查者告诉被调查者已进行到调查的最后一部分或就剩几个问题了，被调查者会有一定的成就感。

（3）可以通过这些问题将被调查者分为不同的类型，同时这部分问题也是为防止被调查者拒绝而设计的。一些被调查者会认为该类问题是有关私人的，他们会拒绝回答，如关于学历、收入等问题，即使被调查者拒绝回答该类问题，调查问题也即将完成，对总体的影响不大。如果将此类问题放在前面，会使被调查者十分反感和较快决定拒访。

综上所述，问卷设计流程如图4-2所示。

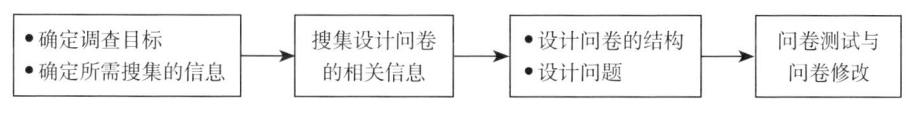

图4-2 问卷设计流程图

### 4.4.3 调查问卷中问题的排列原则

调查问卷中问题的排列应遵循以下原则。

#### 1. "花瓶"原则

"花瓶"原则就是要求在安排一类或一系列问题时，从最一般的问题逐渐过渡，把焦点放在一些特定的、限制性的问题上；从宽泛的问题逐步过渡到个性化的问题。例如，下面这组关于特定品牌化妆品广告的问题，就是按花瓶原则设计的。

"最近您有听到或看到一些关于化妆品的广告吗？这些广告中有关于进口化妆品的吗？这些进口化妆品广告中有电视广告吗？这些进口化妆品电视广告中有关于××牌化妆品的广告吗？关于××牌化妆品的电视广告讲了些什么？"等等。

#### 2. 务实原则

对不同类别的实质性问题，应先设置事实、行为类问题，后设置动机、态度类问题。如果一开始就设置动机、态度类问题，则容易使被调查者感到突然或感到问题具有进攻性，他们可能会不愿意提供准确的信息。

### 3. 逻辑原则

对不同类别的问题，应先设置简单易答的问题，后设置复杂难答的问题；先设置被调查者较熟悉的问题，后设置他们感到生疏的问题；先设置能引起被调查者兴趣的问题，后设置可能会使被调查者感到乏味的问题。

### 4. 顺畅原则

在内容转折处应使用提示语或引导语句，保持问题的流畅，以避免被调查者产生唐突感。对于分叉式问题要用"接问""跳转到第几题"等指示词合理衔接，跳跃要注意逻辑。分叉式问题是指答案为"是非两分型"的问题，回答"是"者和回答"否"者将被分开回答不同系列的问题。

## 4.5 调查问卷的度量标准

### 4.5.1 调查问卷度量的基本概念

利用问卷收集信息后必须进行度量。度量是调查者对被调查者的数量或强度（如被调查者的特性、属性或性质）的测量，按照特定的规则将数字或符号分配给目标、人、状态或事件，从而将其特性量化的过程。

度量的一个关键是如何理解规则。规则是一种指南、方法或指令，它告诉调查者该做什么。例如，"请你对处理家务事做出评价，将数字 1～5 分配给它们，如果认为非常愿意做家务，则将数字 1 分配给它；如果不愿意做任何家务事，则将 5 分配给它；按照相应标准，分配数字 2、3、4"。

客观特性的度量简单一些，客观特性是指物理特征，如年龄、收入、购买数量、上次光顾的商店等。

对主观特性（如喜好、态度等）进行量化有一定的难度，调查者需要将思想转化成可以用数字表示的强度关系，为此要仔细选择能让被调查者清楚分辨的问题形式，这个过程被称作量表设计。

### 4.5.2 量表的含义及其特征

#### 1. 量表的含义

量表（Scale）是一系列结构化的数字或符号，用来按照特定的规则将符号或数字分配给个人以及他们的行为和态度。量表是一种测量工具，它能够通过定量化测量程序将主观的、抽象的概念以量的方式清晰地呈现其区别。对事物的特性变量可以以不同的规则为其分配数字，因此形成了不同测量水平的测量量表，又称测量尺度。

## 2. 量表的特征

量表的特征如下。

（1）描述性。描述性是指用某一特定的词或标识来代表划分的每个等级，比如"是、否""同意、反对"，以及将被调查者的年龄用年数表示等就是简单的等级划分描述，所有的等级都可以用反映度量标准的特征标识来描述。

（2）比较性。比较性是指描述的相对规模。在这里的关键词是"相对"，包括大于、小于和等于之类的用语。如被调查者对不太喜欢的品牌的喜欢程度，就用小于表示，而属于同一类型的人有相同的收入即用等于表示。值得注意的是，并不是所有的量表都有比较性，例如，不能说购买者大于或小于非购买者，不能说男性大于或小于女性。

（3）比较程度。当比较了所有的不同点并且分组后，量表还有另外的特征，即对比较程度的度量。例如，我们不仅知道家中有 3 辆汽车的家庭比家中有 2 辆汽车的家庭的汽车多，而且知道是多 1 辆。

（4）起点。如果某个量表有一定的起点或零点，我们就说它有起点。比如"0"可以是年龄量表、去商店要走的路程、所消费的饮料的瓶数等的起点。

⊙ 知识链接

不是所有量表中被测量的特性都有起点。实际上，市场调查人员使用的量表中有许多是只有确定的中间点而没有起点的。中间点和零起点是不同的概念。例如，当问及"你是否同意凌志车是现在最好的车"这一问题时，我们无法断言被调查者在回答时有一个零起点。

上述四个特征具有一定的程度递进性。描述性是最基本的，存在于每个量表中。如果一个量表有比较性，那么它一定有描述性；如果一个量表有起点，则它一定有描述性、比较性并有比较程度。量表的每个特征都建立在前一个特征上。

### 4.5.3 量表度量标准

量表度量标准如表 4-1 所示。

表 4-1 量表度量标准

| 量表类型 | 度量标准 | | | |
| --- | --- | --- | --- | --- |
| | 描述 | 基本的实际操作 | 典型应用 | 典型描述性统计 |
| 类别量表 | 用数字来识别物体、个人、事件或群体 | 判断相等或不等 | 归类（男、女、购买者、非购买者） | 频次、百分比或众数 |
| 顺序量表 | 除识别外，数字还提供了事件或物体等拥有的某些特点的数量信息 | 判断更大或更小 | 排序或打分（对旅馆、银行或社会阶层的排序，根据脂肪和胆固醇含量对食品打分） | 中位数、均值和方差矩阵 |
| 差别量表 | 拥有类别与顺序量表的所有性质，另外相邻点间的间距是相等的 | 判断间距是否相等 | 复杂概念或架构的参照指标（温度计、气压计、有关品牌的知识水平） | 均值、方差 |
| 比例量表 | 综合了上面三种量表的所有性质，另外有绝对零点 | 判断比例是否相等 | 精确工具可获得（销售量、正点到达次数、年龄） | 几何平均数、调和平均数 |

（1）类别量表。只用一个标识（即只有描述性）将问题进行分类。如职业、种族、宗教信仰、居住类型、性别、上次购买的品牌、购买者或非购买者以及其他用"是"或"否"和"同意"或"反对"来回答的问题。

例如

1）性别。（　）男（　）女
2）你是否同意"当你需要的时候，某旅游公司已经为你准备好了一切"这句广告词？
（　）同意（　）不同意

类别量表的数字仅仅是用来识别不同对象或对这些对象进行分类的，不能反映对象具体特征的性质和数量，且无法进行程度比较。

利用统计指标进行量化时要注意指标。例如，对每一类别的客体进行频次和百分比计算，如53%的男性；计算平均数，如平均为62.4对于性别来说是没有意义的，但从众数角度看是有意义的。

例如

请根据你的喜好排列下列品牌，首选请标1，其次请标2，依次类推。
（　）长虹（　）海尔（　）创维（　）康佳（　）海信（　）牡丹

注意：普通的算术运算如加减乘除都不能用于顺序量表，对中心趋势的适当度量是用众数或中位数。

（2）顺序量表。顺序量表又称"等级量表""位次量表"或"秩序量表"，是比较性量表，是将许多研究对象同时展示给被调查者，并要求他们根据某个标准将这些对象排序或分成等级。它是一种比较粗略的量表，既无相等单位又无绝对零点，只是把事物按某种标准排一个顺序。

例如

以下是一些彩色电视机的品牌名称，请将它们按照你所喜好的程度从1～5排序（其中1表示你最喜欢，5表示你最不喜欢）。

长虹（　）康佳（　）TCL（　）夏新（　）熊猫（　）

（3）差别量表。差别量表标明了每个量表间的差别等级。该量表通常被定义为一个等级单位，如某种啤酒的味道级别是3，它与4的差别就是一个等级单位。

例如

请根据总体偏好划分以下品牌的级别。

| 品牌 | 排列（用圈画出） | | | | | | | | |
|---|---|---|---|---|---|---|---|---|---|
| | 非常差 | | | | | | | | 非常好 |
| 蒙　牛 | 1 | 2 | 3 | 4 | 5 | 6 | 7 | 8 | 9 |
| 伊　利 | 1 | 2 | 3 | 4 | 5 | 6 | 7 | 8 | 9 |
| 光　明 | 1 | 2 | 3 | 4 | 5 | 6 | 7 | 8 | 9 |
| 天山雪 | 1 | 2 | 3 | 4 | 5 | 6 | 7 | 8 | 9 |
| 益膳房 | 1 | 2 | 3 | 4 | 5 | 6 | 7 | 8 | 9 |

这一量表具有类别和顺序的特性，但零点是任意的。以温度表示法为例，温度表示有华氏度和摄氏度两种，因此水的结冰点为 32 华氏度和 0 摄氏度。

（4）比例量表。比例量表是指存在一个真正的零起点的等级，如一定时期的购买量、消费的货币量、走过的路程、孩子的数量、受教育的年数等。我们可以用比例关系来度量特性的结果，但是这种比例关系无法在差别量表中使用，如不能说一家商店比另一家商店要好 1/2。

例如

A. 请写出你的年龄：_____。

B. 上个月你在佳乐家购买商品超过 50 元的次数是多少？

C. 当你购物时，你会考虑营业员的介绍的百分比是多少？

### 4.5.4 度量的基本技术

在量表的设计中，首先要考虑的是量表的维度问题。量表有一维和多维之分：一维量表用于测量被调查者或客体的单一特征，如测量消费者对价格的敏感性；多维量表是指某一概念或客体需要通过多个维度来描述，如汽车厂商通过富裕程度、价格敏感性、对汽车的欣赏水平三个方面确定其目标消费者。

量表主要有以下几种。

#### 1. 图示评比量表

图示评比量表提供给被调查者一个有两个固定端点的图示连续谱。图 4-3 显示了两种用来评价某品牌睡椅的量表形式。

图示评比量表的缺点：被调查者在难以确定答案的情况下，倾向于选择中间答案。此外，调查者不知道被调查者在评价时使用的评判标准。研究表明，图示评比量表的可靠性不如列举评比量表。

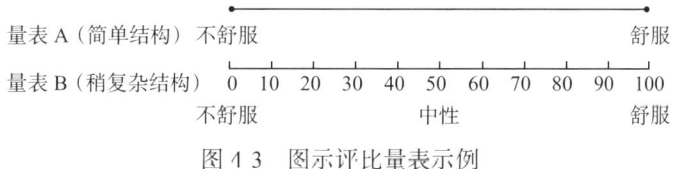

图 4-3　图示评比量表示例

#### 2. 列举评比量表

列举评比量表是在有限的类别中做出选择，而不是像图示评比量表那样在连续谱上做记号。调查者通常向被调查者出示一个基本量表的复印件，在被调查者读完一个特征后再向他征询具体的评价，这样可以避免晕轮效应。

例如

现在，我将向您具体询问你对一款手表——SEARS 的评价。我会提示一些表的特性，当我提到以下特性时，请告诉我您认为 SEARS 在这方面是极好、非常好、好、一般，还是很差（出示评比卡片）。

| 特性 | 极好 | 非常好 | 好 | 一般 | 很差 |
|---|---|---|---|---|---|
| 价格合理性 | ☐ | ☐ | ☐ | ☐ | ☐ |
| 品牌名称 | ☐ | ☐ | ☐ | ☐ | ☐ |
| 走时准确性 | ☐ | ☐ | ☐ | ☐ | ☐ |
| 耐久性 | ☐ | ☐ | ☐ | ☐ | ☐ |
| 制造商的声誉 | ☐ | ☐ | ☐ | ☐ | ☐ |
| 售后服务 | ☐ | ☐ | ☐ | ☐ | ☐ |
| 款式 | ☐ | ☐ | ☐ | ☐ | ☐ |

列举评比量表容易设计和操作，可靠性比图示评比量表好，但不能像图示评比量表那样区分出微小差别。

### 3. 等级顺序量表

图示评比量表和列举评比量表都是非比较性的，因为被调查者没有其他参照物。等级顺序量表是比较性的，被调查者可以在几个事物间进行比较。

等级顺序量表在调查中被广泛使用有几个方面的原因：易于使用，而且被评价的事物最后按照顺序排列；指令（规则）易于理解，并且整个过程以一种稳定的步骤进行。

等级顺序量表的缺点如下。

（1）如果在所有的选项中都没有包含被调查者的想要选择的项，结果就会产生误导。

（2）要排序的某些因素可能完全超出了个人的选择范围，从而产生毫无意义的数据。

（3）这种量表仅仅给调查者提供了顺序信息，如果调查者完全不了解被评价的客体间有多大差距，或者某个人对于一个客体的等级划分的态度不够明确，也就无法弄清楚为什么被评价的客体按此顺序排列。

### 4. 配对比较量表

配对比较量表要求被调查者按照一定的要求，从同一组的两个客体中选出一个，被调查者在多个客体之间进行一系列的成对比较判断。

例如

这里用配对比较量表描述日光浴产品的特点，请你指出当你选择一种日光防护产品时，你认为每组中的哪一特点更为重要。

日光浴产品的配对比较量表

A. 均匀晒黑　　　　　　　　　B. 无灼伤晒黑

A. 防止灼伤　　　　　　　　　B. 保护不受灼伤和暴晒

A. 物有所值　　　　　　　　　B. 效果持久、均匀

A. 不油腻　　　　　　　　　　B. 防止沾污衣物

A. 无灼伤晒黑　　　　　　　　B. 防止灼伤

A. 保护不受灼伤和暴晒　　　　B. 物有所值

A. 效果持久、均匀　　　　　　B. 均匀晒黑

A. 防止灼伤　　　　　　　　　B. 不油腻

配对比较量表克服了传统等级排序量表存在的以下两个问题。

第一，从同一组两个成对的答案中选出一个要比从一大组中选出一个更容易。

第二，顺序误差，配对比较量表旨在减少内容或问题排序形式导致的误差，如排在前面的项目被更多选择的问题。

如果要对所有配对进行评估，当客体数量以算术级数增加时，配对比较的数量会以几何级数增加，为避免引起被调查者的厌恶情绪，被测客体的数量应尽可能少。

5. 固定总数量表

与配对比较量表相比，固定总数量表可以避免次数繁多的配对比较，所以目前调查者更广泛地使用这种方法。固定总数量表要求被调查者根据各个特性的重要程度将一个给定分数（通常 100 分）在两个或多个特性间进行分配。分配的数值表明了被调查者将这一项列在某一等级。

固定总数量表优于等级顺序量表和配对比较量表的另一点是：当两种特性被认为具有相同价值时，可以被如实表示出来。

例如

以下是女性网球运动装的 7 个特性。请将 100 分分配给这些特性，以便每个特性所得的分数都能代表你认为它们相对的重要程度。分配给某一特性的分数越多，这个特性就越重要。如果根本不需要某个特性，就应该不分配给它任何分数。填完后，请检查两遍，以保证总数加起来为 100。

| 网球运动装的特性 | 分数（100） |
| --- | --- |
| 穿着舒适 | （　　） |
| 耐用 | （　　） |
| 由知名厂商或品牌设计 | （　　） |
| 法国制造 | （　　） |
| 款式新潮 | （　　） |
| 适于运动 | （　　） |
| 物有所值 | （　　） |

固定总数量表的主要缺点是：当特性或项目的数量过多时，可能会使被调查者难以回答，即被调查者不容易将数字加总到 100。大多数研究证实，使用固定总数量表测量的特性数量最多不应超过 10 个。

6. 语义差别量表

语义差别量表（Semantic Differential Scale）适用于测量和比较具有不同背景的被调查者对测量和比较对象的看法。

语义差别量表最初的研究重点在于测量某一客体对人们的意义。例如，客体可以是储蓄或贷款机构，但是对某一特定群体的意义却是机构的形象。

（1）语义差别量表基本步骤。语义差别量表的第一步是确定要进行测量的对象，如公司形象、品牌形象或产品形象。调查者挑选一些能够用来形容这一概念的对立或相反的形容词或短语。被调查者通常是在一个量表用 1～7 对测量的概念打分。调查者计算出被调查者对每一对形容词评分的平均值，并以这些数据为基础，构造出轮廓或形象图。

例如

工商银行储蓄和贷款语义差别轮廓图<br>每对形容词的均值

| 形容词 1 | 1 | 2 | 3 | 4 | 5 | 6 | 7 | 形容词 2 |
|---|---|---|---|---|---|---|---|---|
| 现代的 | | | | | | | | 传统的 |
| 积极进取的 | | | | | | | | 保守的 |
| 友好的 | | | | | | | | 不友好的 |
| 根基稳固的 | | | | | | | | 根基不稳固的 |
| 有吸引力的外形 | | | | | | | | 无特色的外形 |
| 可靠 | | | | | | | | 不可靠 |
| 适合小公司 | | | | | | | | 适合大公司 |
| 宾至如归的感觉 | | | | | | | | 感觉不适 |
| 提供帮助性服务 | | | | | | | | 对顾客漠不关心 |
| 容易打交道 | | | | | | | | 难打交道 |
| 无泊车或交通问题 | | | | | | | | 有泊车或交通问题 |
| 与我是同类人 | | | | | | | | 与我非同类人 |
| 成功的 | | | | | | | | 不成功的 |
| 广告吸引人 | | | | | | | | 广告不吸引人 |
| 有趣的广告 | | | | | | | | 乏味的广告 |
| 有影响力的广告 | | | | | | | | 无影响力的广告 |

（2）语义差别量表的优缺点如下。

1）语义差别量表的优点。利用语义差别量表，可以迅速、高效地检验产品或公司形象与竞争对手相比所具有的长处或短处。更重要的是，营销与行为科学研究发现，语义差别量表在制定决策和预测方面有足够的可靠性和有效性。而当用于公司形象研究时，语义差别量表在统计上具有普遍的适用性。

2）语义差别量表的缺点。语义差别量表缺乏标准化，因不同主题而异。如果评分太少，整个量表过于粗糙，就缺乏现实意义。评分点数太多，又可能超出了一般人的分辨能力。研究表明，7 级评分量表的测量效果较令人满意。另外，利用语义差别量表可能产生晕轮效应，解决办法是将褒义词和贬义词随机地放在左边或右边，而不是全部放在某一边。

⊙ 知识链接

语义差别量表是一种心理学研究方法，用于测量人们对某个概念或事物的感知和态度差异。以下是语义差别量表的一些核心要求和特点。

（1）概念理解：量表设计的基础是测量被调查者对某个概念或事物的理解。

（2）双向形容词量表：通过设计一系列包含反义词的形容词量表，让被调查者根据对概念或事物的感受、理解，在量表上选定相应的位置。

（3）数值评分：语义差别可以用数值形式评分，将各个尺度集合为一个分数，以表明被调查者的总体态度强度。

（4）形象描绘：量表的主要优点是可以清楚有效地描绘形象，如果同时测量几个对象的形象，还可以将整个形象轮廓进行比较。

（5）应用领域广泛：由于功能的多样性，语义差别量表被广泛地用于市场研究，用于比较不同品牌商品、厂商的形象，以及帮助制定广告、促销等战略和新产品开发计划。

（6）多维视图：与李克特量表相比，语义差别量表的分析可以提供态度的多维视图，而李克特量表分析通常侧重于分析特定观点的一致程度或频率。

（7）类型多样：包括标准语义差别量表、视觉模拟量表（VAS）、多项目语义差别量表、跨文化语义差别量表、特定情绪的语义差别量表和特定领域的语义差别量表等。

（8）实施方便：语义差别量表趣味性强，易于理解，易于被调查者了解与合作，可适用于较大年龄范围的被调查者。

（9）误差考虑：被调查者往往倾向于对自己的情感喜好做夸大描述，并倾向于在中性段打×，因而会产生误差。

（10）灵活性：这种方法极为灵活、易于构思、便于使用和记分，因此在心理学、教育学、社会学、经营学、市场调查、宣传研究以及跨文化研究等领域得到了广泛应用。

（11）设计步骤：确定每一片段的维度以供被调查者判断，界定两个相反的术语代表每一维度的两极，并做出语义差别的计分表。

（12）数据分析：可以对语义差别量表中的不同项目，根据被调查者的回答进行打分，结果数据可用来分析不同测量对象、不同被调查者的相同点和不同点；还可将各项目的得分加总，用以比较不同测量对象整体形象的偏好等级。

以上要求和特点使语义差别量表成为一种有效的测量和分析工具。

## 4.6 调查问卷的排版、装订

调查问卷的排版、装订是问卷设计的最后一项重要内容。排版应做到简洁、明快、便于阅读，装订应整齐、雅观、便于携带和保存。现在的一些调查问卷，为了节省用纸或为了使问卷显得简短，卷面排版凌乱。如果卷面显得异常复杂和冗长，容易使被调查者产生反感情绪。有些问卷用纸粗糙低劣，装订混乱，类似街头小广告，这样的问卷也易遭到拒绝。问卷的排版、装订可参考以下几点。

（1）应避免为节省用纸而挤压卷面空间。如多项选择题的选项，应采用竖排形式。竖排虽比横排多占用了一定的空间，但能使卷面简洁明快、一目了然，便于阅读和理解，下面可对选项的两种排版方式做比较。

例如

您的月工资收入是（　　）。

横排形式 A.1 000元以下　B.1 000～2 000元　C.2 000～3 000元　D.3 000元以上

竖排形式 A. 1 000 元以下
B. 1 000 ~ 2 000 元
C. 2 000 ~ 3 000 元
D. 3 000 元以上

显然，竖排形式比横排形式更为直观、明快，多题累加之后，此优点更为明显。

（2）同一个问题，应在同一页排版，避免翻页对照的麻烦和漏题的现象。

（3）问卷的问题按信息的性质可分为几个部分，每个部分中间以标题相分，如 "一、二、三、四……" 形式。这样可以使整个问卷更为清楚，也便于后续阶段的数据整理与统计。

（4）调查问卷用纸尽量精良；超过一定的页数后应把它们装订成小册子，配上封皮和封尾。这样既可利用纸的双面进行排版，节省用纸，也便于携带和保存，还可以使问卷显得庄重、专业，使被调查者以更认真的态度对待调查。

## 本章小结

本章内容主要有调查问卷设计的基本概念，调查问卷设计的原则和程序，调查问卷问题设计的类型和要求、调查问卷的要素配置、调查问卷的度量标准以及调查问卷的排版、装订等。其中，调查问卷的度量标准主要包括调查问卷度量的基本概念、量表的含义及其特征、量表度量标准、度量的基本技术。量表有一维和多维之分，包括图示评比量表、列举评比量表、等级顺序量表、配对比较量表、固定总数量表、语义差别量表。问卷的排版、装订也是问卷设计的重要内容，排版应做到简洁、明快、便于阅读，装订应整齐、雅观、便于携带和保存。

## 复习思考题

### 一、单项选择题

1. 问卷是一种以（　　）了解被调查者的反应和看法，并以此获得资料和信息的载体，是调查目的、调查问题的具体化，是我国近年来推行最快、应用最广的一种调查手段。
   A. 书面形式　　　　B. 口头形式
   C. 微信形式　　　　D. 音像形式

2. 调查问卷说明一般放在问卷（　　），通过它可以使被调查者了解调查目的，消除顾虑，并按一定的要求填写问卷。
   A. 附件　　　　　　B. 开篇
   C. 结尾　　　　　　D. 中间

3. 调查的主要内容是调查者所要了解的基本内容，也是调查问卷中最重要、最核心的部分，它主要是以（　　）的形式提供给被调查者。
   A. 询问　　　　　　B. 反问
   C. 提问　　　　　　D. 设问

4. （　　）是将问卷中的调查项目变成数字的工作过程。
   A. 编码　　　　　　B. 译码
   C. 扫码　　　　　　D. CAPI

5. 问卷提倡精准式问答，这样被调查者更容易接受，从而提高问卷的回收率和质量。这是问卷设计的（　　）原则。
   A. 目的性　　　　　B. 可接受性
   C. 逻辑性　　　　　D. 简明性

6. 提问要注意用语准确、含义清楚、简明扼要，还要避免诱导性提问；问卷设计的形式要简明易懂。这是问卷设计的（　　）原则。
A. 目的性　　　　　B. 可接受性
C. 逻辑性　　　　　D. 简明性

7. 只提问题或要求，不给具体答案，要求被调查者根据自身实际情况自由作答，类似正规考试题中的主观题。这属于（　　）问题。
A. 开放式　　　　　B. 封闭式
C. 分析型　　　　　D. 混合型

8. "您觉得软包装饮料有哪些优、缺点？"这种问法属于封闭式（　　）问题。
A. 比较法　　　　　B. 自由回答法
C. 过滤法　　　　　D. 回忆法

9. （　　）是一系列结构化的数字或符号，用来按照特定的规则将符号或数字分配给个人以及他们的行为和态度。
A. 量表　　　　　　B. 饼图
C. 数表　　　　　　D. 曲线

10. 在量表的设计中，首先要考虑的是量表的（　　）问题。
A. 向度　　　　　　B. 维度
C. 程度　　　　　　D. 精度

## 二、多项选择题

1. 调查问卷中问题的类型归结起来可以分为（　　）问题。
A. 开放式　　　　　B. 封闭式
C. 综合型　　　　　D. 混合型
E. 敏感型

2. 开放式问题的设计方式很多，主要有（　　）。
A. 自由回答法　　　B. 词语联想法
C. 句子完成法　　　D. 文章完成法
E. 角色扮演法

3. 以下属于封闭式问题设计类型的有（　　）。
A. 两项选择题　　　B. 多项选择题
C. 填入式问题　　　D. 顺位式问题
E. 矩阵式问题

4. 调查问卷题目设计应注意的问题有（　　）。
A. 问卷题目设计避免主观化、倾向性
B. 注意问题的逻辑性、简明性
C. 注重问题的主观化、短期化
D. 注重问题的个性化、清晰化
E. 保持问题的多元化、利益化

5. 调查问卷中问题的排列原则有（　　）。
A. "花瓶"原则　　　B. 务实原则
C. 逻辑原则　　　　D. 顺畅原则
E. 经济性与匿名性

## 课堂实训

1. 结合实际简要说明在调查问卷设计中必须注意的问题，分小组就自己感兴趣的产品做调查问卷设计。

2. 简述调查问卷中问题的表述应遵循的原则。

## 课外实训

实施市场调查的任务单如下所示。

**市场调查任务单**

| 任务名称 | 实施市场调查 | | 学时 | 2＋课外 | | 班级 | |
|---|---|---|---|---|---|---|---|
| 学生姓名 | | 学生学号 | | | 组别 | | 任务成绩 | |
| 实训设备 | | | 实训场地 | | | 日期 | |
| 任务内容 | 根据任务制订的市场调查方案，实施市场调查。具体包括设计与制作调查问卷、调查人员培训、收集二手资料、选择样本、开展实地调查 | | | | | | |

(续)

| | | |
|---|---|---|
| 任务目的 | 掌握问卷设计方法，掌握抽样技术，掌握二手资料收集与整理方法，掌握实地调查方法及注意事项，明确市场调查人员应具备的礼仪及专业素养 | |
| 明确任务，获取信息 | 1. 阅读"任务单"，明确任务内容和任务目的<br>2. 阅读教材并学习相关理论知识<br>3. 收集有关实地调查方法的资料与信息 | |
| 决策与计划 | 请根据任务背景和任务要求，确定所需要的学习资料和工具，并对小组成员进行合理分工，制订计划<br>1. 列出所需要的学习资料和工具<br>2. 确定小组人员分工<br>3. 制订工作计划 | |
| 实施 | 1. 对所需资料进行分类，确定不同资料的来源及收集方法<br>资料1<br>来源<br>资料2<br>来源<br>⋮<br>2. 对二手资料进行收集与整理（以 Word 格式进行编辑与保存，另附页）<br>3. 对 ×× 市学生文具用品需求进行调查问卷的问题设计<br><br>| 一级指标 | 二级指标 | 问题 |<br>\|---\|---\|---\|<br>\| | | |<br>\| | | |<br>\| | | |<br>\| | | |<br>\| | | |<br>\| | | |<br>\| | | |<br><br>4. 按照调查问卷制作要求制作调查问卷（另附页）<br>5. 实地调查信息记录<br><br>| 时间 | 地点 | 调查内容 | 被调查者签名 |<br>\|---\|---\|---\|---\|<br>\| | | | |<br>\| | | | |<br>\| | | | |<br>\| | | | | | |

## 案例分析

### 中国新茶饮行业调研

如果给2023年的中国新茶饮行业贴关键词的话，那一定是"扩张"与"下沉"。这两个词你中有我、我中有你。新茶饮品牌倚仗对下沉市场的抢夺，实现新一轮的扩张。头部企业喜茶、奈雪的茶先后降价并宣布开放加盟，进入下沉市场；第二梯队的古茗、茶百道、沪上阿姨、霸王茶姬又在下沉市场不断加密门店数量，加固护城河。

连锁品牌在业务上忙得不亦乐乎，资本也在积极行动。据食品饮料创新（FBIF）整理的数据，2023年，新茶饮仍是食品行业投融资里最受欢迎的品类之一。据不完全统计，2023年新茶饮赛道共发生34起融资事件，相比2022年的31起投融资事件，保持了微小的增长；在2023年的34起融资事件中，天使轮融资有10起。同时，已成规模的连锁品牌如蜜雪冰城、茶百道、古茗、沪上阿姨都在冲刺IPO。

《每日经济新闻》新茶饮调查小组在企查查以"茶饮"为关键词搜索发现，2023年全年（2023年1月1日—2023年12月31日），共有12 421家与之相关的企业成立。显然，在创业者和加盟商眼中，"茶饮"赛道依然是诱人的掘金之地。

中商产业研究院发布的《2022—2027年中国新式茶饮需求预测及产业发展趋势前瞻报告》预测，2024年现制茶饮店市场规模将达到2 578亿元。

茶饮市场还将增长，但会如何增长，细分领域又会有哪些新的趋势？消费需求有了哪些变化？在2024年"3·15"到来之际，《每日经济新闻》未来商业智库新茶饮调查小组在线上平台面向全网用户发出了《"3·15"新茶饮调查问卷》，最终回收331份有效问卷。参与此次问卷的消费者覆盖全国各省会、直辖市、二三线城市以及县级及以下城市。在年龄层方面，参与调查的消费者覆盖了10后（15岁以上）至60后（50岁以上）人群。

此次年度调查也是《每日经济新闻》对新茶饮赛道连续观察与调研的第三年。在消费者的选择中，调查结果显示了一些大势所趋的"理所当然"，但也有一些调查结果在调查者的意料之外。

根据问卷调查结果，结合新茶饮品牌官方数据、行业报告以及行业专家点评，整理出几个关键点和前瞻趋势，如扩张不仅在县域，近九成被调查者发现当地有了新茶饮品牌。

按理说，新茶饮加盟战的激烈程度，感知最为明显的应该只有加盟商与品牌自身，但消费者去年也有了直接感受：当地的茶饮品牌变多了。

根据问卷调查结果，86.7%的被调查者表示，自己所在的城市在过去一年入驻了新的连锁茶饮品牌。44.7%的被调查者表示，当地新增了1~2个新茶饮品牌；41.7%的被调查者表示，当地新增了3个以上新茶饮品牌。其中，12.4%的被调查者表示，当地新增了5个以上新茶饮品牌。86.7%被调查者表示，自己所在城市过去一年有新的连锁茶饮品牌。

在此次调查人群中，25.1%的被调查者所在城市处于二三线及以下城市（含县级及以下城市），34.7%的消费者位于省会、直辖市等一线城市。在位于二三线及以下城市的被调查者中，超九成被调查者选择过当地出现的新茶饮品牌。

这样的占比同样出现在省会、直辖市等一线城市的被调查者中：90.4%位于省会、直辖市的消费者表示，2023年当地新增了新茶饮品牌；43.5%的消费者表示，当地新增3个以上新茶饮品牌。

从调查结果来看，新茶饮品牌的下沉不仅仅发生在二三线及以下城市，省会、直辖市等一线城市也是新茶饮品牌积极进驻的地域。

资料来源：每日经济新闻，《2024年新茶饮·消费引力报告：下沉战略全面开花，"健康人设"能立多久？海外市场有多香》，2024年3月3日。

**问题：**

1. 在新茶饮行业的扩张与下沉战略中，品牌如何平衡下沉市场的消费者需求与品牌形象的一致性？
2. 资本对新茶饮行业的积极投入是有助于推动行业的健康发展，还是可能带来行业泡沫？
3. 在茶饮市场竞争日益激烈的情况下，品牌如何通过创新和差异化来巩固和提升市场份额？

### 知识解析

# 第 5 章　市场调查技术

## ◉ 学习目标

1. 了解大数据时代全面调查的核心理念和技术方法。
2. 熟悉大数据与传统调查方法之间的逻辑关联。
3. 掌握抽样技术方案的基本内容，熟悉抽样技术的设计方法。
4. 学会设计抽样调查方案，灵活运用抽样技术对调查对象进行抽样调查。

## ◉ 引导案例

### 运用数字技术推进深度调研

2023 年 3 月，中共中央办公厅印发《关于在全党大兴调查研究的工作方案》(以下简称《方案》)，《方案》强调，"要坚持因地制宜，综合运用座谈访谈、随机走访、问卷调查、专家调查、抽样调查、统计分析等方式，充分运用互联网、大数据等现代信息技术开展调查研究，提高科学性和实效性。"

随后，"大兴调查研究之风"成为社会热门话题，要想解决实际问题，必须进行全面且深入的调查研究。如今我们正处于大数据时代，展开调查研究的方法和手段都比过去更加的丰富和强大，因此，如何更加充分地利用大数据等技术手段展开调查研究，对全面挖掘信息、发现问题、提出有效解决措施等有着重要的意义。

传统调研行业正处在从传统调研向线上调研的转型期。随着科技的发展，未来调研行业的变革发展还将更多地借助大数据、人工智能等新兴技术。但这并不意味着，调研转型是简单地用线上替代线下。在实际过程中，线上调研也暴露出了许多痛点，同时面临着诸多挑战，例如，网络人群的抽样代表性是否可以与传统抽样相比拟？依靠网络调查的数据质量是否可靠？

现代调研利用数据融合的方法，逐步搭建传统线下调研、线上调研方式相结合的新型调研模式，将来自两种调研方式的样本有效融合，替代原有以线下方式为主的传统调研，提高执行效率，提升调研质量。线下、线上不同方式融合调研的探索和尝试，在保证传统抽样代表性的基础上，着力解决传统方式面临的困境，并进一步拓展线上调研在实际调研中的深度应用，促使调研模式更具专业性和科学性，在政府及公众中获得更为广泛的认同。这种尝试对调研行业调研体系的良性发展具有学术意义和应用价值，可以作为一种科学的调研方式在实际调研项目中进行尝试及推广。

在调研过程中，要确定数字技术的适用范围，找准对象与对策的结合点。从以往调研的情况来看，仅靠座谈交流、问卷调查是不够的，应积极运用大数据监测、智能决策等新技术。调研之前要有详细的任务清单，区分调研内容并进行精准匹配。在调研的不同阶段使用不同的技术手段，例如可以借助大数据平台、在线智能问答系统提前收集数据，后期用可信区块链等管理数据，提高数据的真实性和准确性。

新一代人工智能等技术可以实现"问题导向"的任务精准匹配，有条件的地方可以预先开发调研任务分配系统，或用大数据分析方法确定调研项目清单等，把调研计划做实做细。针对调研取得的数据，应积极利用数字技术优化调研数据处理方式，如运用技术手段筛选、评价调研数据；同时建立相应数据库，并致力于将整个调研数据库建设成为"厚数据"，建立起高质量样本数据。

资料来源：金台资讯百家号，《运用数字技术推进深度调研》，2023年5月5日。

**问题：**

1. 为什么说数字技术可以推进深度调研？利用大数据等技术手段进行调研的目的是什么？
2. 线上与线下调研的优缺点分别是什么？采取何种方式可以有效地规避两种方式的不足？
3. 新一代人工智能可以实现"问题导向"，这对调研活动质量提高有何重要意义？对市场调研与预测质量提升有何启示？

## 5.1 大数据与全面调查

进入21世纪，全球化趋势日益明显，互联网技术的普及为企业经营带来更多的不确定性，经营风险加剧。伴随着信息爆炸风潮的涌动，企业依赖直觉和经验制定业务决策的传统方式面临着严峻挑战，同时，传统的抽样调查与预测方式也难以适应瞬息万变的市场变化。许多企业意识到，必须借助先进的数字技术才能使市场预测的信息更加准确，才能制定具有战略视角的市场经营决策。

### 5.1.1 全面调查与大数据分析的概念和特点

#### 1. 全面调查的概念和特点

全面调查是对调查对象中所包含的全部单位进行无一遗漏的调查，其主要目的在于获得总体现象比较全面、系统的总量指标。例如，各种全国或全行业普查和全面统计报表。过去，只有政府作为调查主体，动用社会资源才能进行大规模的全面调查。企业主观上虽有意愿，但是由于财力、人力不足，难以完成全面调查。如今，先进的数字技术和互联网技术为企业进行全面调查提供了可能，使全面调查可以在更加广泛的范围内实现。

全面调查的特点如下。

（1）全面性。全面调查的调查对象通常涉及的空间范围广，样本（个体）数量多，调查的内容复杂，信息结构多样化。对国家而言，全国性的调查有人口普查、企业资产状况普查等。对企业而言，企业可以就某一特定产品或服务采取全面调查。

（2）成本高。全面调查通常是对调查对象的总体进行无一遗漏的调查，一般需要耗费大量的人力、物力和时间。同时，结构化与非结构化数据混合，信息处理难度大，成本高。但是，日益普及的现代信息技术和网络技术不但可以节约人力、物力、时间，还可以使调查成本大幅度降低。

（3）组织难度大。全面调查需要系统管理，特别是跨地区、跨行业的调查，需要动用社会资源形成合力来协同配合完成调查。所以除了使用先进的数字技术和网络技术，还要做好组织工作，如信息收集整理、信息分类分析、信息管理区域协调同步等。

### 2. 大数据分析的概念和特点

对规模巨大的海量数据进行分析是大数据技术所要解决的首要问题。大数据可以概括为5个"V"，即数据量大（Volume）、速度快（Velocity）、类型多（Variety）、价值（Value）、真实性（Veracity）。大数据作为时下火热的技术和工作方法，随之而来的数据仓库、数据安全、数据分析、数据挖掘等围绕大数据的商业价值的利用，将逐渐成为行业人士争相追捧的利润焦点。随着大数据时代的来临，以及大数据技术的核心能力的开发，大数据分析也应运而生。大数据分析是指对规模巨大的数据进行分析。

大数据分析的特点如下。

（1）可视化分析（Analytic Visualization）。无论是对数据分析专家还是对普通用户来说，具备数据可视化功能是对数据分析工具的最基本要求。可视化可以直观地展示数据，让数据自己说话，让用户看到结果。

（2）数据挖掘算法（Data Mining Algorithm）。可视化是给人看的，而数据挖掘是给机器看的。集群、分割、孤立点分析还有其他的算法可以让我们深入数据内部，挖掘价值。这些算法不仅要有处理大量大数据的能力，也要有快速处理大数据的能力。

（3）预测性分析能力（Predictive Analytic Capability）。数据挖掘可以让管理层更好地理解数据，而预测性分析可以让管理层根据可视化分析和数据挖掘的结果做出一些预测性的判断。

（4）语义引擎（Semantic Engine）。非结构化数据的多样性给数据分析带来新挑战，需要一系列的工具去解析、提取、分析数据。语义引擎需要被设计成能够从"文档"中智能提取信息的工具。

（5）数据质量和数据管理（Data Quality and Master Data Management）。数据质量和数据管理是一些管理方面的最佳实践，通过标准化的流程和工具对数据进行处理，可以保证一个预先定义好的高质量分析结果。

大数据已经成为当下重要的技术革新内容，它对包括市场调查与预测在内的所有社会活动的影响是相当深远的，未来我们应当把精力放在大数据能给我们带来收益的方面，而不仅仅局限在挑战层面。

## 5.1.2 大数据与全面调查的关系

### 1. 大数据技术是实现全面调查的基础和前提

大数据技术背景下的市场调查，不仅可以实现更大范围的跨地区、跨行业的调查，可以克服传统市场调查误差较大、数据体量较小的困难，还可以发现潜在的、动态的消费需求。

◆ 案例

## 大数据技术助力济南市旅游业

2014年,济南市推进智慧化旅游公共服务平台(以下简称"平台")建设,借助IBM创建的智慧旅游成熟度评估模型,以及济南市旅游业为实现跨越式发展采取的具体行动,加快了济南市打造国际旅游名城的脚步。IBM正是利用大数据平台实现各旅游部门的信息共享,为行业管理、规范市场运作提供数据支撑。济南市在对游客数据进行分析的基础上,对游客群体进行细分,针对不同群体制定有针对性的营销策略。利用大数据分析,平台开始预测济南市旅游业的市场趋势、天气模式以及其他短期的市场变化等因素对旅游业务的影响。如今,该平台已经能快速响应济南市旅游业不断变化的市场需求。数据还能帮助平台监控济南市旅游业资源的供采状况,因此无论需求如何改变,平台都能利用资源满足需求。自从济南市利用大数据驱动旅游业以来,市场运作变得比以往更加灵活。

这个案例说明,大数据技术可以为全面调查提供技术支持。全面调查需要给予调查对象没有遗漏的关注,海量数据处理就是大数据技术的功能所在。

### 2. 全面调查的结果丰富数据库内容

随着信息技术和市场的发展,特别是20世纪90年代以后,企业数据管理不再仅仅是存储和管理数据,而是转变成为用户提供所需要的各种数据管理的方式。数据库有很多种类型,从最简单的存储各种数据的表格,到能够进行海量数据存储的大型数据库系统,数据库在各个方面得到了广泛的应用。在当今瞬息万变的市场环境中,数据库可以提供更高的灵活度、敏捷度和准确度。尽管满足用户需求的数据数量在成几何级数增加,但在大数据技术的支持下,市场细分将更加精细,产品与服务的市场定位也将更加准确,精准销售已经变为现实。

全面调查可以使管理层分离复杂活动和生态系统的各个组成部分,并且可以查看和了解其业务与所在市场的动态及相互关系。通过全面洞察并分析市场趋势和商业模式变化,企业管理者能够预测企业未来走向和行业未来发展方向。借助建模技术和假设分析场景,管理层甚至可以制订应对市场变化的最佳方案,以此获得收益,规避风险。同时,企业把所有活动都记录下来,既可为下一次工作提供参考,也丰富了大数据的宝库。例如,快餐业的公司可以通过视频分析等候队列的长度,然后自动变化电子菜单显示的内容。如果等候的队列较长,则电子菜单优先显示能够快速供给的食品;如果等候的队列较短,则电子菜单优先显示那些利润较高但准备时间相对长的食品。

### 3. 大数据与全面调查共同服务于企业战略

企业在市场中生存,其自身的核心竞争实力决定其未来的发展趋势。企业必须通过大数据与全面调查来控制风险,以获得战略优势。目前,受到全行业数字化转型与业务运作全球化的推动,技术领先的企业持续地重新评估和重新定义其业务成功所依赖的战略决策。例如,某市场调研企业为一家汽车制造商提供基于大数据分析的市场调研服务:该企业利用大数据分析技术,从多个渠道和来源,如汽车销售数据、汽车使用数据、汽车评价数据、汽车社交媒体数据等,收集和整合了海量的市场数据,对汽车制造商的目标市场、目标客户、目标产品等进行了深入的分析，挖掘了市场的需求、偏好、潜力、竞争等方面的洞察和预测，为汽车制造商提供了有针对性的市场策略和建议，帮助汽车制造商提高了市场份额和利润率。

再如，某市场调研企业为一家餐饮连锁企业提供基于人工智能的市场调研服务：该企业利用人工智能技术，设计了智能问卷、智能访谈、智能观察、智能实验等多种市场调研方式，从餐饮连锁企业的现有客户和潜在客户中收集了大量的市场数据，包括客户满意度、忠诚度、反馈、建议、情感、偏好等，分析了餐饮连锁企业的产品、服务、品牌、广告等方面的优势、劣势、机会、威胁等，为餐饮连锁企业提供了有依据的市场策略和建议，帮助餐饮连锁企业提高了客户满意度和忠诚度。

### 5.1.3 大数据与全面调查的意义

企业经营过程中面对的最大瓶颈就是风险，对风险的调查与控制是企业发展中面临的重要问题。大数据与全面调查就是从根本上解决不确定性风险对企业经营的损害问题。同时，客户关系管理（CRM）是企业经营的核心目标所在，大数据与全面调查必须服务于企业客户关系管理的内容与过程，在精准销售的指导下，保证大数据与全面调查的实现。大数据的商业价值如图 5-1 所示。

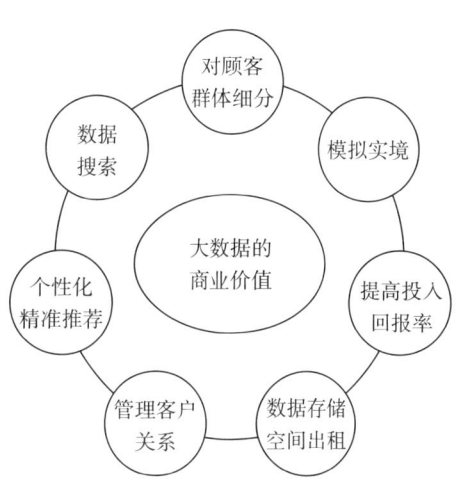

图 5-1 大数据的商业价值

大数据与全面调查的意义如下。

**1. 降低风险影响，实现企业顺利转型**

企业转型是指企业长期经营方向、运营模式及其相应的组织方式、资源配置方式的整体性转变，是企业重新塑造竞争优势，提升社会价值，达到新的企业形态的过程。当前，我国大多数企业的转型主要是企业战略转型。"转型升级"是当下的热门词，已转型的企业由于面临着日益增加的市场易变性和不确定性，必须提高预见和预测能力。企业在转型过程中必须对业务和管理进行结构性变革，以获取经营绩效的改观。企业转型具有系统性、跨越性、阶段性等特点，往往自上而下，涉及观念、组织、流程、人员能力等一系列变革。转型企业依赖经验和直觉的方式已不再奏效，而是需要一套科学的方法论。

大多数已转型的企业非常注重全面了解那些可影响其业务的企业风险。任何一家有战略思维的企业都应该有这样的关注度，风险控制要求企业更好地了解自身及其所在的市场，以及具有预测可能阻碍进展的事件并提前采取行动的能力。通过在整个企业内使用分析技术监控、检测和预测各种事件，企业可以避免不必要的风险。借助实时信息，企业可以监控供应水平，从而最大限度地减少业务中断。大多数有经验的企业都在制定大胆的战略，如采用基于风险的定价方法推出曾被认为开发风险过高的服务或产品。很多企业在法规影响到其所在市场之前做出预测，在法规限制生效之前主动调整服务或产品。

**2. 深化客户管理，实现精准销售**

大数据与全面调查除了能够实现对风险的高度关注，我们还发现，已转型的企业更加注重以新的方式了解客户并与客户交流。这些企业似乎能更全面地应对深刻的市场变革，数字化、社交化和移动化市场促使客户产生新的期望。同样，已转型的企业也通过将客户视为个体并且以更可信或个性化的方式与其交互来创造竞争优势。已转型的企业都在学习使用客户分析技术，以期获得超出宽泛的统计平均水平的业绩。这些企业并不是按照两三个维度对客户进行细分的，如"销售和交互"或者"收入、年龄和地理位置"，而是分析更多的客户维度。这些维度可能包括交易模式、客户选择店铺的心理特征、客户购买产品的可能性以及他们对企业的累积价值。这样，企业能够对客户进行高度个性化的了解，而非传统的"单一市场"，从而使得可信或个性化的关系成为可能。

3. 解决当下产能过剩问题，实现供给侧改革

目前，产能过剩问题困扰着许多企业，对宏观市场需求信息了解不足是造成产能过剩的主要原因，尤其是结构性的供给问题，成为政府需要解决的重要瓶颈问题。通过大数据技术可以在更加广阔的范围内实现全面调查，这可使企业精准地掌握市场现在以及未来的需求，也可以帮助企业制订更加科学合理的生产计划，安排好生产周期，实现零库存的目标。

例如，民生智库对标世界银行最新评价方法论，充分融合团队在国内营商环境评价和需求调查等领域的成熟操作思路，设计研发企调通系统，满足政府部门、第三方调查机构等不同主体在经营主体需求挖掘、分析应用上的多元需求。民生智库通过总结多年营商环境咨询服务经验，历经多个项目交叉验证和产品迭代，以及融合人工智能技术实现智能数据治理，企调通系统已经能够充分满足政府部门、第三方调查机构的业务需求，具备产品架构可扩展、系统架构高可用、信创领域高兼容等特点。

供给侧改革的切入点就是对市场需求的大数据进行分析，市场调查与预测会逐渐被企业高度重视，创新预测方法，在传统调查与预测的基础上，运用互联网和现代信息技术，可以使企业明察秋毫、未雨绸缪。

## 5.1.4　人工智能在市场调查与预测中的价值

人工智能在市场调查与预测中的应用正变得越来越广泛和深入，其在市场调查与预测中的应用价值主要体现在以下几个方面。

1. 数据处理与智能分析

人工智能技术已经深度渗透至市场分析的数据处理环节，能够快速解析海量复杂数据，提炼出隐藏的用户行为模式、产品关联性及市场需求变化趋势。例如，亚马逊的推荐系统基于对用户购买历史和浏览行为的深度学习分析，实现个性化商品推荐，有效提升销售额。

2. 前瞻性市场洞察与预测

人工智能不仅揭示了过去的市场动态，而且正在成为未来趋势预测的强大工具。借助深度学习与模式识别技术，人工智能可以挖掘市场中的非线性关系，捕捉到细微但重要的变化信号。例如，IBM 的 Watson Analytics 成功应用于零售业，提供精准的销售预测和库存管理建议。

### 3. 营销分析优化

人工智能对于营销分析领域的革新体现在对用户行为的精细化理解和营销活动效果的实时反馈上。通过集成社交媒体监听、网页行为追踪和客户关系管理系统数据，人工智能能够刻画出立体化的用户画像，帮助企业更精确地定位目标受众并制订个性化的营销方案。谷歌 Ads 等广告平台利用人工智能算法自动优化广告投放，根据用户的搜索历史和兴趣偏好调整关键词和展示内容，提高广告的相关性和转化率。

### 4. 人工智能大模型的应用

人工智能大模型在市场营销和用户分析中的应用包括智能推荐系统、聊天机器人和虚拟客服、库存管理和供应链优化以及精准营销。人工智能大模型能够高效地处理和分析海量数据，从而为企业提供更精准的用户洞察和市场营销策略。

### 5. 跨平台整合与实时互动

人工智能大模型能够整合多个平台的数据和资源，为企业提供更加全面和深入的市场洞察。随着技术的进步，人工智能大模型已能够实现与用户的实时互动和反馈，进一步提升了用户体验。

### 6. 智能化决策

人工智能大模型能够不断学习和优化自身的决策能力，为企业提供更加智能化的市场决策支持。

## 5.1.5 人工智能在市场调查与预测中的作用

人工智能在市场调查与预测中通过提供高效的数据处理、精准的预测结果、灵活的模型调整、成本效益分析、以及实时的决策支持，显著提升了企业决策的准确性和效率，其作用主要体现在以下几个方面。

### 1. 高效

人工智能能够快速处理和分析大量数据，显著提高市场调查与预测的效率。使得企业能够更快地做出决策，从而在竞争中占据优势。

### 2. 精准

人工智能调查与预测模型基于大量的数据和复杂的算法，能够提供更为精准的市场调查预测结果。通过不断学习和优化，人工智能可以减少预测误差，提高预测的可靠性。

### 3. 灵活

人工智能调查与预测模型具有高度的灵活性，可以根据市场变化和新数据进行调整。这使得企业能够快速适应市场变化并及时调整策略，以应对新的挑战和机遇。

### 4. 成本效益

虽然初期投资可能较高，但人工智能在市场调查与预测中的应用能够显著降低长期运营成本。通过提高调查与预测的准确性和效率，企业可以减少资源浪费和不必要的开支，从而实现更高的投资回报率。

**5．数据整合与预处理**

为了提高市场分析的准确性，需要整合来自不同渠道的数据，并进行清洗和预处理，以确保数据的质量。

**6．构建调查与预测模型**

构建一个有效的调查与预测模型是提高市场分析准确性的关键步骤，这包括特征选择、模型训练、验证和测试。

**7．实施和监控**

将人工智能调查与预测模型应用于实际市场分析，并持续监控其性能。根据市场反馈调整模型，确保预测的准确性。

**8．提高调查与预测精度**

人工智能通过深度学习等先进技术，能够自动调整和优化调查与预测模型，使其更加适应数据的复杂性，从而提高调查与预测的精度和稳定性。

**9．加速决策过程**

人工智能进行市场调查与预测时，能够实时处理和分析数据，为决策者提供即时的洞察和反馈，从而加速决策过程。

随着人工智能技术的不断成熟，调查与预测性分析已逐渐从辅助决策向智能化决策转变，人工智能已能够自动根据预测结果制订和执行决策方案。

## 5.2 抽样调查

抽样调查与全面调查是相对应的概念，在调查主体不需要大规模调查或成本难以承担的情况下，采取抽样调查是权宜之计。过去，人们对产品或服务调查的全面性缺少技术支持，但现在，技术条件已能够满足大数据分析的要求。然而对于我国大多数中小企业而言，利用大数据进行市场调查与预测仍然受到成本过高的制约。数字技术应用成本是企业需要考量的问题，在投入极少成本的前提下，可以采取抽样调查。

### 5.2.1 抽样调查的概念

抽样调查是根据随机的原则从总体中抽取部分实际数据进行调查并运用概率进行估计的方法，是根据样本（个体）数据推算总体相应的数量指标的一种统计分析方法。抽样调查过程如图 5-2 所示。

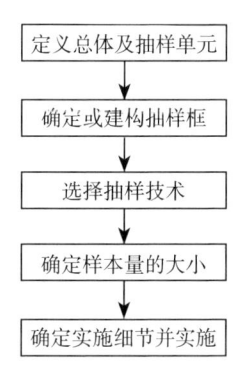

图 5-2 抽样调查过程

显然抽样调查是一种非全面调查，它仅仅是从全部调查研究对象中抽选一部分单位进行调查，并据此对全部调查研究对象做出估计和推断。所以同全面调查相比，抽样调查的数据收集范围受限，未能穷尽所有，但它的目的在于获得反映总体情况的信息资料，因而也可起到全面调查的作用。

### 5.2.2 抽样调查的特点

抽样调查与全面调查相比有其自身的特点，这些特点反映出抽样调查的独特之处。

（1）经济性好。抽样调查在运用过程中，从逻辑上使用的是归纳推理方法，就是由部分来推断整体，是从个性到共性的推理过程。抽样调查结合部分实际调查结果来推断总体情况，使得调查的范围相对缩小，样本相对减少，调查的成本也随之降低。这种方式对于小范围的调查显得经济适用，尤其受到中小企业的欢迎。由于调查的个体数量比全面调查大幅度减少，在组织难度上也有所降低，因此抽样调查体现出较好的经济性。

（2）准确程度较高。由于调查单位少，代表性强，所需调查人员少，因此抽样调查的工作误差比全面调查要小。即使是在总体包括的调查单位较多的情况下，抽样调查结果的准确性一般也高于全面调查。因此，抽样调查的结果是非常可靠的。

（3）适用面广。调查样本（个体）是按随机的原则抽取的，在总体中每一个单位被抽取的机会是均等的，因此，能够保证被抽中的单位在总体中的均匀分布，避免出现倾向性误差，使其代表性比较强、适用面广。通常，抽样调查以抽取的全部样本单位作为一个"代表团"，用整个"代表团"来代表总体，而不是用随意挑选的个别单位代表总体。

（4）抽样误差可以控制。国外一般把置信度控制在95%左右，5%是可容忍的误差度，这说明，抽样误差是一种客观存在，只要抽样调查所抽选的调查样本数量是根据置信误差的要求，经过科学计算确定的，调查结果就可以作为未来预测的依据。同时，调查样本的数量一般要求在30以上，这样才有可靠的保证使误差最小。另外，抽样调查的误差可以在调查前根据调查样本数量和总体中各单位之间的差异程度进行计算，将其控制在允许范围以内。

基于以上特点，抽样调查被公认为是非全面调查方法中用来推算和代表总体的最完善、最有科学根据的调查方法。抽样调查的流程和抽样方法，如图5-3所示。

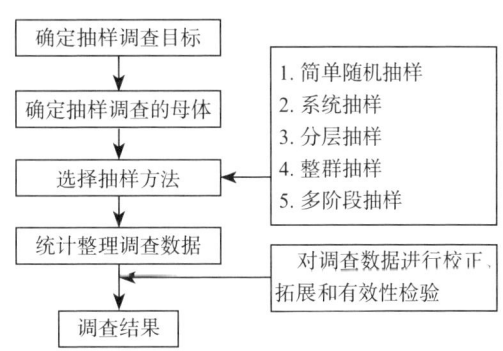

图 5-3 抽样调查的流程和抽样方法

⊙ 知识链接

### 与抽样调查相关的概念

抽样调查是一种统计学方法，用于从较大的总体中选取一部分样本进行研究，以推断总体的特征。以下是一些与抽样调查相关的概念。

（1）总体：研究对象的全体，即所有可能的研究个体。

（2）样本：从总体中选取的一部分个体，用于代表总体进行研究。

（3）样本容量：样本中包含的个体数量。

（4）抽样框：包含总体中所有个体的列表，用于从中抽取样本。

（5）抽样方法：以下列举 5 种常用的抽样方法。

1）简单随机抽样：每个个体被选中的概率相同。

2）系统抽样：按照一定的规则（如每隔几个个体抽取一个）从总体中抽取样本。

3）分层抽样：将总体分为不同的层（或组），然后从每一层中随机抽取样本。

4）整群抽样：将总体分为群组，随机选择整个群组作为样本。

5）多阶段抽样：将抽样过程分阶段进行，每个阶段使用的抽样方法往往不同。

（6）抽样误差：由于抽样导致的样本统计量与总体参数之间的差异。

（7）偏差：样本不能准确代表总体，导致结果不准确。

（8）置信区间：估计总体参数可能落在的值的范围，有一定的置信水平。

（9）置信水平：置信区间包含总体参数的概率，常见的有 95% 和 99%。

（10）显著性水平：在假设检验中，犯第一类错误（错误地拒绝真实的零假设）的概率。

（11）效应量：样本统计量与总体参数差异的实际重要性。

（12）抽样权重：调整样本数据以反映总体分布的权重。

（13）响应偏差：由于被调查者的回答不真实或不准确而导致的偏差。

（14）非抽样误差：除了抽样误差之外的其他误差来源，如数据收集、处理和非响应误差。

（15）样本代表性：样本在多大程度上能够代表总体的特性。

## 5.2.3 抽样调查的类型

根据抽样方法的不同，抽样调查可以分为随机抽样和非随机抽样两类。

随机抽样是按照概率论和数理统计的原理从调查研究的总体中，根据随机原则来抽选样本，并从数量上对总体的某些特征或属性做出估计推断，对于推断中可能出现的误差，可以从概率意义上加以控制。通常将随机抽样称为概率抽样。

非随机抽样又称非概率抽样，依赖调查者的个人判断而非随机选择样本（个体）。它可以很好地估计总体特征，但是无法对样本结果的精确度给予保证。非概率抽样无法计算抽样误差。

抽样调查的类型如图 5-4 所示。

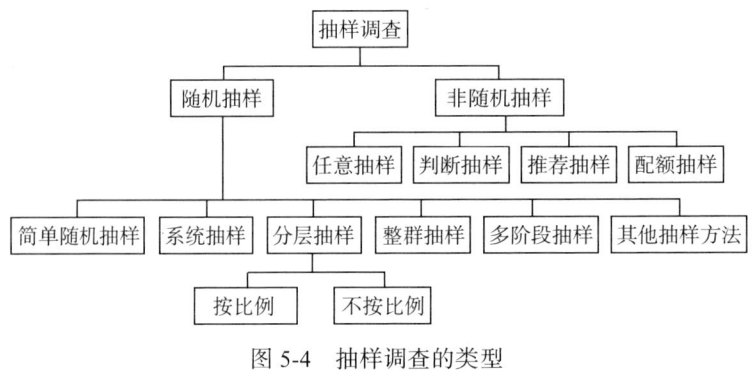

图 5-4　抽样调查的类型

## 5.3 随机抽样

随机抽样包括简单随机抽样、系统抽样（等距抽样）、分层抽样、整群抽样等，每个样本的中选概率是已知的，因此可以计算抽样误差。通常在实地调查中，一般是将这几种抽样方法相互结合使用。

### 5.3.1 简单随机抽样

简单随机抽样又称单纯随机抽样，是在总体单位中不进行任何有目的的选择，而是按照随机原则，采用纯粹偶然的方法抽取样本的一种抽样方式。一般地，设一个总体含有 $N$ 个个体，如果通过逐个抽取的方法从中抽取样本，且每次抽取时各样本被抽到的概率相等，则这样的抽样方法叫作简单随机抽样。

简单随机抽样是随机抽样方法中最简单的一种，适用于总体规模不大、总体抽样框比较容易组建的调查项目，以及调查总体中各单位之间差异较小的情况。如果调查对象不明，难以分组、分类，则常采用抽签法和随机数表法。

#### 1. 简单随机抽样的特点

简单随机抽样中每个样本单位被抽中的概率相等，样本的每个单位完全独立，彼此间无一定的关联性和排斥性。

简单随机抽样的特点如下。

（1）简单随机抽样要求被抽取的样本总体的个数 $N$ 是有限的。
（2）简单随机抽样的样本数 $n$ 小于等于样本总体的个数 $N$。
（3）简单随机抽样的样本是从总体中逐个抽取的。
（4）简单随机抽样是一种不放回的抽样。
（5）简单随机抽样的每个个体被抽入样本的可能性均为 $n/N$。

#### 2. 简单随机抽样的缺点

简单随机抽样的缺点如下。

（1）简单随机抽样只适用于总体单位数量有限的情况，否则编号工作将十分繁重。
（2）对于复杂的总体，样本的代表性难以保证。
（3）不能有效地利用总体的已知信息等。

在市场调查范围有限，调查对象情况不明、难以分类，或总体单位之间特性差异程度小的情况下，采用简单随机抽样的效果较好。

#### 3. 简单随机抽样的方法

简单随机抽样最基本的抽样方法有重复抽样和不重复抽样。在重复抽样中，每次抽中的个体仍放回总体，样本中的个体可能不止一次被抽中。在不重复抽样中，抽中的个体不再放回总体，样本中的个体只能被抽中一次。社会调查一般采用不重复抽样。

### 4. 简单随机抽样的具体做法

（1）直接抽选法。直接抽选法是从总体中直接随机抽选样本。例如，从店铺货架上的商品中随机抽取若干商品进行检验，从 B2C 网站上随机选择若干网店进行调查或访问，从银行的客户中随机选择若干人员进行调查和访问等。

（2）抽签法。先将总体中的所有个体编号（号码可以从 1 到 $N$），并把号码写在形状、大小相同的号签上，号签可以用小球、卡片、纸条等制作，然后将这些号签放在同一个箱子里，进行均匀摇晃。抽签时，每次从中抽出 1 个号签，连续抽取 $n$ 次，就得到一个容量为 $n$ 的样本。在对个体进行编号时，也可以利用已有的编号，例如，从就餐顾客中抽取样本时，可以利用顾客的座位号。抽签法简便易行，当总体的个体数不多时，适宜采用这种方法。

抽签法可以用到骰子，这个骰子上 0～9 数字的出现都应该有同等的概率，因而一个多面体的骰子才可以满足上述需要。例如，要从 1 000 个样本中选出 10 个样本，则把这个骰子转动 3 次，以最先得到的数字为百位，第 2 次为十位，第 3 次为个位，组成一个数，反复转动骰子，可得到一组数据，即为样本的序号。

（3）随机数表法。随机数表法就是利用随机数表作为工具进行抽样。随机数表（见表 5-1）又称乱码表，是将 0～9 这 10 个数字随机排列成表，以备查用。其特点是：表中数码无论是横行、竖列读，还是隔行读，均无规律，因此利用此表进行抽样，可保证随机原则的实现并有效简化抽样工作程序。其步骤是：①确定总体范围并编排单位号码；②确定样本容量，明确样本的数量；③抽选样本单位，即从随机数表中任一数码始，按一定的顺序（上下左右均可）或间隔读数，选取编号范围内的数码，超出范围的数码不选，重复的数码不再选，直至达到预定的样本容量为止；④排列中选数码，并列出相应单位名称。

表 5-1 随机数表

| 03 | 47 | 43 | 73 | 86 | 36 | 96 | 47 | 36 | 61 | 46 | 99 | 69 | 81 | 62 |
|----|----|----|----|----|----|----|----|----|----|----|----|----|----|----|
| 97 | 74 | 24 | 67 | 62 | 42 | 81 | 14 | 57 | 20 | 42 | 53 | 32 | 37 | 32 |
| 16 | 76 | 02 | 27 | 66 | 56 | 50 | 26 | 71 | 07 | 32 | 90 | 79 | 78 | 53 |
| 12 | 56 | 85 | 99 | 26 | 96 | 96 | 68 | 27 | 31 | 05 | 03 | 72 | 93 | 15 |
| 55 | 59 | 56 | 35 | 64 | 38 | 54 | 82 | 46 | 22 | 31 | 62 | 43 | 09 | 90 |
| 16 | 22 | 77 | 94 | 39 | 49 | 54 | 43 | 54 | 82 | 17 | 37 | 93 | 23 | 78 |
| 84 | 42 | 17 | 53 | 31 | 57 | 24 | 55 | 06 | 88 | 77 | 04 | 74 | 47 | 67 |
| 63 | 01 | 63 | 78 | 59 | 16 | 95 | 55 | 67 | 19 | 98 | 10 | 50 | 71 | 75 |
| 33 | 21 | 12 | 34 | 29 | 78 | 64 | 56 | 07 | 82 | 52 | 42 | 07 | 44 | 28 |
| 57 | 60 | 86 | 32 | 44 | 09 | 47 | 27 | 96 | 54 | 49 | 17 | 46 | 09 | 62 |
| 18 | 18 | 07 | 92 | 46 | 44 | 17 | 16 | 58 | 09 | 79 | 83 | 86 | 19 | 62 |
| 26 | 62 | 38 | 97 | 75 | 84 | 16 | 07 | 44 | 99 | 83 | 11 | 46 | 32 | 24 |
| 23 | 42 | 40 | 54 | 74 | 82 | 97 | 77 | 77 | 81 | 07 | 45 | 32 | 14 | 08 |
| 62 | 36 | 28 | 19 | 95 | 50 | 92 | 26 | 11 | 97 | 00 | 56 | 76 | 31 | 38 |
| 37 | 85 | 94 | 35 | 12 | 83 | 39 | 50 | 08 | 30 | 42 | 34 | 07 | 96 | 88 |
| 70 | 29 | 17 | 12 | 13 | 40 | 33 | 20 | 38 | 26 | 13 | 89 | 51 | 03 | 74 |
| 56 | 62 | 18 | 37 | 35 | 96 | 83 | 50 | 87 | 75 | 97 | 12 | 25 | 93 | 47 |
| 99 | 49 | 57 | 22 | 77 | 88 | 42 | 95 | 45 | 72 | 16 | 64 | 36 | 16 | 00 |
| 16 | 08 | 15 | 04 | 72 | 33 | 27 | 14 | 34 | 09 | 45 | 59 | 34 | 68 | 49 |
| 31 | 16 | 93 | 32 | 43 | 50 | 27 | 89 | 87 | 19 | 20 | 15 | 37 | 00 | 49 |

⊙ 知识链接

## 如何用随机数表来抽取样本

当随机地选定开始读的数后，读数的方向可以向右，也可以向左、向上、向下等。

在读数过程中，得到一串数码，将其中不合要求和与前面重复的数码去掉后，可以将其中依次出现的数码看成依次从总体中抽取的各个个体的号码。由于随机数表中每个位置上出现哪一个数字是等概率的，因此每次读到哪一个两位数码，即从总体中抽到哪一个个体的号码也是等概率的。因而利用随机数表抽取样本保证了各个个体被抽取的概率相等。

### 5. 简单随机抽样的应用

在抽样方法中，简单随机抽样是其他抽样方法的基础，因为此法最容易操作，而且当总体单位数 $N$ 不太大时，该方法的实施难度较低。但在实际中，当 $N$ 相当大时，实施简单随机抽样就会面临诸多困难。首先它要求有一个包含全部 $N$ 个单位的抽样框，其次用这种抽样得到的样本单位较为分散，调查不容易实施。因此，在实际中，$N$ 相当大的情况直接采用简单随机抽样的并不多。

## 5.3.2 系统抽样

系统抽样也称等距抽样、机械抽样、SYS 抽样，是一种首先将总体中各单位按一定顺序排列，根据样本容量要求确定抽选间隔，然后随机确定起点，每隔一定的间隔抽取一个单位的抽样方式。它是简单随机抽样的变种，在系统抽样中，先将总体从 $1\sim N$ 相继编号，并计算抽样距离 $K=N/n$（式中，$N$ 为总体单位数，$n$ 为样本容量），然后在 $1\sim K$ 中抽取一个随机数 $k_1$ 作为样本的第一个单位，接着抽取 $k_1+K$，$k_1+2K$，…，直至抽够 $n$ 个单位为止。

### 1. 系统抽样的分类

根据总体单位排列方法的不同，系统抽样的单位排列可分为三类：按有关标志排列、按无关标志排列、介于按有关标志排列和按无关标志排列之间的按自然状态排列。按照具体实施等距抽样的做法，系统抽样可分为直线等距抽样、对称等距抽样和循环等距抽样三种。

### 2. 系统抽样的特点

系统抽样的特点如下。

（1）抽取的单位在总体中是均匀分布的，且抽取的样本可少于简单随机抽样。

（2）系统抽样相对于简单随机抽样而言，最主要的优势就是经济性；系统抽样比简单随机抽样更为简单，耗费的时间更少，并且花费也少。

使用系统抽样方法最大的缺陷在总体单位的排列上。一些总体单位数可能包含隐蔽的形态或者"不合格样本"，调查者可能把它们抽选为样本。由此可见，只有调查者对总体结构有一定了解并充分利用已有信息对总体单位进行排列后再抽样，才可提高抽样效率。

### 3. 系统抽样的要求

系统抽样既可以用同调查项目相关的标志排列，也可以用同调查项目无关的标志排列。

系统抽样要防止周期性偏差,因为它会降低样本的代表性。例如,作业班组名单通常按班排列,10人一班,班长排第1名,当抽样距离取10时,样本可能完全由员工组成或完全由班长组成。

#### 4. 系统抽样的应用

在定量抽样调查中,系统抽样常常代替简单随机抽样。由于该抽样方法简单实用,所以应用普遍。系统抽样得到的样本几乎与简单随机抽样得到的样本是相同的。系统抽样的基本做法是将总体中的各单元先按一定的顺序排列、编号,然后决定一个间隔,并在此间隔基础上选择被调查的单位个体。

(1)样本排序。采用系统抽样时,必须先对总体单位按某种标志进行排序,有两种排序方法。一是按无关标志排序,即总体单位排列的顺序和所要研究的标志是无关的。例如,调查居民的收入水平,可对按姓氏笔画排列的居民名单进行抽样;企业生产质量检验,可按产品生产的时间顺序进行等距抽样等。二是按有关标志排序,即总体单位排列的顺序与所要研究的标志是有直接关系的。例如,对企业产品的销量进行抽样调查时,可按照当年估计销量或前几年的平均实际销量由低到高或由高到低的顺序进行抽样。这种按有关标志排列的系统抽样又称有序系统抽样,能使标志值高低不同的单位均有可能选入样本,从而提高样本的代表性,减小抽样误差。一般认为,有序系统抽样比等比例分层抽样能使样本更均匀地分布在总体中,抽样误差也会更小。

(2)计算公式。样本距离可通过下面的公式确定:

$$样本距离 = \frac{总体单位数}{样本单位数} = \frac{N}{n} \quad (5-1)$$

确定样本距离之后,可以采用简单随机抽样方法,从第一段距离中抽取第一个单位。为简化工作并防止出现某种系统性偏差,也可以从距离的1/2处抽取第一个单位,并按抽选距离继续抽选剩余单位,直到抽完为止。

例如,使用本地电话本进行抽样并确定样本距离为100,那么就在每100个电话中取1个组成样本。式(5-1)保证了整个列表的完整性。

(3)确定起点。系统抽样可以随意用一个起点,例如,如果把一本电话本作为抽样框,必须随意取出一个号码决定从该页开始翻阅。假设从第5页开始,在该页上再另选一个数决定从该行开始。假设从第3行开始,这就决定了开始的位置。

#### 5. 系统抽样的调查过程

当总体单位的顺序排列好之后,可选用下列方法进行等距抽样。

(1)随机起点等距抽样,即在总体分成$K$段($K=N/n$)的前提下,首先从第一段的$1 \sim K$号总体单位中随机抽选一个样本单位,然后每隔$K$个单位抽取一个样本单位,直到抽足$n$个样本单位为止。这$n$个样本单位就构成了一个随机起点的等距样本。

这种方法能够保证各个总体单位被抽到的概率相同,但是,如果随机起点单位处于每一段的低端或高端,就会导致往后的单位都会处于相应段的低端或高端,从而使抽样出现偏低或偏高的系统误差。

（2）半距起点等距随机抽样。这种方法又称中点法抽取样本，是在总体的第一段取 1，2，…，K 号中的中间项作为起点，然后每隔 K 个单位抽取一个样本单位，直到抽足 n 个样本单位为止。当总体是按有关标志的大小顺序排列时，采用中点法抽取样本，可提高整个样本对总体的代表性。

（3）随机起点对称等距抽样。这种方法是在总体第一段随机抽取第 i 个单位，而在第二段抽取第 $2k-i+1$ 个单位，在第三段抽取第 $2k+i$ 个单位，而在第四段抽取第 $4k-i+1$ 个单位……以此交替对称进行。该方法可概括如下：在总体奇数段抽取第 $jk+i$ 个单位（$j=0$，2，4，…），在总体偶数段抽取第 $jk-i+1$ 个单位（$j=2$，4，…）。这种抽样方法能使处于低端的样本单位与另一段处于高端的样本单位相互搭配，从而抵消或避免抽样中的系统误差。

（4）循环等距抽样。当 N 为有限总体而且不能被 n 所整除，即 K 不是一个整数时，可将总体各单位按顺序排成首尾相接的循环圆形，用 N/n 确定抽样间隔 K，K 可以取最接近的整数，然后在第一段的 1～N 号中抽取一个样本单位作为随机起点，再沿圆圈按一定方向每隔 K 个单位抽取一个样本单位，直至抽满 n 个样本单位为止。此方法的局限性：当抽选间隔和总体单位本身的节奏性相重合时，就会影响调查的精度。

### 5.3.3 分层抽样

分层抽样的原则是使层间的差异大、层内的差异小，分层抽样可以提高样本的代表性和抽样的效率、准确性，减小抽样误差。

**1. 分层抽样的概念和特点**

分层抽样是指先将总体单位按某种特征分为若干次级总体（层），然后再从每一层内进行简单随机抽样，从而组成一个样本的统计学计算方法，分层抽样的原理如图 5-5 所示。

分层抽样的特点：将科学分组法与抽样方法结合在一起；分组降低了各抽样层变异性的影响；抽样保证了所抽取的样本具有足够的代表性。

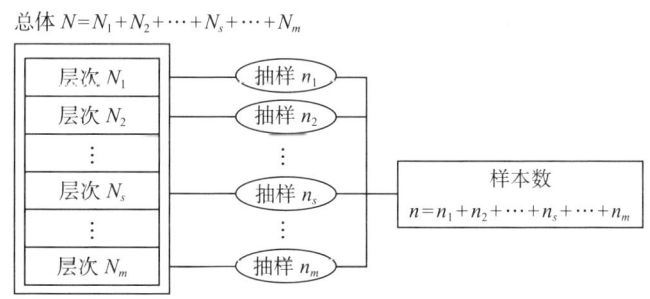

图 5-5　分层抽样原理示意图

**2. 分层抽样的分类**

分层抽样有比例分层抽样和非比例分层抽样两种。

（1）比例分层抽样。比例分层抽样是指每一层的抽样比例都相等，因此都等于总体的抽样比例。

比例分层抽样按某分层群体中个体数量占总体数量的比例向这个分层群体分配样本数量。这种方法适用于分层后分层群体内部差异较小的分层随机抽样，其计算公式如下：

$$n_j = n \cdot \frac{N_j}{N} \quad (j=1,2,\cdots,k) \tag{5-2}$$

式中　$k$——分层的层数或分层群体的个数；

　　　$n_j$——第 $j$ 个分层群体被分配的样本数量；

　　　$n$——总的样本数量；

　　　$N_j$——第 $j$ 个分层群体中个体的数量；

　　　$N$——总体中个体的数量。

（2）非比例分层抽样。非比例分层抽样就是不同层的抽样比例并不相等。非比例分层抽样不按某分层群体中个体的数量占总体数量的比例向这个分层群体分配样本数量，而按照其他权重分配样本数量。常用的其他权重是某分层群体的标准离差占各分层群体标准离差总和之比。其计算公式如下：

$$n_j = \frac{N_j S_j}{\sum N_j S_j} \cdot n \quad (j=1,2,\cdots,k) \tag{5-3}$$

### 3. 分层抽样的适用条件

分层抽样应尽可能利用事先掌握的信息，并充分考虑保持样本结构和总体结构的一致性，这对提高样本的代表性非常重要。当总体由差异明显的几部分组成时，往往选择分层抽样的方法。

分层抽样最简单的情况是在每组数据大小不同的情况下，从每组抽取的对象个数相同；另一种变形的情况是，虽然每组的数据大小不同，但从每组抽取的对象数量与该组数据的大小成正比。

● 例题

一个单位的员工共 500 人，其中 35 岁以下的有 125 人，35～49 岁的有 280 人，50 岁及以上的有 95 人。为了了解与这个单位员工身体状况有关的某项指标，要从中抽取一个容量为 100 的样本。由于员工年龄与这项指标有关，因此决定采用分层抽样方法进行抽取。因为样本容量与总体个数的比例为 1∶5，所以在各年龄段（35 岁以下，35～49 岁，50 岁及以上）抽取的个数依次为 125/5，280/5，95/5，即 25，56，19。

解：求解过程如下。

S1：$\frac{100}{500} = 0.2$

S2：$125 \times 0.2 = 25$（人）

　　$280 \times 0.2 = 56$（人）

　　$95 \times 0.2 = 19$（人）

S3：所以，35 岁以下的抽 25 人，35～49 岁的抽 56 人，50 岁及以上的抽 19 人。

#### 4. 分层抽样的优点

（1）分层抽样就是在不断增加样本规模的前提下减小抽样误差，提高抽样精度。以调查所要分析和研究的主要变量或相关变量作为分层标准，以那些已有明显层次区分的变量作为分层变量。分层时各层之间要有明显的差异，如果分层的数目不多，则每个层次内每个个体可以保持一致性。

（2）分层抽样非常便于了解总体内不同层次的情况，便于对总体不同的层次或类别进行单独研究。以保证各层内部同质性强和各层之间异质性强、突出总体内在结构的变量作为分层变量，要掌握各层中的单位数目和比例。

### 5.3.4 整群抽样

#### 1. 整群抽样的概念

整群抽样是按照一定的方法将总体分为若干群，然后随机地从中抽取一些群作为样本，对这些群中的所有个体进行调查的抽样方法，如图 5-6 所示。整群抽样和分层抽样有些相似，但是分群和分层的原则是不一样的。

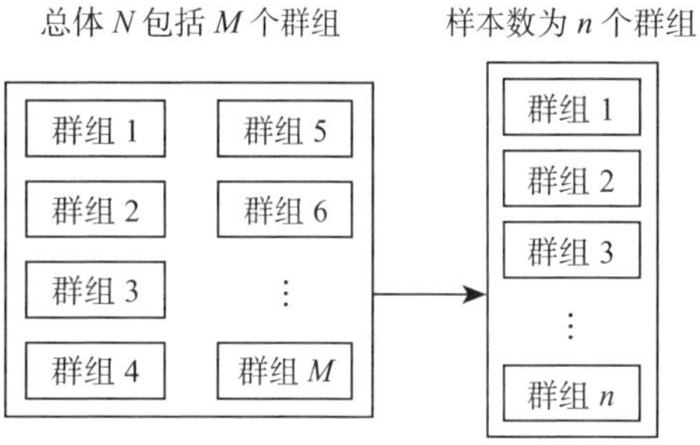

#### 2. 整群抽样的评价

整群抽样的优点是：实施方便，节省经费。其缺点是：由于不同群之间的差异较大，因而引起的抽样误差往往大于简单随机抽样；样本分布面不广，且样本对总体的代表性相对较差。

图 5-6 整群抽样示意图

#### 3. 整群抽样的实施步骤

先将总体分为 $i$ 个群，然后从 $i$ 个群中随机抽取若干个群，对这些群内所有个体或单元均进行调查。抽样过程具体可分为 $n$ 个步骤：①确定分群的标注，将群做好区分；②将总体 $N$ 分成若干个互不重叠的部分，每个部分为一群；③根据样本量确定应该抽取的群数；④采用简单随机抽样或系统抽样方法，从 $i$ 个群中抽取确定的群数。

例如，调查中学生使用手机的情况，抽取某个班进行调查；进行产品检验，每隔 8 小时抽 1 小时生产的全部产品进行检验，等等。

#### 4. 整群抽样与分层抽样的区别

整群抽样与分层抽样在形式上有相似之处，但实际上区别很大。

（1）整群抽样要求群与群之间的差异比较小，群内个体或单元差异大；而分层抽样要求各层之间的差异很大，层内个体或单元差异小。

（2）整群抽样是整群抽取或者整群不被抽取；而分层抽样的样本是从每个层内抽取若干单元或个体构成。

### 5. 整群抽样的适用问题

整群抽样在运用时需要与分层抽样区别开。当某个总体是由若干个有着自然界限和区别的子群（或类别、层次）组成，同时不同子群相互之间差别很大，而每个子群内部的差异不大时，则适合采用分层抽样的方法；反之，当不同子群之间差别不大，而每个子群内部的异质性比较大时，则特别适合采用整群抽样的方法。

### 6. 整群抽样的误差

整群抽样的误差视各群单位方差大小而定，各群单位方差的简单平均数是计算其抽样平均误差的依据。从公式上看，整群抽样平均误差的公式与分层抽样平均误差的公式相似，用 $R$ 表示全及总体中划分的群（组）数，$r$ 表示被抽中的群（组）数，$\sigma^2$ 表示抽样总体各群（组）方差的平均数，$P$ 表示总体比例。

整群抽样平均数的抽样平均误差为

$$\mu_x = \sqrt{\frac{\sigma^2}{r}\left(1 - \frac{r}{R}\right)} \quad (5\text{-}4)$$

成数的抽样平均误差为

$$\mu_P = \sqrt{\frac{P(1-P)}{r}\left(1 - \frac{r}{R}\right)} \quad (5\text{-}5)$$

## 5.4 非随机抽样

非随机抽样包括任意抽样（便利抽样或偶遇抽样）、判断抽样、推荐抽样（滚雪球抽样）、配额抽样等。非随机抽样是依赖调查者的个人判断而非随机选择样本（个体），该方法具有很强的主观性。虽然它可以对总体的特征进行很好的估计，但是无法对样本结果的精确度做出客观的评价。

### 5.4.1 任意抽样

任意抽样又称便利抽样或偶遇抽样，是根据调查者的方便与否来抽取样本的一种抽样方法。"街头拦人法"和"空间抽样法"是任意抽样两种最常见的方法。

"街头拦人法"是在街上或路口任意找某个行人，将其作为被调查者进行调查。

"空间抽样法"是对某一聚集的人群，从空间的不同方向和方位对他们进行抽样调查。

任意抽样简便易行，能及时取得所需的信息资料，省时、省力、节约经费，但抽样偏差较大，一般用于非正式的探测性调查，只有在调查总体各单位之间的差异不大时，抽取的样本才具有较高的代表性。

### 5.4.2 判断抽样

判断抽样又称目的抽样，是凭调查者的主观意愿、经验和知识，从总体中选择具有代表性的样本作为调查对象的一种抽样方法，如焦点小组访谈调查。

**1. 判断抽样的方法**

判断抽样的方法有两种：一种是选择最能代表普遍情况的调查对象，常以"平均型"或"多数型"为标准，应尽量避免选择"极端型"；另一种是利用大数据技术实施的总体全面统计资料，按照主观设定的某一标准选择样本。

**2. 判断抽样的优缺点**

（1）判断抽样的优点。判断抽样简便易行，根据调查目的和特殊需要，可以充分利用调查样本的已知资料，被调查者配合较好，资料回收率高。

判断抽样适用于总体的构成单位极不相同而样本数很小，同时调查者对总体的有关特征具有相当的了解，特别是在了解研究的具体指向的情况下，适合特殊类型的研究，如产品口味测试等。判断抽样操作成本低，方便快捷，在市场调查中较多被使用。

（2）判断抽样的缺点。该类抽样结果受调查者个人判断的倾向性影响大，一旦主观判断出现偏差，则更易引起抽样偏差，同时不能直接对调查总体进行推断。

基于这种情况，要充分发挥判断抽样的正面作用，对总体的基本特征必须掌握相当清楚，做到心中有数。这样才可能使选定的样本具有代表性、典型性，从而才可能通过对所选样本的调查研究来了解、掌握整个总体的情况。

## 5.4.3 推荐抽样

推荐抽样又叫滚雪球抽样（Snowball Sampling），要求被调查者提供附加回答的名单。因此调查者为了符合研究的要求，起初要汇编一个比总样本小得多的样本目录。

**1. 推荐抽样的概念**

推荐抽样以若干个具有所需特征的人为最初的调查对象，然后依靠他们提供认识的合格的调查对象，再由这些人提供第三批调查对象，依次类推，样本如同滚雪球般由小变大。推荐抽样多用于总体单位信息不足或观察性研究的情况。

推荐抽样中有些个体最后仍无法找到，有些个体被调查对象漏而不提，这两种情况都可能造成误差。例如，要研究学生课余的生活，可以晚上到网吧去结识几名上网的学生，再通过他们结识其朋友，不用很久，就可以交上一大批学生朋友。但是这种方法偏误也很大，对于那些不喜好上网、不愿意去网吧、不擅长与别人交往、喜欢一个人在家里上网的学生，调查者就很难获得这些调查对象的信息，而他们却代表着另外一类学生的课余生活方式。

**2. 推荐抽样的操作方法**

在推荐抽样中，先选择一组调查对象，通常是随机选取的。访问这些被调查者之后，再请他们提供另外一些属于所研究的目标总体的调查对象，根据所提供的线索，选择此后的调查对象。这一过程如继续下去，会形成滚雪球的效果。尽管最初选择调查对象时采用的是随机抽样，但是最后的样本都是非随机样本，被推荐或安排的被调查者将比随机抽取的被调查者在人口和心理特征方面更类似于推荐他们的那些人。

推荐抽样主要用于估计十分少见的人物特征，例如，姓名不方便公开的政府或社会服务人员；特别的群体，如私家车的车主等。

### 3. 推荐抽样的优缺点

（1）推荐抽样的优点。推荐抽样可以根据某些样本特征对样本进行控制，适用于寻找一些在总体中十分少见的人。调查费用会大大减少，然而这种成本的节约是以调查质量的降低为代价的。整个样本很可能会出现偏差，因为有些个体的名单来源于那些最初被选中的人，而他们之间的情况可能十分相似，因此，样本可能代表不了整个总体。另外，如果被调查者不愿意配合接受调查，那么这种方法也会受阻。

（2）推荐抽样的缺点。如果总体不大，有时用不了几次就会接近饱和状况，即后来的调查对象再介绍的都是已经被调查过的人。但是很可能最后仍有许多个体无法参与调查，还有些个体出于某些原因被调查对象故意漏而不提，这两者都可能具有某些值得注意的性质，因而可能产生偏误，不能保证代表性。推荐抽样是在特定总体的成员难以找到时最适合的一种抽样方法，比如对调查无家可归者、流动民工及灵活就业者等的样本就十分适用。

总之，若调查者掌握的样本资料较少，而被调查者能够提供对调查者可能有用的其他调查对象的名单，推荐抽样是最合适的，但推荐抽样的代表性会受到限制。

## 5.4.4 配额抽样

配额抽样是非随机抽样中最流行的一种，它不遵循随机原则，而是通过主观判断确定对象分配比例。

### 1. 配额抽样的概念

配额抽样是调查者将调查总体样本按一定标志分类或分层，确定各类（层）单位的样本数额，在配额内任意抽选样本的抽样方式。配额抽样和分层抽样有相似之处，即配额抽样和分层随机抽样相似的地方是都事先对总体中所有单位按其属性、特征分类，这些属性、特征被称为"控制特性"。例如，在市场调查中，消费者的性别、年龄、收入、职业、文化程度就是控制特性，按其分配样本数额即配额抽样。配额抽样与分层抽样又有很大区别，配额抽样是由调查者在配额内主观判断选定样本，而分层抽样是按随机原则在层内抽选样本。

### 2. 配额抽样的实施方法

配额抽样的实施方法有两种：独立控制配额抽样和相互控制配额抽样。

（1）独立控制配额抽样。独立控制配额抽样是指调查者只对样本独立规定一种特征（或一种控制特性）下的样本数额。

例如，在消费者需求调查中，如表5-2所示，我们按年龄特征分别规定不同年龄段的样本数目，就属于独立控制配额抽样。人们通常把消费者的年龄、性别、收入分别进行配额抽样，而不考虑三个控制特性的交叉关系。

（2）相互控制配额抽样。相互控制配额抽样是指在按各类控制特性独立分配样本数额的基础上，再采用交叉控制安排样本的具体数额的抽样方式。

表 5-2 消费者需求调查表

| 消费项目 | 男消费者（%） | 女消费者（%） |
| --- | --- | --- |
| 买衣物（如衣服、鞋子、包、围巾等） | 49.20 | 63.70 |
| 买化妆品和护肤品 | 15.70 | 48.60 |
| 打车 | 38.40 | 32.70 |
| 去餐馆吃饭 | 42.60 | 40.10 |
| 买手机、手机美容、修手机 | 32.20 | 20.10 |
| 买电脑（包括笔记本） | 19.80 | 10.90 |
| 买电子娱乐产品（如 PSP 等） | 21.50 | 16.20 |
| 买家用电器（如电视、洗衣机、空调、冰箱等） | 21.50 | 11.30 |
| 买车、汽车美容、修车 | 9.10 | 5.60 |
| 买房子、装修房子 | 16.10 | 11.60 |
| 去剧场看电影或表演（如戏剧、歌剧、杂技等） | 9.90 | 7 |
| 买票去现场看比赛（如足球、篮球等） | 9.90 | 4.20 |
| 修身、参加健身俱乐部 | 12 | 6.70 |
| 美容、美发（包括男士理发）、美甲等 | 14.50 | 37.30 |
| 旅游 | 22.70 | 16.20 |
| 拍婚纱照 | 10.70 | 11.30 |
| 看病买药 | 38 | 32.40 |
| 参加培训、报学习班等 | 26 | 21.50 |

结论：男性消费者主要在买衣物、去餐馆吃饭、打车、看病买药、买手机方面花过冤枉钱，而女性消费者主要在买衣物、买化妆品和护肤品、去餐馆吃饭、美容、美发、打车、看病买药等方面花过冤枉钱

3. 配额抽样的评价

配额抽样简单易行，可以保证总体的各个类别都能包括在所抽样本之中，因此配额抽样的样本具有较高的代表性。但也应注意，这种方法具有一定的假设性，即假定具有某种相同特征的调查对象，其行为、态度与反应都基本一致。因此，是否对同一层内的调查对象采取随机抽样就无关紧要了。由于抽样误差不大，只要问卷设计合理、分析方法正确，所得的结果同样值得信赖。而这种假设性是否成立，在很大程度上取决于调查者的知识、水平和经验。

配额抽样适用于调查者对总体的有关特征具有一定的了解且样本数较多的情况。实际上，配额抽样属于先"分层"（事先确定每层的样本量）、再"判断"（在每层中以判断抽样的方法选取抽样个体）；费用不高，易于实施，能满足总体比例的要求；容易掩盖不可忽略的偏差。

总之，非随机抽样方法的使用要充分考虑到其存在的误差，选择时应考虑以下因素：受客观条件限制，无法进行严格的随机抽样；在为了快速获得调查结果或在调查对象不确定或无法确定的情况下采用，如对突发（偶然）事件进行现场调查等；总体各单位间离散程度不大且调查者具有丰富的调查经验。

## 本章小结

全面调查是大数据时代的核心理念和技术方法，大数据与传统调查方法之间有一定的逻辑关联。全面调查的特点：全面性、成本高、组织难度大。大数据时代发展的特点：大数据

发展的阶段性、价值性；大数据功能的新定义、新范畴；大数据需要理念更新，贯彻到位。

抽样调查在一定范围内仍有其应用价值。按照对调查对象选取范围的不同，市场调查可以分为普查和抽样调查。抽样调查是从调查对象的总体中抽取部分单位作为样本进行调查，并由样本调查结果推断总体特征的方法。

按照每个样本单位被抽取的机会是否相等，可以将抽样调查分为随机抽样和非随机抽样。随机抽样包括简单随机抽样、系统抽样、分层抽样、整群抽样等；非随机抽样包括任意抽样、判断抽样、推荐抽样、配额抽样等。在实际中，抽样调查应用比较广泛，因为仅仅通过调查少量个体即可较准确地推断出总体的情况，起到全面调查的作用，从而减少了大量的人力、物力成本，具有经济性、实效性强的特点。

## 复习思考题

### 一、单项选择题

1. 全面调查是对调查对象中所包含的全部单位无一遗漏的调查，其主要目的在于取得（　　）现象比较全面系统的总量指标。
   A. 总体　　　　　　B. 样本
   C. 个体　　　　　　D. 局部

2. 大数据分析与全面调查就是从根本上解决（　　）风险对企业经营的损害问题。
   A. 确定性　　　　　B. 不确定性
   C. 系统性　　　　　D. 非系统性

3. 专家认为，大数据没有体量之分，而是以（　　）为单位，其价值要大到足以为企业所有业务创造增值。
   A. 量值　　　　　　B. 数值
   C. 价值　　　　　　D. 比值

4. 大数据的行业应用范围逐渐深化，这不仅促进了全面调查的实现，也保证了（　　）理念的落地。
   A. 现场销售　　　　B. 精准销售
   C. 线上销售　　　　D. 快速销售

5. 抽样调查是根据随机的原则从总体中抽取部分实际数据进行调查，是根据（　　）数据推算总体相应的数量指标的一种统计分析方法。
   A. 小范围　　　　　B. 局部
   C. 样本（个体）　　D. 个性化

6. （　　）是在总体单位中不进行任何有目的的选择，而是按照随机原则，采用纯粹偶然的方法抽取样本的一种抽样方式。
   A. 简单随机抽样　　B. 系统抽样
   C. 分层抽样　　　　D. 等距抽样

7. 抽样误差可以控制。国外一般把置信度控制在（　　）左右，（　　）是可容忍的误差度。
   A. 90%　10%　　　B. 95%　5%
   C. 98%　2%　　　　D. 96%　4%

8. 将总体中各单位按一定顺序排列，根据样本容量要求确定抽选间隔，然后随机确定起点，每隔一定的间隔抽取一个单位的抽样方式称为（　　）。
   A. 等距抽样　　　　B. 分层抽样
   C. 整群抽样　　　　D. 简单随机抽样

9. （　　）是凭调查者的主观意愿、经验和知识，从总体中选择具有代表性的样本作为调查对象的一种抽样方法，如焦点小组访谈调查。
   A. 判断抽样　　　　B. 任意抽样
   C. 推荐抽样　　　　D. 配额抽样

10. "街头拦人法"是在街上或路口任意找某个行人，将其作为被调查者进行调查，这种方法属于（　　）。
    A. 判断抽样　　　　B. 任意抽样
    C. 推荐抽样　　　　D. 配额抽样

## 二、多项选择题

1. 全面调查的特点有（　　）。
   A. 全面性　　　　　　B. 技术要求低
   C. 成本可控　　　　　D. 成本高
   E. 组织难度大

2. 大数据分析的特点有（　　）。
   A. 可视化分析　　　　B. 数据挖掘算法
   C. 预测性分析能力　　D. 语义引擎
   E. 数据质量和数据管理

3. 抽样调查的特点有（　　）。
   A. 经济性好　　　　　B. 准确程度较高
   C. 适用面广　　　　　D. 抽样误差可以控制
   E. 矩阵式

4. 非随机抽样包括（　　）等。
   A. 任意抽样　　　　　B. 判断抽样
   C. 配额抽样　　　　　D. 滚雪球抽样
   E. 等距抽样

5. 简单随机抽样的具体做法有（　　）。
   A. 直接抽选法　　　　B. 抽签法
   C. 随机数表法　　　　D. 滚雪球抽样法
   E. 街头拦人法

## 📍课堂实训

某市有各类超市800家，其中包括大型超市100家，中型超市300家，小型超市400家。为了调查该市超市的销售情况，拟抽取其中50家超市调查。如果采用分层抽样方法，应分别从各类型超市中抽取几家调查？

## 📍课外实训

某地区有居民8 000户，用随机抽样的方式抽选样本200户进行饮水机家庭普及率调查。如果采用等距抽样方法，则应如何选取样本？

## 📍案例分析

### 上汽集团2024年积极配合欧盟反补贴调查

"我们是被调查的三家车企之一。这也是（出海过程中）很正常的事情，我们在一定程度上抢了别人的'蛋糕'。"2024年1月17日，上汽国际党委书记、副总经理赵爱民在接受《每日经济新闻》记者采访时谈及了欧盟委员会针对上汽集团、比亚迪、吉利汽车三家车企的反补贴调查一事。

反补贴调查事件是指2023年10月下旬，欧盟委员会宣布通过抽样方式确定选择比亚迪、上汽集团和吉利汽车三家中国车企启动反补贴调查，该计划持续13个月，旨在确定中国制造的平价电动汽车是否从国家补贴中获得了不公平的好处。根据欧盟委员会的调查文件，2024年1月调查正处于"启动阶段"，后续会根据调查结果来确定是否征收惩罚性关税以保护欧洲电动汽车制造商。

"上汽集团会积极配合相关部门，按照流程配合调查。欧盟启动反补贴调查其实让所有中国汽车出口企业都去思考，到底应该怎样走出去；怎样用我们在技术、产品和智能化方面的积累融入当地，去进行技术、人才的输出；怎样帮助当地政府去解决就业问题；怎样配合当地来做传统汽车供应链的调整？"赵爱民认为，这些问题是中国车企需要去思考和面对的更加重要的问题。

根据上汽集团披露的数据，2023年上汽集团在欧洲市场实现了30万辆的销量。为了融入当地，2023年7月，上汽集团就宣布将在欧洲建厂。

实际上，2023年也是中国车企出海规模爆发的一年。根据海关总署发布的数据，2023年中国汽车出口量达到 522.1 万辆，同比增长 57.4%。中国超越日本，成为全球汽车出口第一大国。

但在汽车出口量快速增长的背后，却是国内车企们对出口运力的争夺战。中国在汽车运输专用的滚装船规模上还存在一些短板。根据公开数据，截至 2024 年 1 月，中国汽车滚装船运营运力约为 39 船，共计 11.5 万个车位。

因此，造船提升运力成为近年汽车出海的关键一环。就在 2024 年 1 月 17 日，由上汽集团委托中国船舶集团建造的首艘远洋汽车运输船"上汽安吉申诚号"开始首航。这艘滚装船拥有 7 600 个车位，采用 LNG（液化天然气）双燃料清洁动力，能够减少 30% 的二氧化碳排放。

上汽安吉物流总经理金麒介绍，"上汽安吉申诚号"对新能源汽车运输做出了相应的针对性设计，因为海运都将新能源汽车作为危险品、特殊商品来处理。具体来看，该船设立了新能源汽车封闭专区，不会影响到其他舱位，还设置了智能化船舱的管理系统，对船各个分区的情况进行实时管控。

"市场上的租船价格从最早的一天平均 2 万多美金到现在最高的 10 万美金，涨了五倍。而投船是具有长周期（价值）的，过去几年我们陆陆续续投资了十几艘船，预计在未来两到三年，滚装船能够逐步跟上我们的出口需求。"金麒透露，到 2026 年年底，安吉物流会形成 44 艘滚装船，满足国内 120 万运力、海外跨洋 60 万运力，总共约 180 万运力需求。

事实上，自建船队的核心目标不仅是保障供应链的稳定，还有增强成本方面的控制。金麒表示，从成本角度考虑，海外一辆车的运输成本约在 1 万元左右。2024 年，上汽安吉物流凭借规模化优势和精细化库存管理等方式进行降本工作。

赵爱民也认为，尽管海外市场的竞争在不断加剧，全球供应链成本、关税成本会有波动，但上汽集团在海外市场的盈利性整体表现还比较好，已经在 2023 年实现规模性盈利，为上汽集团的业绩做出了很大贡献。

赵爱民透露，上汽集团 2024 年的海外销量目标是 135 万辆，2025 年目标为 150 万辆。为了完成这一目标，赵爱民表示："从 2024 年开始，上汽集团将借助名爵 MG 品牌百年的契机围绕销量进行品牌宣传，也会在新产品的投放上继续发力，未来两年上汽集团还有 14 款新能源汽车出海投放，包括智己汽车、飞凡汽车也将会陆续走向海外市场。"

资料来源：每日经济新闻百家号，《上汽集团 2024 年海外销售目标 135 万辆　赵爱民：会积极配合欧盟反补贴调查》，2024 年 1 月 19 日。

**问题：**

1. 欧盟委员会对比亚迪、上汽集团、吉利汽车三家中国车企进行反补贴调查的原因是什么？这一调查对这三家车企的海外战略有何影响？
2. 上汽集团在欧洲市场的销量和建厂计划如何体现了中国车企"出海"战略的变化？上汽集团如何应对欧盟的反补贴调查？
3. 中国汽车出口量快速增长的背后存在哪些挑战？上汽集团如何通过自建船队和精细化库存管理等方式来应对这些挑战？

### 知识解析

# 第6章 调查材料与数据分析

## ○ 学习目标

1. 理解调查材料分析的意义和作用，熟悉调查材料分析的基本原理与方法。
2. 掌握数据处理的技术与方法，了解大数据技术的基本内容及作用。
3. 明确数据处理的意义和过程，熟知数据处理的基本方法和手段。

## ○ 引导案例

### 美国就业数据严重失真

美国劳动力市场只是虚假的繁荣，实际比预期更弱？

费城联邦储备银行（简称费城联储）2024年年初的报告认为，美国劳工统计局（BLS）公布的就业数据（CES）存在严重失真的问题，实际新增岗位被大幅高估。2022年3月至6月非农就业数据被高估了110万个，2023年被高估了80万个。

此外，美国劳动力市场结构的质量下滑。新增就业主要由外籍工人和兼职岗位驱动，而全职岗位和本地工人的增长却陷入停滞。有分析认为，BLS可能自2022年夏季就开始篡改就业数据。

2023年非农就业数据被高估80万个？

根据费城联储报告，美国劳动力市场实际上比预期弱。分析显示，2023年实际新增岗位被高估80万个。

BLS原报告显示，2023年美国平均月度新增岗位为23万个，但美国劳工统计局就业和工资季度普查（QCEW）修正后真实的平均月度新增岗位仅为13万个。分析师认为，用巨额债务换来的美国2023年的就业实际增长，远低于白宫宣称的"拜登经济学"效果。

此外，费城联储还分析了2023年6月至9月美国各州的就业变化（就业岗位数量的增减情况），并与BLS的CES的预基准估计比较。结果显示，27个州的就业变化与预估存在显著差异。具体来看，24个州的就业变化低于预估，3个州的就业变化高于预估，其余23个州和哥伦比亚特区的变化也低于预估但差异较小。这表明BLS的就业数据可能需要修正。

报告还指出了一些更详细的信息，如在整个2023年内，就业增长的实际数据（1.5%）低于CES的预基准估计（1.9%和2.0%），经修正后的增长率与实际数据一致（1.5%）。同样，在 2023 年第三季度，实际增长（0.5%）也低于 CES 的预基准估计（1.7%），经修正后的增长率再次与实际数据一致（0.5%）。这表明 CES 的预基准估计可能高估了实际的就业增长，而修正后的数据更准确地反映了实际情况。

同样，有分析师指出，在 2023 年，BLS 对初始公布的就业数据进行了多次下调。这种修正是基于更准确的数据（如 QCEW）对先前估计的调整，目的是让公布的数据更贴近实际情况。截至 2023 年 12 月，在 BLS 的 11 份报告中有 10 份月度就业报告的数据经过了下调，说明初步公布的就业增长数据被高估了。

CES 是月度调查，通过抽样快速收集数据。QCEW 是季度调查，基于州政府的失业保险记录，提供更准确、全面的数据。因此，QCEW 比 CES 更全面和详细，常用于修正 CES 的预基准估计，确保数据长期准确性。

2022 年 12 月，费城联储对 BLS 发布的 QCEW 数据进行了分析。费城联储在其季度《州工资单就业早期基准修正报告》中写道："在使用更准确的 QCEW 数据分析就业情况时，我们发现实际新增岗位仅为 1.05 万个，远低于此前各州预计的 112.15 万个和 BLS 公布的 CES 数据估计的 104.7 万个。""这表明，与 QCEW 数据相比，之前基于各州和 CES 数据的就业增长估计被高估了超过 110 万个岗位。"

由于 QCEW 数据需要很长时间（比如一年多）才能被处理并纳入 BLS 的正式报告中，因此在此期间公众所见就业数据可能未完全反映实际就业情况。例如，2022 年 12 月的市场数据可能不够准确。直至 2024 年年初，QCEW 数据被完全纳入 BLS 报告后，市场和分析师才能真正掌握最准确的就业情况，以及判断是否存在数据高估问题。

分析指出，从 2022 年夏季开始，劳动力市场的质量有所下降，具体表现为兼职工作的增长和全职工作的停滞，2023 年新增的工作岗位全是兼职。

资料来源：金融界百家号，《就业虚假繁荣？费城联储"承认"非农数据被高估 80 万》，2024 年 3 月 31 日。

问题：
1. 根据费城联储的报告，美国劳工统计局公布的就业数据存在哪些具体失真问题？报告中提到的 2022—2024 年就业数据被高估的幅度是如何计算的？
2. 报告中提到的全职岗位和本地工人增长停滞，以及外籍工人和兼职岗位驱动新增就业的现象，对美国劳动力市场的整体质量和稳定性有何影响？
3. 为什么有人认为美国劳工统计局可能自 2022 年夏季就开始篡改就业数据了？是否有确凿的证据支持这一观点？

## 6.1 调查材料处理概述

市场调查材料处理是指从大量可能是杂乱无章、难以理解的原始材料中进行抽取、提纯、推断，以此获取对企业有价值、有意义的材料并作为重要的资源存储起来的过程。市场调查所获得的材料必须通过科学的分析与整理之后，才能呈现在调查报告以及决策方案中。这一过程不仅能保证调查材料的真实可信，而且可以使材料更加规范，便于储存和提取，这也是对材料进行去粗取精、去伪存真的过程。经过处理的材料可以作为企业在未来市场做出战略决策的依据。

## 6.1.1 调查材料编辑与编码

调查材料处理工作的第一步就是利用科学方法对调查中获取的材料进行梳理。

**1. 调查材料编辑**

编辑是对调查材料进行筛选,即发现并剔除搜集到的市场调查材料中的"水分",选用真正有价值的材料。编辑通常分实地编辑和办公室编辑两步进行。

(1)实地编辑。实地编辑是初步编辑,其主要任务是发现材料中非常明显的遗漏和错误,帮助控制和管理实地调查数据,及时调整调查方向、程序,帮助消除误解及处理有关特殊问题。它应在问卷或其他材料收集实施后尽快执行,以便问卷能在材料收集人员解散之前得到校正,这种初步审核可由现场主管执行。

实地编辑对调查材料进行检查的项目主要有以下几项要求:信息的完整性、逻辑的清晰性、内容的前后一致性、目的的明确性(答案的意义是否明确)和单位的统一性。

(2)办公室编辑。办公室编辑在实地编辑之后实施,其主要任务是更完整、确切地审查和校正回收的全部材料。这项工作通常由那些对调查目的和过程有透彻了解且具有敏锐洞察力的人进行。为了保证资料的一致性,最好由一个人来处理所有的材料。若出于工作周期的考虑而认为执行中有难度,该工作可被分割成不同模块,分配给不同的人来完成。但是,这个分割必须是每名审核员各分配若干份问卷,对每一份问卷从头审到尾,而不是分段把关、流水作业。

1)审核工作的重点。对于回收的问卷,其主要存在的问题有:不完全回答、明显的错误答案以及由于被调查者缺乏兴趣而做的搪塞回答。办公室编辑的重点就放在对这三类问题的查找、区分和处理上。

不完整的答卷分为三种情况:第一种是大面积的无回答或相当多的问题无回答,对此应做废卷处理;第二种是个别问题无回答,这种答卷为有效问卷,所遗空白待后续工作采取补救措施;第三种是相当多的问卷对同一个问题(群)无回答,这种答卷也为有效问卷。

这种"无回答"固然会对整个项目的材料分析工作造成一定的影响,但是反过来也会让调查组织者和问卷设计者思考如下问题:为什么相当多的被调查者对这一问题(群)采取了"无回答"的方式?是这个问题(群)用词含混不清让他们无法理解,还是该问题(群)太具敏感性或威胁性使他们不愿意回答,或是根本就无法给此问题(群)找到现成的答案?

明显的错误答案是指那些前后不一致的答案或其他答非所问的答案。这种错误到了办公室编辑阶段很少存在,但一旦发现就很难处理。除了能够根据全卷答案的内在逻辑联系对某些前后不一致的地方进行修正,其他情况只能按"不详值"对待。

有些被调查者对问题的回答反映出他显然对所提问题缺乏兴趣。例如,有人对连续 30 个 7 点量表都选择了"7"的答案,或者有人不按答案要求,在问卷上随笔一勾,一笔带过了若干个问题。如果这种缺乏兴趣的回答仅属个别问卷,应当予以抛弃。倘若这种缺乏兴趣的回答有一定的数目问卷,且集中出现在同一个问题(群)上,就应该把这些问卷作为一个相对独立的子样本看待,在材料分析时给予适当注意。

对于最后判定按"不详值"处理的答案,审核员要用记号笔明确注明"不详值"字样或其代码。

2）对次级材料的审核。对于次级材料，可以根据其来源将其划分成直接整理的材料和多次整理的材料。在审核时，审核员应根据材料所注的来源对其进行区别对待。确认为直接整理的次级材料，可以直接为调查所用。而对于多次整理的次级材料，只能间接参考，即追溯其来源去寻求直接整理的次级材料。

2. 编码

（1）编码。编码就是对一个问题的不同回答进行分组和确定数字代码的过程。大多数问卷中的大多数问题是封闭式的，并且已预先编码。这意味着调查中一组问题的不同数字编码已被确定。全部封闭式问题都是事先编码，通常在每种答案的左边都有一个数字代码为制定的编码。封闭式问题中编码的难题是对多选题进行编码，它的方法是将每一回答指定为次级变量，用"1"表示选择了该答案，用"0"表示未选择。

（2）事后编码。开放式问题与封闭式问题不同。开放式问题只能在材料收集好之后，再根据被调查者的答复内容来决定类别的指定号码，即只适宜事后编码。

对于开放式问题的事后编码，它所依据的不应该仅是答案的文字，更重要的是这些文字所能反映出来的被调查者的思想认识，这项工作可以遵循下述步骤进行。①将所有答案都一一列出，在大型调查中，这项工作可以作为编辑过程的一部分或单独的一部分完成。②将所有有意义的答案列成频数分布表。③确定可以接受的分组数，此时主要是从调查目的出发，考虑分组的标准是否能紧密结合调查目的。④根据拟定的分组数，对频数分布表中的答案进行挑选归并。在符合调查目的的前提下，保留频数多的答案，然后把频数较少的答案尽可能归并成含义相近的几组。对那些含义相距甚远或者虽然含义相近但合起来频数仍不够多的，最后一并以"其他"来概括，作为一组。这一步可以由一个或多个编码员分别来做，然后集中到一起进行核对、讨论，最终形成一致的分组意见。⑤为所确定的分组选择正式的描述词语。⑥根据分组结果制定编码规则。⑦对全部回收的问卷（包括开放式问题答案）进行编码。

3. 调查材料的计算机处理之编码明细单

目前，使用相关软件来进行调查材料分析工作已经普及，大数据技术的应用空间愈加广泛，而在用计算机处理材料时，面临的第一个问题是如何准确地录入材料。这要求把文字材料转化成数码形式的数据，为此，必须制定一套规则，即编码明细单，这有利于减少在数据转录过程中产生大量的录入错误。

编码明细单是一份说明问卷中各个问题（即变量）及其答案与计算机数据文件中的字段、数码位数及数码之间具有一一对应关系的文件。有了编码明细单，就可以很方便地录入材料了。

在制定编码明细单时，需要注意以下几个问题。

（1）所有的材料都必须转换成数值，不允许使用字母或其他字符。

（2）每一个数值码占据一列，要为每个变量留出足够的列数。

（3）对无信息的答案赋予标准代码。例如，可以用"8"表示"不知道"，"9"表示"无回答"，"0"表示"不适合"。

（4）对一条记录所占据的第一行第一个字段都要安排被调查者序列号码。

## 6.1.2 调查材料的列表

把调查材料按照一定的目的，用表格的形式展现出来，即调查材料的列表。列表的基本方法就是统计变量值的出现次数。如果仅统计一个变量的不同数值的出现次数，这种列表就是单向列表。如果同时统计两个或多个变量的不同数值联合出现的次数，这种列表就是交叉列表。

现代市场调查和其他社会经济调查往往涉及数十个变量、数百个样本单位，其列表任务相当繁重，一般都需要借助计算机手段才能在有限的时间内完成。

**1. 单因素列表**

最基本的单因素列表是单向频次表。

（1）关于百分比的基数。在使用单向频次表时需要解决的一个问题是选择百分比的基数，基数有三种选择。①全部被调查者的人数。如果有300人参加了某项调查，并决定利用所有被调查者的人数作为计算百分比的基数，每张单向频次表的百分比都将以300作为基数。②需要回答具体问题的人数。在大部分问卷中，不是所有人都回答全部的问题。例如，一项调查的问题4也许会问调查者是否有狗或猫，其中回答有的为200人，而问题5和问题6是专门问这200人的。在这种情况下，用200作为计算百分比的基数较为恰当。③做出回答的人数。在单向频次表中计算百分比的另外一个基数是回答了特定问题的人数。如300人被问及某个特定问题，但28人表示"不知道"或没有回答，则要以272作为百分比的基数。

一般来说，需要回答问题的人数被视为制表中计算百分比的基数。但也许在一些特殊场合，使用其他的基数会更合适。

（2）为具有多种答案的单向频次表选定基数。对某些问题，被调查者可能有多种回答。例如，某问题要求被调查者列出所有记忆中商场的名称，多数人会列举不止一家商场。因此，制作回答列表时，答案的数量会超过被调查者人数。如果在200名被调查者中，平均每名列出3家商场，则200名被调查者会给出600个答案。那么，频次表中的百分比应根据被调查者的人数还是众多答案的数量？在市场调查中，一般的算法是以被调查者的人数为基数计算百分比，因为我们对给出特定答案的人的数量更感兴趣。

**2. 多因素列表**

最基本的多因素列表是交叉分组表。建立交叉分组表可能是分析的下一步骤。交叉分组表是一种易理解且有效的分析工具。许多市场调查，或者说是绝大多数市场调查，在分析上都只进行到交叉分组表。这种方法的基本思想是结合对其他问题的回答来考查对某一问题的答案。用交叉分组表列出频次和百分比，而且百分比是以列为基数统计的。关于交叉分组表的建立和计算百分比，有许多因素应该考虑，其中一些较重要的因素总结如下。

（1）百分比基数的选择及多种答案的百分比计算。前面关于合适的百分比基数的选择及多种答案的百分比计算的讨论适用于所有的交叉分组表。在交叉分组表中，可以为每一单元计算三种不同的百分比：列百分比、行百分比、总百分比。列百分比以列总和为基数，行百分比以行总和为基数，而总百分比以表的总和为基数。

（2）在交叉分组表中进行分析。建立交叉分组表的通常做法是设计一个表（见表6-1），在这张表中，各列列出各种不同因素，如时间和地区分布等，它们可以作为各行所列因素如运货费的预测指标。

（3）利用交叉分组表进行结果总结与分析。交叉分组表为总结和分析调查结果提供了一种有效、易懂的方法。然而，假如不仔细设计交叉分组表的话，它也很容易出现计算机输出的大量数据造成混乱的问题。设计交叉分组表时必须牢记调查目标和事先的基本假设，因为某项调查的结果可能产生无数个交叉分组表。这表明，分析人员必须加以判断，从所有可能的交叉分组表中选择适合调查目标的表格形式。

另外，大量的电子制表软件（Lotus 1-2-3、Excel）和几乎所有的统计软件包（SAS、SPSS、SYSTAT、STATISTICA）都能够生成交叉分组表。

表6-1 运输费用交叉分组表

（单位：元）

| 时间 | 分布 / 运货费 | 东北 | | 华南 | | | 西南 | | |
|---|---|---|---|---|---|---|---|---|---|
| | | 长春 | 大连 | 海口 | 深圳 | 厦门 | 成都 | 昆明 | 重庆 |
| 2022年 | 7月 | 51.30 | 0.00 | 0.00 | 0.00 | 0.00 | 0.00 | 0.00 | 0.00 |
| | 8月 | 0.00 | 0.00 | 0.00 | 12.76 | 0.00 | 0.00 | 79.70 | 0.00 |
| | 9月 | 89.06 | 0.00 | 0.00 | 19.41 | 5.74 | 0.00 | 0.00 | 24.69 |
| | 10月 | 77.05 | 52.84 | 0.00 | 64.50 | 142.78 | 10.19 | 0.40 | 498.77 |
| | 11月 | 432.23 | 101.95 | 10.14 | 0.00 | 36.71 | 0.00 | 64.19 | 53.80 |
| | 12月 | 221.92 | 184.41 | 135.35 | 0.00 | 168.64 | 126.38 | 45.03 | 214.20 |
| 2023年 | 1月 | 109.77 | 56.68 | 18.69 | 0.00 | 21.48 | 137.35 | 106.92 | 537.00 |
| | 2月 | 347.72 | 16.27 | 8.12 | 0.00 | 47.94 | 14.68 | 19.97 | 209.96 |
| | 3月 | 45.31 | 76.00 | 0.00 | 0.00 | 6.37 | 0.00 | 11.93 | 0.00 |
| | 4月 | 204.47 | 381.00 | 62.78 | 0.00 | 42.68 | 0.00 | 4.65 | 106.58 |
| | 5月 | 24.91 | 52.49 | 0.00 | 0.00 | 66.69 | 188.04 | 394.28 | 106.79 |
| | 6月 | 84.84 | 75.89 | 0.00 | 0.00 | 72.97 | 22.95 | 27.71 | 27.44 |
| | 7月 | 2.92 | 26.78 | 79.40 | 0.00 | 179.05 | 55.92 | 80.65 | 49.66 |
| | 8月 | 0.00 | 179.61 | 1.15 | 0.00 | 12.41 | 7.14 | 23.55 | 125.18 |
| | 9月 | 0.00 | 221.03 | 232.42 | 0.00 | 0.90 | 0.00 | 24.39 | 509.78 |
| | 10月 | 0.00 | 86.82 | 102.55 | 0.00 | 152.30 | 21.74 | 272.47 | 469.97 |
| | 11月 | 0.00 | 20.12 | 0.00 | 0.00 | 16.97 | 44.10 | 89.90 | 232.55 |
| | 12月 | 0.00 | 350.71 | 110.87 | 0.00 | 46.89 | 21.49 | 0.00 | 0.00 |
| 2024年 | 1月 | 0.00 | 228.19 | 776.24 | 19.26 | 20.32 | 338.02 | 0.00 | 40.30 |
| | 2月 | 0.00 | 132.16 | 60.42 | 738.47 | 55.88 | 40.95 | 0.00 | 350.62 |
| | 3月 | 0.00 | 207.58 | 60.87 | 1 271.41 | 134.97 | 0.00 | 0.00 | 124.59 |
| | 4月 | 0.00 | 830.75 | 86.92 | 1 070.87 | 82.34 | 194.83 | 0.00 | 211.92 |

## 6.1.3 调查材料的分析与解释

在市场调查的所有活动中，对调查者技能要求最高的是对调查材料的分析与解释，调查材料只有经过比较和分析才有其使用价值。

**1. 调查材料的分析与解释的概念及关系**

（1）调查材料分析的概念。分析是以某种有意义的形式或次序把收集的材料重新展现出来。分析实际上是回答"每组材料里有什么信息"。分析是分别检查每组材料，以找出其蕴含的关键信息，并以有意义的形式表示出来。

（2）调查材料解释的概念。解释是在调查材料分析的基础上找出信息之间或手中信息与其他已知信息的联系。解释的主要目的是从所收集的材料中获得结论，它可以把分析过的材料变成与研究目的有关的有用信息，使收集的材料能为研究目的服务。

（3）调查材料的分析与解释之间的相互关系。调查材料的分析与解释是相互联系、相互依赖的。无论是调查材料的分析还是调查材料的解释，任何一个方面的工作开展得不到位，都会影响研究结果的有效性以及对调查材料的充分利用。

**2. 归纳和演绎推理方法在调查材料的分析与解释中的应用**

分析是把每组数据以某种形式重新组合起来以便从中发现有价值的信息，解释是在分析的基础上进行的，即把已经分析过的材料与其他现存材料放在一起，通过比较，得到与调查目的有关的信息。例如，从各种分散材料中归纳出结论，然后根据结论提出各种备选的市场营销方案。

在解释调查材料时，尽管没有一个统一的模式可循，但是必须注意两个方面：一是要理解归纳和演绎推理方法；二是要保证形成结论的客观性。

（1）归纳推理方法的应用。归纳推理方法的步骤是：首先假设一系列个别性前提，然后把这些前提与其他前提结合在一起，通过个别分析得出一般性结论。这些个别的前提可以从观察、实验、调查中获得。在归纳推理方法中，任何结论都基于从调查、实验或观察中得出的证据。在市场营销研究中，通过对大量个体（或样本）的研究得出一般性结论使用的就是归纳推理方法。

（2）演绎推理方法的应用。演绎推理方法可用在市场营销中对目的的研究，在于客观地调查某些个性集合的一般性特征。演绎推理过程包括一系列的语句，其中最后一句是结论，它是从一般性前提按照一定逻辑规则推理出来的，结论是否正确取决于前提是否正确。然而在管理方面的应用中，演绎推理方法的大前提往往不是很可靠。因此，尽管演绎推理方法可用在市场营销调查中，但必须明白其使用的前提或由此归纳得出的结论常常是较脆弱的，不能作为制定经营决策的依据。

归纳推理方法和演绎推理方法常常是相互作用的，演绎推理的前提一般是从归纳推理中得出的。例如，通过归纳推理得出的"年轻人是网购的主要群体"的结论可以作为演绎推理的前提，因为这个归纳结论是通过观察数年来每年各年龄段网购人数而得出的。

在使用归纳推理方法和演绎推理方法时，要收集适当的证据，使基于这些证据推导出的结论更富有逻辑性。这种逻辑过程不仅对调查者是明显的，对任何其他人也应是明显的。演绎推理方法中的前提必须是有效的，而在确定归纳推理方法中的前提时则需要充分的依据。

## 6.1.4 对调查材料分析与解释的客观性要求

调查者进行调查时的客观态度对材料的收集是非常重要的，这种对客观性的要求在对材料的解释中更重要。由于调查者控制着要解释的材料,他们可能会把那些与他们预计结果相悖的材料放在一边。

理想的调查课题要求调查者始终保持完全客观的态度,但在实际生活中,这是难以完全做到的。要求调查者必须绝对客观,否则调查就不能进行,这种想法是不实际的,因为要求调查者对调查结果不能有自己的意见或不能有个人价值取向是不可能的。但要求调查者把这些个人兴趣放在第二位是有可能的,也是很有必要的,因为调查不是为证明某一观点而进行的,调查的目的在于客观地调查某个市场情形的所有方面。

## 6.2 数据处理的基本概念

数据是对事实、概念或指令的一种表达形式,可由人工或自动化装置进行处理。数据经过解释并被赋予一定的意义之后,便成为信息。数据处理是指对数据的采集、存储、检索、加工、变换和传输。

数据处理是市场调查与预测工作的基本环节,贯穿市场调查活动的始终。数据处理技术的发展及其应用的广度和深度,极大地影响着人类社会发展的进程。

### 1. 市场调查数据处理的对象

市场调查数据包括数值的和非数值的数据,对这些数据进行分析和加工的技术过程就是数据处理的核心内容,包括对各种原始数据的分析、整理、计算、编辑等的加工和处理。市场调查数据处理是狭义概念,比一般数据处理的含义要窄一些。

### 2. 市场调查数据处理的范围

随着计算机的日益普及,在计算机应用领域,手工计算数值所占比重很小,通过计算机数据处理进行信息管理已成为主要的应用方式,如测绘制图管理、仓库管理、财务管理、交通运输管理、技术情报管理、办公室自动化等。在地理数据方面,既有大量自然环境数据,如土地、水、气候、生物等各类资源数据,也有大量社会经济数据,如人口、交通、工农业等数据,常要求对这些数据进行综合性数据处理。

### 3. 市场调查数据处理的方法

由于计算机要处理的数据信息十分庞杂,有些数据库所代表的含义又让人难以记忆。为了便于使用、易于记忆,常常要对加工处理的对象进行编码,用一个编码符号代表一条信息或一串数据。在计算机信息管理中,对数据进行编码非常重要,可以方便地进行信息分类、校核、合计、检索等操作。因此,数据编码就成为计算机数据处理的关键,即不同的信息记录应当采用不同的编码,一个码点可以代表一条信息记录。人们可以利用编码来识别每一条记录,对数据进行分类和校核。使用大数据技术可以更有效地克服项目参差不齐的缺点,节省存储空间,提高处理速度。

数据编码是为每个问题的每种可能的答案分配一个代码,利用编码字典进行编码。编码字典包括栏数、记录数、变量数、变量名、问题数和编码说明。编码方法有顺序编码法、分组编码法、信息组码编码法和缩写编码法。

#### 4. 市场调查数据处理的过程

市场调查材料需要经过以下处理。

（1）现场控制。现场控制主要是对不合格问卷的处理，包括返回现场工作，确定缺失程度，废弃不合格问卷。

（2）逻辑处理。逻辑处理是甄别不真实的信息资料，消除欺骗、误传、虚构、添加、拼凑、混淆、夸张、偏颇、孤证、回避等假象。信息资料鉴别的具体方法包括分析判断法、核对法、比较法和佐证法。

（3）数据清理。数据清理主要有三项具体工作，一是要检查超出正常取值范围的取值，如备选答案为 1～5，而数据中出现 6 和 7；二是要检查逻辑上不合理的取值，仔细检查极端值，用四分位法解决；三是要检查缺失值。缺失值的处理方法：以平均值来替代，用整个序列的平均值填补缺失值；用线性插值法填补缺失值，即用缺失值前的最后一个有效值和缺失值后的第一个有效值计算出的平均数填补缺失值；用估计值替代缺失值，可以考虑用回归分析方法，对数据进行转换、赋权、量纲转换。

## 6.3 数据处理的基本方法

数据处理的方法主要体现在对数据的表格化和图形化处理上，这些方法能比较直观、形象地反映数据所体现的规律或趋势。

### 6.3.1 直方图

直方图是处理分析数据的一种传统方式，由一系列高度不等的长方形和线段表示数据分布的情况，如图 6-1 所示。

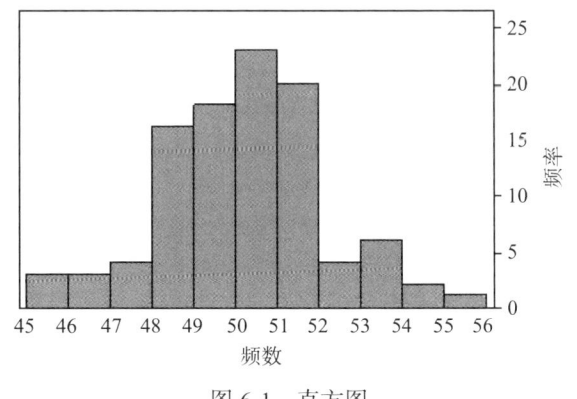

图 6-1 直方图

#### 1. 直方图的含义

直方图在各类数据分析中都有运用。在直方图中，长方形的高度代表对应组的频数与组距的比，因为组距是一个常数，为了画图和看图方便，通常直接用高度表示频数，这样的统计图称为频数分布直方图，它可以清楚地显示各组频数分布的情况，易于显示各组之间频数的差别。

（1）频数。数字出现的次数有的多有的少，或者说它们出现的频繁程度不同，我们把每个对象出现的次数称为频数。在统计频数的时候，我们一般通过数"正"字的方法来累计，也可使用其他方法。

（2）频率。每个对象出现的次数与总次数的比值为频率。

（3）组数。全体样本分成的组的个数为组数。

（4）组距。把所有数据分成若干个组，每个小组两个端点的距离称为组距。

（5）极差。极差是指一组数据中最大数据与最小数据的差。组距=[ 极差 / 组数 ]+1（[] 表示取整）。

（6）频数分布直方图。由若干个宽等于组距、面积表示每一组频数的长方形组成的统计图称为频数分布直方图。

### 2. 画频数分布直方图

运用频数分布直方图进行数据分析的时候，一般先列出它的分布表，其中有几个常用的公式：各组频数之和＝抽样数据总数，各组频率之和＝1，数据总数 × 各组的频率＝相应组的频数。

（1）画频数分布直方图的目的是将频数分布表中的结果直观、形象地表示出来，其中组距、组数起关键作用。分组过少，数据就非常集中；分组过多，数据就非常分散，这就掩盖了分布的特征。

（2）频数分布直方图的制作步骤如下。①集中和记录数据，求出其最大值和最小值。数据的数量应在 100 个以上，在数量不多的情况下，至少也应有 50 个。②将数据分成若干组，并做好记号。分组的数量在 5～12 较为适宜。③计算组距的宽度。用组数去除最大值和最小值之差，求出组距的宽度。④计算各组的界限位。各组的界限位可以从第一组开始依次计算，第一组的下界为组中值减去组距的一半，第一组的上界为其下界值加上组距；第二组的下界为第一组的上界，第二组的下界加上组距，就是第二组的上界，依此类推。⑤统计各组数据出现的频数，做频数分布表。⑥做直方图。以组距为底长，以频数为高，做各组的直方图。根据最大数据与最小数据的差值，决定组距的大小，组距和组数的确定没有固定的标准，一般数据越多。分成的组数就越多，当数据不超过 50 个时，可以分 5～7 组；当数据有 50～100 个时，一般分 5～12 组。

我们可以在直方图的基础上来画频数分布直方图，先取直方图各长方形上边的中点，然后在横轴上取两个频数为 0 的点，这两点分别与直方图左右两端的两个长方形的组中值（长方形宽的中点）相距一个组距，将这些点用线段依次连接起来，就得到了频数分布直方图。

### 3. 条形图与直方图的区别

条形图与直方图的区别如下。

（1）条形图是用条形的高度表示频数的大小，而直方图实际上是用长方形的面积表示频数，当长方形的宽相等的时候，把组距看成"1"，用长方形的高表示频数。

（2）在条形图中，横轴上的数据是孤立的，是一个具体的数据，而在直方图中，横轴上的数据是连续的，表示一个范围。

（3）在条形图中，各长方形之间有空隙，而在直方图中，各长方形是靠在一起的，中间无空隙。

### 6.3.2 饼图

饼图（Sector Graph，又名 Pie Graph），常用于统计学模块，2D 饼图为圆形，手工绘画时，常用圆规作图。

#### 1. 饼图的原理

使用排列在工作表的一列或一行中的数据可以绘制饼图。饼图显示一个数据系列，数据系列就是在图表中绘制的相关数据点。图表中的每个数据系列具有唯一的颜色或图案，并且在图表的图例中表示，也可以在图表中绘制一个或多个数据系列。饼图只有一个数据系列，显示各项的大小与各项总和的比例。饼图中的数据点即在图表中绘制的单个值，这些值由条形、柱形、折线、饼图或圆环图的扇面、圆点和其他被称为数据标记的图形表示。相同颜色的数据标记组成一个数据系列，这些数据点统一显示为整个饼图的百分比。

#### 2. 饼图的使用要求

饼图的使用要求如下。

（1）仅有一个要绘制的数据系列。

（2）要绘制的数值没有负值。

（3）要绘制的数值几乎没有零值。

（4）类别数目无限制。

（5）各类别分别代表整个饼图的一部分。

#### 3. 饼图的基本类型

饼图有以下几种基本类型。

（1）二维饼图和三维饼图。饼图以二维或三维格式显示每个数值相对于总数值的大小，在计算机上可以通过手动拖出饼图的扇面来调整大小，三维饼图示例图 6-2 所示。

| 地区 | 销量 |
| --- | --- |
| 华北 | 3 428.93 |
| 华东 | 10 395.20 |
| 华中 | 5 718.13 |
| 华南 | 3 965.01 |
| 西北 | 1 829.63 |
| 东北 | 2 155.50 |
| 西南 | 2 069.02 |

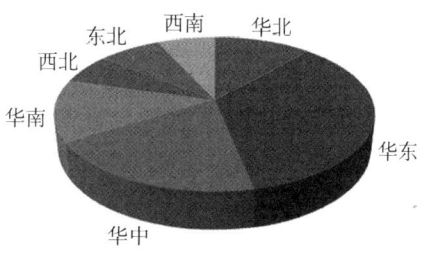

图 6-2  三维饼图

（2）复合饼图或复合条饼图。复合饼图或复合条饼图是将用户定义的数值从主饼图中提取并组合到第二个饼图或堆积条形图的饼图，目的是让主饼图中的小扇面更易于查看，这类图表类型非常实用，复合条饼图示例图 6-3 所示。

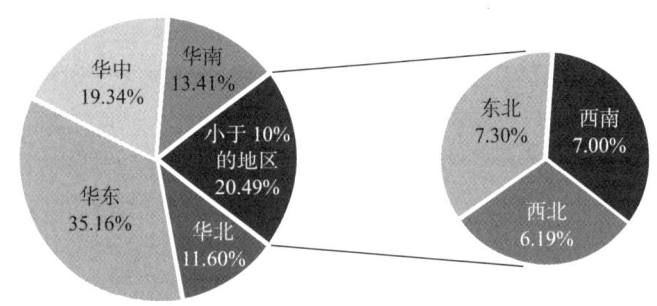

图 6-3　复合条饼图

（3）分离型饼图。分离型饼图显示每个数值相对于总数值的大小，同时强调每个数值。分离型饼图可以以三维格式显示如图 6-4 所示。由于分离型饼图的扇面不能单独移动，如果要移动饼图的扇面，则可以改用二维饼图或三维饼图，这样就可以在计算机上手动拖出扇面了。需要注意的是，饼图部分需要标注百分比。

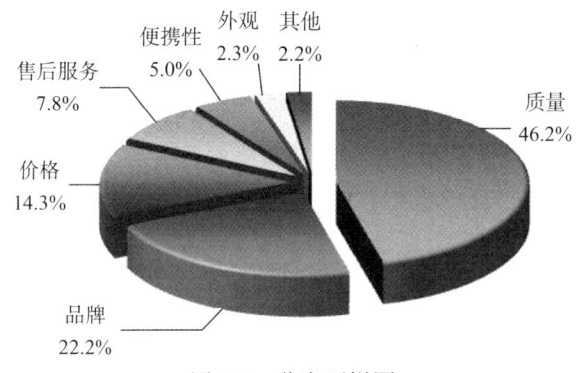

图 6-4　分离型饼图

### 6.3.3　集中趋势法

集中趋势（Central Tendency）在统计学中是指一组数据向某一中心值靠拢的程度，它反映了一组以中心点为参照的数据的离散程度。

#### 1. 集中趋势测度的概念

集中趋势测度就是寻找数据水平的代表值或中心值，低层次数据的集中趋势测度值适用于高层次的测量数据，能够揭示总体中众多观察值所围绕与集中的中心，反之，高层次数据的集中趋势测度值并不适用于低层次的测量数据。

#### 2. 集中趋势的测定方法

取得集中趋势代表值的方法有两种：数值平均数和位置平均数。

（1）数值平均数。从总体各单位变量值中抽出具有一般水平的量，这个量不是各个单位的具体变量值，但又要反映总体各单位的一般水平，这种平均数称为数值平均数。数值平均数有算术平均数、调和平均数、几何平均数等形式。

算术平均数：算术平均数就是观察值的总和除以观察值个数的商，是集中趋势测度中最重要的一种。算术平均数是所有平均数中应用最广泛的平均数，分为简单算术平均数和加权算术平均数。算术平均数的计算公式为

$$算术平均数 = \frac{总体标志总量（变量值总量）}{总体单位总量（变量值个数）}$$

即

$$M = \frac{x_1 + x_2 + \cdots + x_n}{n}$$

式中　$x_1, x_2, \cdots, x_n$——变量值；
　　　　$n$——变量值个数。

调和平均数：调和平均数可以被看作变量 $x$ 的倒数的算术平均数的倒数，故有时也被称为"倒数平均数"。调和平均数分为简单调和平均数和加权调和平均数。

简单调和平均数的计算公式为

$$H = \frac{n}{\frac{1}{x_1} + \frac{1}{x_2} + \cdots + \frac{1}{x_n}} = \frac{n}{\sum_{i=1}^{n} \frac{1}{x_i}} \tag{6-1}$$

加权调和平均数的计算公式为

$$H = \frac{m_1 + m_2 + \cdots + m_n}{\frac{m_1}{x_1} + \frac{m_2}{x_2} + \cdots + \frac{m_n}{x_n}} = \frac{\sum_{i=1}^{n} m_i}{\sum_{i=1}^{n} \frac{m_i}{x_i}} \tag{6-2}$$

几何平均数：几何平均数也称几何均值，是 $n$ 个变量值乘积的 $n$ 次方根。根据统计资料的不同，几何平均数也有简单几何平均数和加权几何平均数之分。

简单几何平均数的计算公式为

$$G = \sqrt[n]{x_1 \cdot x_2 \cdot \ldots \cdot x_n} \tag{6-3}$$

加权几何平均数的计算公式为

$$G = \sqrt[\sum f]{x_1^{f_1} \cdot x_2^{f_2} \cdot \cdots \cdot x_n^{f_n}} \tag{6-4}$$

式中　$f_1, f_2, \cdots, f_n$——变量值重复出现的次数，又称权数。

（2）位置平均数。位置平均数就是根据总体中处于特殊位置上的个别单位或部分单位的标志值来确定的代表值，它对于整个总体来说具有非常直观的代表性，因此，常用来反映分布的集中趋势，如图 6-5 所示。常用的位置平均数有众数、中位数。

众数：总体中出现次数最多的变量值，在实际工作中有时有其特殊用途。

中位数：将数据按大小顺序排列起来，形成一个数列，居于数列中间位置的那个数就是中位数。

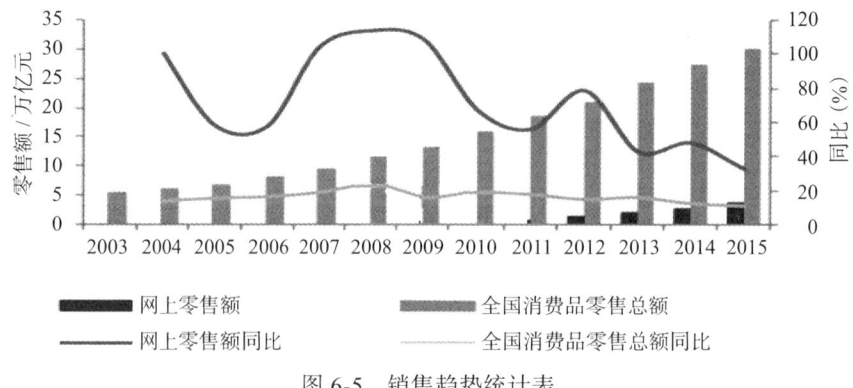

图 6-5　销售趋势统计表

## 6.4　误差处理中的显著性差异分析方法

显著性差异（Significant Difference）是一个统计学名词。它是统计学上对数据误差的评价。

### 6.4.1　显著性差异概述

**1. 显著性差异产生的原因**

当数据之间具有了显著性差异，就说明参与比对的数据不是来自同一总体，而是来自具有差异的两个不同总体，这种差异可能是因为参与比对的数据来自不同实验对象，比如在一些一般能力测验中，优秀营销人员被试组的成绩与普通营销人员被试组的成绩会有显著性差异。显著性差异也可能来自实验处理对实验对象造成的根本性改变，因而前测与后测的数据会有显著性差异。

**2. 显著性差异的度量**

显著性差异是一种有量度的或然性评价。比如，我们说 A、B 两组数据在 0.05 水平上具备显著性差异，这是说两组数据具备显著性差异的可能性为 5%。两组数据所代表的样本还有 95% 的可能性是没有差异的，这 5% 的差异是由随机误差造成的。

通常情况下，实验结果达到 0.05 水平或 0.01 水平，才可以说数据之间差异显著或是极显著。在做结论时，应确实描述方向性（如显著大于或显著小于）。sig 值通常用 $P>0.05$ 表示差异性不显著，$0.01<P<0.05$ 表示差异性显著，$P<0.01$ 表示差异性极显著。

**3. 显著性差异结果的处理**

如果是检验某实验中测得的数据，那么当数据之间具备了显著性差异时，实验的原假设就可被推翻，备择假设得到支持；反之，若数据之间不具备显著性差异，则实验的备择假设可以被推翻，原假设得到支持。

### 6.4.2　显著性差异分析的基本方法

显著性差异分析就是要对数据进行模型化梳理，找出数据之间的关系，研究数据变化规律，其研究重点就是进行离散度分析。

虽然样本的真实值无从知晓，但是每个样本总会有一个真实值，无论其数值是大是小。可以想象，一个科学的检测方法，其检测值应该很紧密地分散在真实值周围。如果不紧密，与真实值的距离就会大，准确性难以把握，离散度大的方法不可能测出准确的结果。因此，离散度是评价方法优劣最重要也是最基本的指标。

如何运用一组数据去评价和量化它的离散度？目前使用的方法如下。

### 1. 极差

极差是评价离散度最直接和最简单的方法，即用"最大值－最小值"（也就是极差）来评价一组数据的离散度。这一方法在日常生活中最为常见，比如在比赛中去掉最高分和最低分就是极差的具体应用。如果我们判断两组数据哪一组可以作为基础数据，在没有条件或时间进行标准差或方差计算时，可以采取极差判定方式确定。

### 2. 离均差平方和

由于误差的不可控性，只由两个数据来评判一组数据是不科学的，因此人们在要求更高的领域不使用极差来评判。其实，离散度就是数据偏离平均值的程度。因此，将数据与平均值之差（离均差）加起来就能反映出一个准确的离散度，和越大，离散度也就越大。

由于偶然误差是成正态分布的，离均差有正有负，对于大样本离均差的代数和为零的，为了避免正负问题，在数学上有两种方法：一种是取绝对值，也就是常说的离均差绝对值之和；另一种方法是平方，这样就都成了非负数。因此，离均差平方和成了评价离散度的一个指标。

### 3. 方差

由于离均差平方和与样本个数有关，只能反映相同个数样本的离散度，而实际工作中很难做到样本个数相同。为了消除样本个数的影响，增加可比性，将离均差平方和求平均值得到方差，因此方差成了评价离散度的较好指标。

样本量越大越能反映真实的情况，而算术平均值却完全忽略了这个问题，对此统计学上早有考虑，在统计学中，样本的方差多是除以自由度（$n-1$），自由度就是样本能自由选择的程度。当选到只剩一个时，它不可能再有自由了，所以自由度是 $n-1$。

方差分析是从观测变量的方差入手，研究诸多控制变量中哪些变量是对观测变量有显著影响的变量。

（1）方差分析（Analysis of Variance，ANOVA）又称"变异数分析"或"$F$ 检验"，是罗纳德·艾尔默·费舍尔（Ronald Aylmer Fisher）发明的，用于两个及两个以上样本均数差别的显著性检验。由于各种因素的影响，研究所得的数据呈波动状。造成波动的原因可分成两类：一类是不可控的随机因素；另一类是研究中施加的对结果形成影响的可控因素。

方差分析的基本原理是认为不同处理组的均数间差别的基本来源有两个：随机误差和实验条件。

1）随机误差。随机误差，即测量误差造成的差异或个体间的差异，也称组内差异，用变量在各组的均值与该组内变量值的离差平方和的总和表示，记作 $SS_W$，组内自由度记作 $df_W$。

2）实验条件。实验条件，即不同的处理造成的差异，也称组间差异，用变量在各组的均值与总均值的离差平方和表示，记作 $SS_B$，组间自由度记作 $df_B$。

⊙ 知识链接

### 1. 总离差平方和 $SS_T = SS_W + SS_B$

组内差异 $SS_W$、组间差异 $SS_B$ 除以各自的自由度（组内自由度 $df_W=n-m$，组间自由度 $df_B=m-1$，其中 $n$ 为样本总数，$m$ 为组数），得到其均方 $MS_W$ 和 $MS_B$。一种情况是处理没有作用，即各组样本均来自同一总体，$MS_B/MS_W \approx 1$。另一种情况是处理确实有作用，组间均方是由误差与不同处理共同导致的结果，即各样本来自不同总体。那么，$MS_B$ 远大于 $MS_W$。

$MS_B/MS_W$ 比值构成 $F$ 分布。用 $F$ 值与其临界值比较，推断各样本是否来自相同的总体。

### 2. 平均离差与平均离差系数

平均离差：$A.D. = \dfrac{(\Sigma |X - \bar{X}|)}{N}$

平均离差系数：$\dfrac{A.D.}{\sqrt{X}}$

举例如下：

| 样本 | 平均值 | 平均离差 | 平均离差系数（%） |
|---|---|---|---|
| A 组：161、163、165、167、169 | 165 | 2.4 | 1.45 |
| B 组：73、74、75、76、77 | 75 | 1.2 | 1.6 |

注：比较两个总体的变异程度，如果平均指标水平不同或计算单位不同，则不能用平均离差。

方差分析的基本思想是通过分析研究不同来源的变异对总变异的贡献大小，从而确定可控因素对研究结果影响的大小。

（2）方差分析的具体运用。方差分析的主要用途：①均数差别的显著性检验；②分离各有关因素并估计其对总变异的作用；③分析因素间的交互作用；④方差齐性检验。

在科学实验中常常要探讨不同实验条件或处理方法对实验结果的影响，通常是比较在不同实验条件下样本均值间的差异。例如，医学界研究几种药物对某种疾病的疗效；商业企业研究橱窗、灯光、音乐等因素对某种商品销量的影响；广告业研究不同广告手段对产品与服务推广的实际效果，等等。这些都可以使用方差分析方法去解决。

一个复杂的事物，其中往往有许多因素相互制约又相互依存。方差分析的目的是通过数据分析找出对该事物有显著影响的因素，各因素之间的交互作用，以及显著影响因素的最佳水平等。方差分析是在可比较的数组中，把数据间的总的"变差"按各指定的变差来源进行分解的一种技术。对"变差"的度量，采用离差平方和。方差分析就是从总离差平方和分解出可追溯到指定来源的部分离差平方和，这是一个很重要的思想。

### 4. 标准差

由于方差是数据的平方，与检测值本身相差太大，人们难以直观地衡量，所以常用方差开根号换算回来，即标准差（Standard Deviation）。

标准差是反映一组数据离散程度最常用的一种量化形式，是表示精确度的重要指标。理解标准差首先应清楚地了解运用它的目的，我们使用方法去检测它，但检测方法总是有误差的，所以检测值并不是其真实值。检测值与真实值之间的差距就是评价检测方法最有决定性的指标，但是真实值是多少难以知晓，因此怎样量化检测方法的准确性就成了难题。

（1）标准差定义。标准差又称均方差，但不同于均方误差（Mean Squared Error）。均方误差是各数据偏离真实值的距离平方的平均数，即误差平方和的平均数，其计算公式在形式上接近方差，它的开方叫均方根误差，均方根误差和标准差在形式上接近。标准差是离差平方和平均后的方根，用 $\sigma$ 表示。标准差是方差的算术平方根，能反映一个数据集的离散程度。平均数相同的数据集，其标准差未必相同。

标准差是总体各单位标准值与其平均数离差平方的算术平均数的平方根，它反映组内个体间的离散程度。测量的分布程度的结果，原则上具有两种性质：①为非负数值，与测量资料具有相同单位；②一个总量的标准差或一个随机变量的标准差与一个子集合样本数的标准差之间有所差别。

（2）标准差计算公式。假设有一组数值 $x_1, x_2, x_3, \cdots, x_n$（皆为实数），其平均值（算术平均值）为 $\mu$。

标准差也被称为标准偏差或者实验标准差，其公式为

$$\sigma = \sqrt{\frac{1}{n}\sum_{i=1}^{n}(x_i - \mu)^2} \tag{6-5}$$

简单来说，标准差是对一组数据平均值分散程度的一种度量。一个较大的标准差，代表大部分数值和其平均值之间差异较大；一个较小的标准差，代表这些数值较接近平均值。

例如

两组数的集合 {0, 5, 9, 14} 和 {5, 6, 8, 9}，其平均值都是 7，但第二个集合标准差较小。

标准差可以当作对不确定性的一种测量。例如，在物理科学中，做重复性测量时，测量数值集合的标准差代表这些测量的精确度。当要决定测量值是否符合预测值时，测量值的标准差起到决定性的作用；如果测量的平均值与预测值相差太远（同时与标准差数值做比较），则认为测量值与预测值互相矛盾。这很容易理解，如果测量值都落在一定数值范围之外，那么可以合理推测预测值是否正确。

（3）标准差数据处理。标准差应用于投资上，可作为量度回报稳定性的指标。标准差数值越大，代表回报越远离过去平均数值，回报较不稳定，故风险越高。相反，标准差数值越小，代表回报较为稳定，故风险较小。

例如

A、B 两组各有 6 位消费者参加同一次商品使用测验，A 组的分数为 95、85、75、65、55、45，B 组的分数为 73、72、71、69、68、67。这两组的平均数都是 70，但 A 组的标准差约为 17.08 分，B 组的标准差约为 2.16 分，说明 A 组消费者评分之间的差距要比 B 组消费者评分之间的差距大得多。

如果是总体即估算总体方差，则根号内除以 $n$（对应 Excel 函数：STDEVP）。

如果是抽样即估算样本方差，则根号内除以 $(n-1)$（对应 Excel 函数：STDEV）。

因为我们大量接触的是样本，所以普遍使用根号内除以 $(n-1)$。所有数减去其平均值的平方和，所得结果除以该组数的个数（或个数减 1，即变异数），再把所得值开根号，所得的数就是这组数据的标准差。

下面以图 6-6 为例对标准差进行说明。

图 6-6 中深灰区域是距平均值小于一个标准差之内的数值范围。在正态分布中，此范围所占比率为全部数值的约 68%。对于正态分布，两个标准差之内（深灰、灰）的比率合起来约为 95%。对于正态分布，正负三个标准差之内（深灰、灰、浅灰）的比率合起来约为 99%。

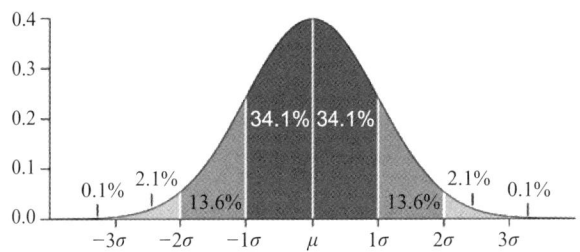

图 6-6 样本标准差在正态分布中的数值范围示意图

标准计算公式假设有一组数值 $x_1, x_2, \cdots, x_n$（皆为实数），其平均值为

$$\bar{x} = \frac{1}{n}\sum_{i=1}^{n} x_i \quad (6\text{-}6)$$

此组数值的标准差为

$$S = \sqrt{\frac{\sum_{i=1}^{n}(S_i - \bar{S})^2}{n}} \quad (6\text{-}7)$$

在现实数据分析中，除非在某些特殊情况下，否则找到一个总体的真实的标准差是不现实的。从一组数值当中取出一样本数值组合，常定义其样本标准差：样本标准差 $S$ 是对总体标准差 $\sigma$ 的无偏估计。此时 $S$ 中分母为 $n-1$，是因为 $S$ 的自由度为 $n-1$，这是由于存在约束条件。

## 6.5 大数据分析

大数据是指无法在可承受的时间范围内用常规软件工具进行捕捉、管理和处理的数据集合。大数据分析日益成为企业处理海量市场调查信息的新工具，大数据对市场调查的贡献率逐渐提高，同时对市场数据价值的挖掘也起到关键性作用。

### 6.5.1 大数据分析概述

在维克托·迈尔-舍恩伯格（Vikor Mayer-Schönberger）和肯尼斯·库克耶（Kenneth Cukier）所著的《大数据时代：生活、工作与思维的大变革》（*Big Data: a Revolution that will*

*Transform Now We Live, Work, and Think*）中，大数据是指不用随机分析法（抽样调查）这样的捷径，而采用所有数据进行分析处理的方法。

### 1. 大数据的核心

对于大数据分析活动而言，掌握庞大的数据信息是数据分析处理的基础，但是数据的专业化处理比拥有海量数据更为重要，这也是大数据分析的核心价值。

从技术上看，大数据与云计算的关系就像一枚硬币的正反面一样密不可分，如图 6-7 所示。大数据无法用单台计算机进行处理，必须采用分布式架构。它的特色在于对海量数据进行分布式数据挖掘，但它必须依托云计算的分布式处理、分布式数据库和云存储、虚拟化技术。

随着云时代的来临，大数据也得到越来越多的关注。著云台的分析师团队认为，大数据通常用来形容一个企业创造的大量非结构化数据和半结构化数据，这些数据在下载到关系型数据库用于分析时会花费过多时间和资金。大数据分析常和云计算联系到一起，因为实时的

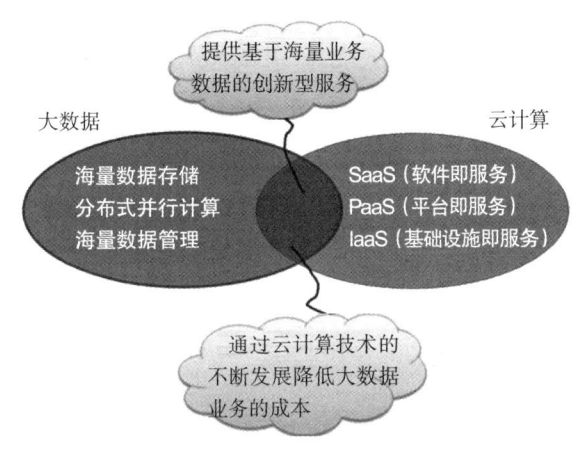

图 6-7 大数据与云计算的关系示意图

大型数据集分析需要像 MapReduce 一样的框架来向数十、数百甚至数千台计算机分配工作。

### 2. 大数据分析的作用

需要运用特殊技术来有效地处理大数据。适用于大数据的技术，包括大规模并行处理（MPP）数据库、数据挖掘电网、分布式文件系统、分布式数据库、云计算平台、互联网和可扩展的存储系统。

信息的最小基本单位是 bit，下面为按从小到大的顺序给出的所有信息计量单位：bit、Byte、KB、MB、GB、TB、PB、EB、ZB、YB、BB、NB、DB。它们按照进率 1 024（$2^{10}$）来计算，计算公式如下：

1 Byte = 8 bit  
1 KB   = 1 024 Bytes = 8 192 bit  
1 MB  = 1 024 KB = 1 048 576 Bytes  
1 GB  = 1 024 MB = 1 048 576 KB  
1 TB   = 1 024 GB = 1 048 576 MB  
1 PB   = 1 024 TB = 1 048 576 GB  
1 EB   = 1 024 PB = 1 048 576 TB  
1 ZB   = 1 024 EB = 1 048 576 PB  
1 YB   = 1 024 ZB = 1 048 576 EB  
1 BB   = 1 024 YB = 1 048 576 ZB

1 NB　= 1 024 BB = 1 048 576 YB
1 DB　= 1 024 NB = 1 048 576 BB

#### 3. 大数据的价值

大数据并不在于体量的大小，而在于其集合价值的多少。价值含量、挖掘成本比数量更为重要。对于很多行业而言，有效利用大数据是赢得竞争的关键。

大数据的价值体现在以下几个方面。

（1）为大量消费者提供产品或服务的企业可以利用大数据进行精准营销。

（2）做小而美模式的中长尾企业可以利用大数据做服务转型。

（3）在互联网压力之下必须转型的传统企业需要与时俱进，充分利用大数据的价值。

大数据在经济发展中的巨大意义并不代表其能取代一切对于社会问题的理性思考，科学发展的逻辑不能被湮没在海量数据中。著名经济学家路德维希·海因里希·艾德勒·冯·米塞斯（Ludwig Heinrich Edler von Mises）曾提醒过："就今日而言，有很多人忙碌于资料之无益累积，以致对问题之说明与解决丧失了其对特殊的经济意义的了解。"这确实是需要警惕的现象。

### 6.5.2 大数据分析技术

大数据分析是指对规模巨大的数据进行分析，通过充分利用数据仓库、数据安全、数据分析、数据挖掘等技术，挖掘大数据的商业价值。

#### 1. 前端展现

随着 web 技术的蓬勃发展，前端的展示、交互越来越复杂，在用户的访问、操作过程中产生了大量的数据。由此，前端的数据分析也变得尤为重要。

前端的数据有很多，从大众普遍关注的页面浏览量（PV）、独立访客数（UV）、广告点击量，到客户端的网络环境、登录状态，再到浏览器、操作系统信息，最后到页面性能、JS 异常，这些数据都可以在前端收集到。数据多且庞杂，如果不进行很好的分类肯定会导致统计混乱，也不利于统计代码的组织。用于展现分析的前端开源工具有 Jaspersoft、Pentaho、SpagoBI、OpenI、BIRT 等。用于展现分析的商用分析工具有 Style Intelligence、Cognos、BO、Microsoft、Oracle、Microstrategy、QlikView、Tableau，国内大数据分析软件有国云数据（大数据魔镜）、FineBI、淘宝数据魔方等。

#### 2. 数据仓库

数据仓库是为企业所有级别的决策制定过程提供所有类型数据平台支持的战略集合。它是单个数据存储，用于分析性报告和决策支持目的而创建的。它为需要业务智能的企业提供业务流程改进、监视时间、成本、质量以及控制等功能模块。

数据仓库是一个过程而不是一个项目。数据仓库系统是一个信息提供平台，它从业务处理系统获得数据，主要以星型模型和雪花型模型进行数据组织，并为用户提供从数据中获取信息和知识的各种手段。按功能结构划分，数据仓库系统至少应该包含数据获取（Data Acquisition）、数据存储（Data Storage）、数据访问（Data Access）三个关键部分。

企业数据仓库的技术处理，是以现有企业业务系统和大量业务数据的积累为基础的。数据仓库不是静态的概念，只有把信息及时交给需要这些信息的使用者，供他们做出改善其业务经营的决策，信息才能发挥作用，信息才有意义。而把信息加以整理归纳和重组，并及时提供给相应的管理决策人员，是数据仓库的根本任务。因此，从产业界的角度看，建立数据仓库是一个工程，也是一个复杂过程。建立数据仓库的主要技术有 Teradata AsterData、EMC GreenPlum、HP Vertica 等。

### 3. 数据集市

数据集市也称数据市场，是一个从操作的数据和其他为某个特殊的专业人员团体服务的数据源中收集数据的仓库。从范围上来说，数据是从企业范围的数据库、数据仓库或者是更加专业的数据仓库中抽取出来的。数据集市的重点就在于它迎合了专业用户群体的特殊需求，在分析、内容、表现以及易用方面，数据集市的用户希望数据是用他们熟悉的术语表现的。

理论上，总的数据仓库概念建立之后才有数据集市，但两者在功能上有所区别，如表 6-2 所示。但实际建立数据集市的时候，国内一般很少先建立数据仓库，而是会先从数据集市入手，就某一个特定主题（如企业的客户信息）先建立数据集市，再建立数据仓库。数据仓库和数据集市建立的先后次序之分，是和设计方法紧密相关的。建立数据集市的主要技术有 QlikView、Tableau、Style Intelligence 等。

表 6-2 数据仓库与数据集市功能对比

| 比较维度 | 数据仓库 | 数据集市 |
| --- | --- | --- |
| 数据来源 | 遗留系统、OLTP 系统、外部数据 | 数据仓库 |
| 范围 | 企业级 | 部门级或工作组级 |
| 主题 | 企业主题 | 部门或特殊的分析主题 |
| 数据粒度 | 最细的粒度 | 较粗的粒度 |
| 数据结构 | 规范化结构（第 3 范式） | 星型模型、雪花型模型或两者混合 |
| 历史数据 | 大量的历史数据 | 适度的历史数据 |
| 优化 | 处理海量数据<br>数据探索 | 便于访问和分析<br>快速查询 |
| 索引 | 高度索引 | 高度索引 |

### 4. 大数据分析的基本技术支撑

从技术支撑架构的角度来看，大数据分析是一个软件技术框架，主要包括以下能力。

（1）能够处理巨大的数据集。
（2）提供极快的数据插入操作。
（3）能够操作多种数据类型。
（4）要支持实时数据分析和历史数据分析。
（5）提供多种数据分析方法或模型。
（6）使用分布式并行处理机制。

其中，大数据分析的基本特征就是软件应该具有一个分布式开发框架。这个分布式开发框架可以是开源的 Hadoop 或者其他具有相似分布式并行计算能力的框架，既能够实现 MapReduce 计算，也能够实现分布式计算节点的统一调度和弹性部署。基于这个分布式开发框架，可以实现海量数据的分布式采集、分布式存储、分布式分析计算。

大数据分析的另一个技术支撑是海量数据的存储技术。面对海量的数据，传统的关系型数据库已然无法满足需要，必须进行改进或者革新。大数据分析系统的软件技术框架必然会使用某种分布式数据库技术或者非关系型数据库（NoSQL）技术。

此外，一个实用的大数据分析系统一般要同时具备实时数据分析与历史数据分析能力。要获得历史数据分析能力，通常就是借助分布式开发框架的 Map Reduce 批处理计算来实现。当然，有的大数据历史分析系统还具备交互式计算能力（如 Google Dremel），以实现快速查询。而要获得实时数据分析能力，分布式开发框架及其 Map Reduce 计算模型就显得力不从心了。这时需要一个实时的流数据处理引擎，通常是采用复杂事件处理（Complex Event Processing，CEP）或者事件流处理（Event Stream Processing，ESP）技术的流数据处理引擎。

综上所述，从开发者的角度来看，大数据分析的底层技术支撑包括以下三个。

（1）分布式开发框架，如 Hadoop 或者其他具有 Map Reduce 机制的计算框架。

（2）分布式存储机制，如分布式数据库、HDFS、NoSQL。

（3）流式计算框架，如 CEP、ESP。

### 6.5.3 大数据分析在市场调查与预测中的作用

大数据分析在市场调查与预测中的作用是多方面的，涵盖了从消费者行为分析到风险评估的各个环节，极大地提升了企业的市场决策效率和准确性。

大数据分析在市场调查与预测中的作用主要体现在以下几个方面。

#### 1. 消费者行为分析

通过分析消费者在互联网上的搜索、浏览、购物等行为，可以了解消费者的偏好、需求和购买力，为企业提供精准的市场调研数据。此外，大数据分析还可以构建详细的消费者画像，帮助企业更精准地定位市场和制定营销策略，提高营销效率和客户忠诚度。

#### 2. 市场趋势预测

通过对大数据进行综合分析和挖掘，可以发现市场的潜在趋势和未来发展方向。例如，通过分析社交媒体数据的情感，可以获取消费者对某一产品或品牌的态度和评价，从而预测市场上的主流趋势，并及时调整企业的市场战略。

#### 3. 竞争环境分析

大数据分析可以帮助企业分析竞争对手的市场表现，收集和分析竞争对手的产品信息、价格策略、客户评价等数据，从而更好地理解竞争环境，制定针对性的市场策略。

#### 4. 广告精准投放

传统的市场调研方法往往无法准确把握目标消费群体的需求和兴趣。而大数据分析能够通过对广告点击率、转化率等数据的持续监测和分析，精准定位目标消费群体，实现广告的精准投放，提高广告的有效性和回报率。

### 5. 风险评估

在新产品推出或市场扩张过程中，企业需要对市场风险和潜在风险进行评估。大数据分析技术可以通过对市场环境、竞争格局、消费者评价等数据的分析，评估并预测市场风险，并及时采取相应的应对措施，降低企业的经营风险。

### 6. 客户细分

通过大数据分析技术，企业可以将消费者细分为不同群体，了解不同群体的需求特点和消费习惯，精确定位目标客户，提供个性化的产品和服务，提高客户满意度和忠诚度。

### 7. 价格优化

大数据分析可以通过对市场价格、销售数据、竞争情况等的综合分析，帮助企业确定最优的定价策略。例如，根据市场数据和消费者需求预测，企业可以对产品的定价进行灵活调整，以实现产品最优的市场表现。

### 8. 调研数据的整合与可视化

大数据分析可以将不同来源的数据整合并转化为可视化的报告和图表，帮助企业更直观地理解市场现状，快速掌握关键信息，从而做出明智的市场决策。

⊙ 知识链接

## 大数据分析在旅游行业的运用

武汉众智数字技术有限公司申请了一项名为"一种基于旅游资源数据的市场预测分析方法和系统"的专利，公开号 CN 118886947 A，申请日期为 2024 年 7 月。专利摘要显示，一种基于旅游资源数据的市场预测分析方法，包括：获取旅游资源数据，对所述旅游资源数据进行预处理；基于预处理后的旅游资源数据，提取对旅游市场预测有影响的特征；基于提取对旅游市场预测有影响的特征，构建市场预测 BP 神经网络模型；使用旅游资源数据对所述市场预测 BP 神经网络模型进行训练，通过反向传播算法调整网络中的连接权重和偏置值；实时获取最新的旅游资源数据，将所述旅游资源数据输入训练好的市场预测 BP 神经网络模型，对旅游市场进行预测。

本专利通过构建市场预测 BP 神经网络模型，实现了对市场趋势的精准预测，为旅游行业的决策提供了有力的支持。本专利具有广泛的应用前景和推广价值，对旅游行业的发展具有重要的促进作用。

资料来源：金融界百家号，《武汉众智数字技术申请基于旅游资源数据的市场预测分析方法和系统专利，实现对市场趋势的精准预测》，2024 年 11 月 4 日。

## 📍 本章小结

了解调查材料处理的基本方法：调查材料编辑与编码、调查材料的列表、调查材料的分析与解释以及对调查材料分析与解释的客观性要求。数据处理的方法主要以对数据的表格化和图形化处理的形式体现，具体表现为直方图、饼图、集中趋势法。

理解数据分析的意义和作用。显著性差异分析的基本方法包括极差、离均差平方和、方差、标准差等。对大数据而言，数据分析是利用现代信息技术，如数据仓库、数据安全、数据分析、数据挖掘等挖掘大数据的商业价值。

## 复习思考题

### 一、单项选择题

1.（　　）是对调查资料进行筛选，即发现并剔除搜集到的市场调查资料中的"水分"，选用真正有价值的材料。
   A. 编码　　　　　B. 编辑
   C. 编译　　　　　D. 编程

2. 把调查资料按照一定的目的，用表格的形式展现出来，即调查资料的列表。列表的基本方法就是（　　）的出现次数。
   A. 计数常量值　　B. 计数变量值
   C. 计数定量值　　D. 计数向量值

3. 资料（　　）是把每组数据以某种形式重新组合起来以便从中发现有价值的信息。
   A. 解析　　　　　B. 剖析
   C. 分析　　　　　D. 综合

4. 市场调查数据包括数值的和非数值的数据，对这些数据进行分析和加工的技术过程就是（　　）的核心内容。
   A. 数据存储　　　B. 数据处理
   C. 数据集成　　　D. 数据传输

5. 为了便于使用、易于记忆，常常要对加工处理的对象进行（　　），用一个编码符号代表一条信息或一串数据。
   A. 编辑　　　　　B. 编码
   C. 编译　　　　　D. 编程

6. 直方图是处理分析数据的一种传统方式。它是由一系列高度不等的长方形和（　　）表示数据分布的情况。
   A. 直线　　　　　B. 曲线
   C. 阴影　　　　　D. 线段

7. （　　）以二维或三维格式显示每一数值相对于总数值的大小，在计算机上可以手动拖出它的扇面来调整大小。
   A. 直方图　　　　B. 饼图
   C. 表格　　　　　D. 曲线

8. （　　）在统计学中是指一组数据向某一中心值靠拢的程度。它反映了一组以中心点为参照的数据的离散程度。
   A. 集中趋势　　　B. 分散趋势
   C. 综合趋势　　　D. 合并趋势

9. （　　）是反映一组数据离散程度最常用的一种度量形式。
   A. 标准差　　　　B. 方差
   C. 极差　　　　　D. 离差

10. （　　）系统是一个信息提供平台。它从业务处理系统获得数据，主要以星型模型和雪花型模型进行数据组织，并为用户提供从数据中获取信息和知识的各种手段。
    A. 数据集市　　　B. 数据仓库
    C. 数据挖掘　　　D. 数据分析

### 二、多项选择题

1. 实地编辑对调查材料检查的项目主要有（　　）。
   A. 信息的完整性　B. 逻辑的清晰性
   C. 内容的一致性　D. 目的的明确性
   E. 单位的统一性

2. 解释调查资料时尽管没有一个统一的模式可循，但使用的推理方法有（　　）。
   A. 归纳　　　　　B. 演绎
   C. 类比　　　　　D. 综合
   E. 分析

3. 市场调查材料的数据处理包括（　　）。
   A. 对不合格问卷的处理
   B. 返回现场工作
   C. 确定缺失程度
   D. 废弃不合格问卷
   E. 甄别不真实的信息资料
4. 饼图包括（　　）等。
   A. 二维饼图　　　　B. 复合饼图
   C. 分离型饼图　　　D. 合成饼图
   E. 三维饼图
5. 运用一组数据去评价和量化显著性差异的离散度，目前使用的方法包括（　　）。
   A. 极差　　　　　　B. 离差平方和
   C. 方差　　　　　　D. 标准差
   E. 拟合度

## 课堂实训

1. 在材料审核中，出现哪些情况的问卷是不能接受的？
2. 如何处理缺失数据？

## 课外实训

结合实际谈谈市场调查材料整理的一般程序。小组可以对本组之前调查的材料进行收集整理，在整理过程中体会其科学程序。

## 案例分析

### 全国瘦肉型白条猪肉市场情况统计

#### 一、价格情况

Mysteel 农产品数据显示，2024 年一季度国内 2～3cm 膘厚白条猪肉价格均价为 18.85 元/千克，环比下跌 0.69%，同比下跌 1.69%。其中，猪价最高点出现在 2 月 1 日，均价为 21.26 元/千克；最低点出现 1 月 12 日，均价为 17.36 元/千克。截至 2024 年一季度，国内 2～3cm 膘厚白条猪肉周度价格变化统计如图 6-8 所示。

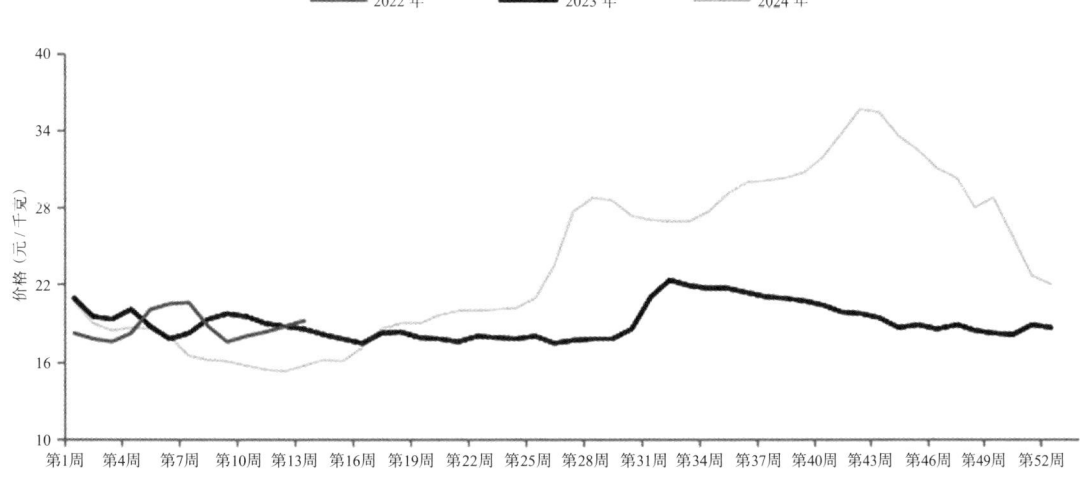

图 6-8　国内 2～3cm 膘厚白条猪肉周度价格变化统计图

## 二、原因分析

2024年1月，部分市场受猪病和雨雪天气影响，生猪价格上涨，屠宰厂采购成本偏高，白条猪肉价格拉涨。春节之后，市场消费减弱，终端备货能力快速下滑，企业开工率维持年内最低水平，猪肉消费进入淡季，屠宰场销售难度较大，猪肉价格承压下滑。从消费端来看，猪肉价格缺乏上涨动力，但进入3月，生猪缺口凸显，加上二次育肥开始增加，猪价大幅上涨，屠宰厂收购成本增加，猪肉价格被动走高。

## 三、屠宰企业开工率情况

Mysteel农产品数据显示，2024年一季度全国重点屠宰企业（简称"屠企"）平均开工率为29.13%，环比下跌3.15%，同比增加1.30%，一季度穿插春节，屠企开工率波动较大。其中最高点出现在2月1日，开工率为46.96%；最低点出现2月10日，开工率为0.63%。2024年1月，春节前备货较为活跃，加上猪价上涨，白条猪肉量价齐升，屠企开工率升至相对高位。春节期间，屠企停工放假居多，开工率很快降至低点；节后需求恢复迟缓，屠企冻品库存高位，亏损压力大，基本以销定宰保持较高鲜销。屠企开工率提升较慢，截至2024年3月底较2023年同期降低4.85%。预期二季度随外围经济面改善，白条猪肉消费及屠企开工还会有小幅提升。截至2024年一季度，重点屠宰企业开工率周度走势如图6-9所示。

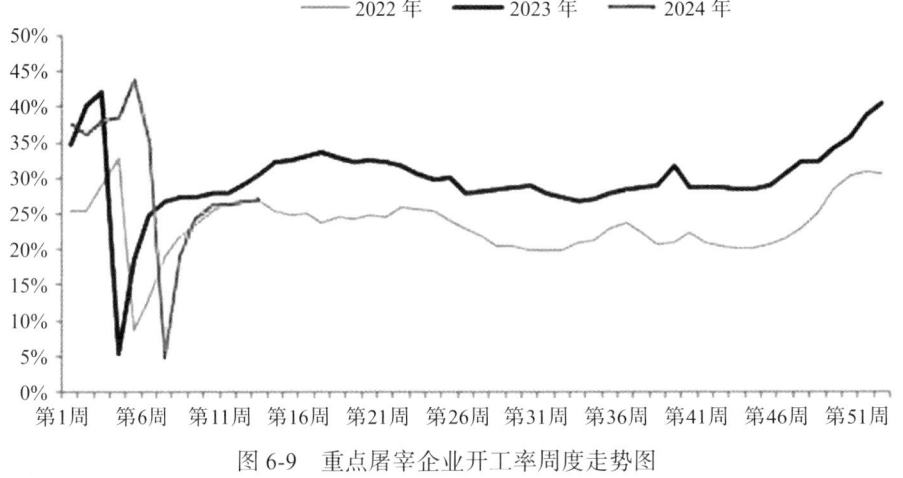

图6-9 重点屠宰企业开工率周度走势图

## 四、批发量变化

Mysteel农产品数据显示，2024年一季度，部分批发市场白条猪肉到货日均量约为7 837头，环比下跌8.89%；到货量最高日在2月7日，日均到货量11 800头；到货量最低日在2月22日，日均到货量5 431头。一季节正逢春节假期，批发市场到货量波动较大。春节前，市场需求较好，批发市场日均到货量多在8 000头以上；临近春节时，增至10 000头以上；春节过后，市场处于传统消费淡季，但随着假期结束，各地复工、复学，终端采购量缓慢恢复。临近季末时，受清明小假期支撑，批发市场到货量基本恢复至正常水平。截至2024年一季度，部分批发市场白条猪肉到货情况如图6-10所示。

## 五、替代品行情分析

2024年一季度，我国牛肉市场破位下行。从农业农村部统计数据来看，2024年一季度牛肉批发市场平均价格为 69.85 元 / 千克，环比下跌 1.78 元 / 千克，跌幅为 2.48%。这主要是由于牛肉市场供应端处于近年来最为宽松的局面，但需求端扩张并不明显，支撑力度不强，导致牛肉市场供需转变，整体处于供大于求的局面。而 2024 年二季度，随着天气转暖，踏青、户外烧烤等活动增加，牛肉市场需求会在一定程度上有所增加，但仍然难以突破当时供需失衡的格局，因此 2024 年二季度牛肉市场或继续向下探底。截至 2024 年一季度，2023—2024 年全国牛肉批发市场价格对比如图 6-11 所示。

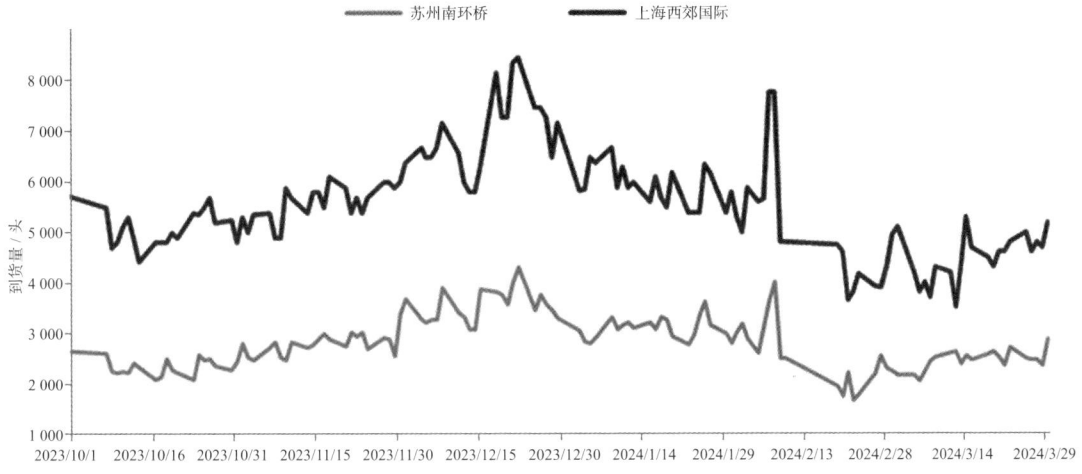

图 6-10　部分批发市场白条猪肉到货情况

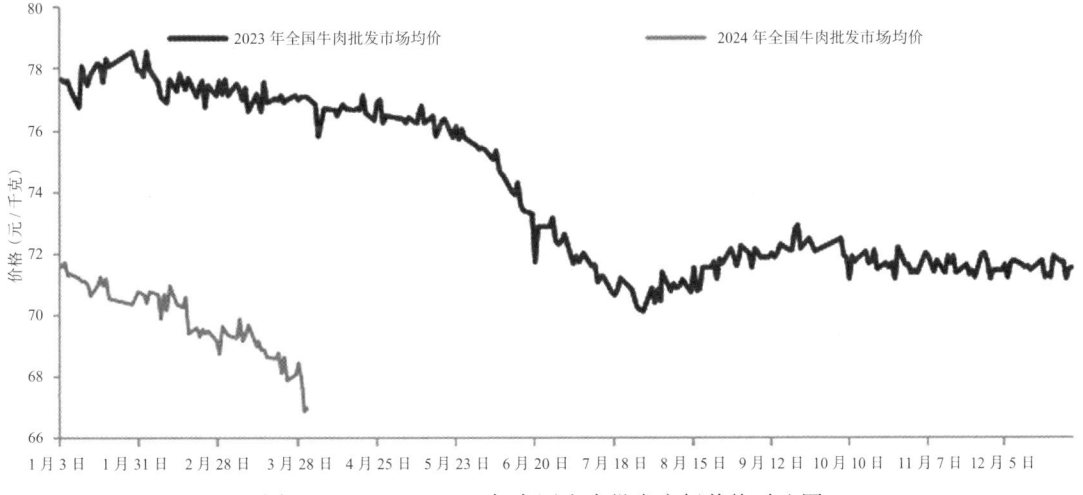

图 6-11　2023—2024 年全国牛肉批发市场价格对比图

### 六、趋势展望

进入 2024 年二季度，生猪缺口逐步显现，猪源处于断档期，尤其是散户去化明显，集团场压栏增重，屠宰厂收购略有难度，猪价上涨。但从需求来看，市场进入消费淡季，加之屠宰厂维持高鲜销率，企业入库意向暂无，少量屠宰厂有停工现象，企业收购积极性不高，因此需求端支撑乏力。2024 年二季度猪肉价格或先震荡后明显上涨。

资料来源：新浪财经百家号，《Mysteel 解读：2024 年一季度猪肉市场分析》，2024 年 4 月 1 日。

问题:

1. 2024 年一季度国内瘦肉型白条猪肉价格经历了怎样的变化? 其价格波动的主要原因是什么? 请结合案例中的原因分析部分进行说明。
2. 2024 年一季度全国重点屠宰企业的开工率呈现出怎样的特点? 这些特点与猪肉价格变化有何关联?
3. 2024 年一季度批发市场白条猪肉到货量的变化趋势如何? 这种变化与市场需求和节假日有何关系?

## 知识解析

# 第 7 章 网上市场调查

## ● 学习目标

1. 熟悉网上市场调查的含义及发展阶段。
2. 掌握网上市场调查的方法、过程及要求。
3. 熟知网上市场调查的具体操作步骤，数据资料处理原则与方式。
4. 了解网络市场信息的主要渠道，能够独立完成网上市场调查的方案设计与实施。

## ● 引导案例

### 众言科技 SVP 详解网络调研多元化应用

2023 年 12 月 14 日，众言科技高级副总裁（SVP）郭晓波应邀到中南财经政法大学，为研究生们带来一场题为"网络调研的多元化应用"的讲座。该讲座是"大数据行业专家讲堂"系列的其中一场，郭晓波以其二十多年网络调研的从业经验，深入浅出地分享了市场调研与数字化技术的融合实践，以及网络调研的多元化应用。

**网络调研的理论与实践，商业领域的指路明灯**

在讲座的开篇，郭晓波首先明确了市场调研在商业领域中的重要价值：降低决策风险，把握市场先机。通过客户视角的真实反馈数据，看清市场、看清消费者、看清自己的品牌和产品；为营销决策提供指引，为产品创新投石问路。他还介绍了市场调研与大数据、桌面研究、科学仪器监测和行为观察等方式的配合。实际案例的分享更是使学生们受益匪浅。通过理论知识与实践案例的结合，学生们深入了解了市场调研的执行方法，为将来的实践奠定了坚实基础。

**网络调研的多元化应用，数字化时代的前沿探索**

随后，郭晓波将焦点转向了网络调研的多元化应用，探讨了其背景与特点。他深入剖析了网络调研中调研系统、调研样本和数据分析这三大要素，并阐述了众言科技在数据分析和研究模型上的资深见解，用案例讲解了分析角度的选取和避坑指南，为学生们提供了更加全面且深刻的理解。

在网络调研的应用方面，郭晓波以问卷网的实践为例，引导学生们深入了解网络调研的实战流程。从数据的采集、质控、分析到应用,逐一展开介绍,并解答了如何更高效地运用数字化技术开展调研工作。

资料来源:倍市德客户体验管理百家号,《数字化时代前沿探索:众言科技 SVP 详解网络调研多元化应用》,2023 年 12 月 18 日。

**问题:**

1. 郭晓波在讲座中如何强调市场调研在商业领域中的关键价值?他提到了用哪些具体的方法或工具来辅助市场调研?
2. 郭晓波如何解析网络调研的多元化应用?他对于调研系统、调研样本和数据分析这三个要素有何深入的见解?能否分享一些众言科技在数据分析和研究模型上的资深经验和案例?
3. 在介绍网络调研的实战流程时,郭晓波是如何通过问卷网的实践为例进行引导的?他对于数据的采集、质控、分析以及应用等方面有哪些具体的建议或策略?
4. 郭晓波如何解答学生们关于如何更高效地运用数字化技术开展调研工作的疑问?他认为在当前数字化时代,学生们应该如何进一步提升自己的市场调查能力和实践能力?

## 7.1 网上市场调查概述

网上市场调查是指在互联网上进行市场信息的收集、整理、分析和研究的过程。网上市场调查的内容主要包括市场可行性研究、分析不同地区的销售机会和潜力、探索影响销售的各种因素、竞争分析、产品研究、包装测试、价格研究、分析特定市场的特征、消费者研究、形象研究、对市场性质变化的动态研究、广告监测、广告效果研究等诸多方面。

网上市场调查是个人或组织以互联网为主要依托或利用互联网的最新网络技术,系统地收集、整理、分析和传播营销信息的有目的性的活动与过程,在调查过程中,要充分利用先进的网络信息技术,保证调查活动的科学严谨。

网上市场调查通过互联网及其调查系统把传统的调查分析方法在线化、智能化,其构成包括三个部分:客户、网上调查系统、参与人群。网上市场调查与传统市场调查的区别如表 7-1 所示。

**表 7-1 网上市场调查与传统市场调查的区别**

| 比较维度 | 调查方式 | |
| --- | --- | --- |
| | 网上市场调查 | 传统市场调查 |
| 调查费用 | 较低,主要是设计费和数据处理费。每份问卷所要支付的费用几乎为零 | 昂贵,要支付包括问卷设计、印刷、发放、回收、聘请和培训调查人员、录入调查资料、专业市场调研企业对问卷进行的统计分析等多方面的费用 |
| 调查范围 | 全国乃至全世界,样本数量庞大 | 受成本限制,调查地区和样本均有限制 |
| 运作速度 | 很快,只需要搭建平台,数据库可自动生成,几天就可能得出有意义的结论 | 慢,需要 2~6 个月才能得出结论 |
| 调查的时效性 | 全天候进行 | 对不同的被调查者可进行调查的时间不同 |
| 被调查者的便利性 | 非常便利,被调查者可自行决定时间、地点回答问卷 | 不方便,要跨越空间障碍到达调查地点 |

(续)

| 比较维度 | 调查方式 | |
| --- | --- | --- |
| | 网上市场调查 | 传统市场调查 |
| 调查结果的可信性 | 相对真实可信 | 一般有督导对问卷进行审核,措施严格,可信度高 |
| 实用性 | 适合长期的大样本调查;适合要迅速得出结论的情况 | 适合面对面的深度访谈;适合食品类等需要对被调查者进行感观测试的调查 |

## 7.1.1 网上市场调查的特点

随着互联网的日益普及,网民数量激增,网上市场调查也被列入企业调查活动的应用范畴。相对于传统市场调查而言,网上市场调查可以解决线下调查人力物力投入量大、调查范围较小的问题,以及传统市场调查中存在的难以全面掌握市场信息的问题。同时,网上市场调查也可以解决因调查面较广导致的调查周期长、总体费用增加等问题。另外,在网上市场调查中,被调查者始终处于主动地位。通过网上调查,企业可以了解甚至发现、激发消费者需求,而且有针对性的问卷也使被调查者的体验感、黏性增强,能够有效减少消费者对企业调查不予回应或回复消极的现象。

网上市场调查的主要特点表现在以下几个方面。

### 1. 及时性

网上市场调查具有很强的及时性。由于网络上的信息传输速度快,一方面,调查信息传递到用户手中的速度加快了,另一方面,用户向调查者传递信息的速度也加快了,这就保证了网上市场调查的及时性。

网上市场调查的界面通常是开放的,任何网民都可以进行投票和查看结果,而且统计分析软件会自动处理投票信息,调查者可以及时查看阶段性的调查结果。

网上市场调查的信息(如市场需求信息)能以最快的速度传递到管理层,为管理层调整经营战略提供基础和依据。

### 2. 经济性

网上市场调查具有便捷性和经济性。无论对调查者还是对被调查者而言,网上市场调查的便捷性都是非常明显的。调查者在其站点上发布调查问卷,可以在整个调查过程中对问卷进行及时的修改和补充,而被调查者只要有一台计算机以及适当的硬件配置就可以方便快捷地反馈其意见。同时,对于反馈的数据,调查者可以方便快捷地进行整理和分析,这是因为反馈的数据可以直接形成数据库。这种方便性与快捷性大大降低了市场调查的人力和物力的耗费。

### 3. 交互性

网络的最大优势是交互性,因此在网上进行市场调查时,被调查者可以及时就问卷相关问题提出自己更多的看法和建议,调查者可据此及时调整问卷,以减少因问卷设计不合理导致的调查结论的偏差。这种互动不仅可以使消费者对现有产品发表意见和建议,还可以使消费者积极参与尚处于概念阶段的产品设计与研发环节,这种参与不仅能够使企业更好地了解市场需求，还可以使企业更好地洞察市场的潜在需求。

**4. 客观性**

网上市场调查的实施可以充分利用互联网作为信息沟通渠道的开放性、自由性、平等性、广泛性和直接性等特性，这使网上市场调查具有传统市场调查的手段和方法所不具备的一些特点及优势，也使调查的客观性更加明显。

在实施网上市场调查的过程中，由于被调查者始终是在完全自愿、主动的情况下参与调查的，调查结论针对性强，因此其填写的问卷信息相对可靠，调查结论相对客观。

**5. 突破时空性**

网上市场调查可以 24 小时全天候进行，这就与受区域制约和时间制约的传统调查方式有很大不同。利用互联网进行网上市场调查，可以有效地对采集到的信息的质量实施系统的检验和控制。

## 7.1.2 网上市场调查的优势

网上市场调查的确具有很多优势，比如快速、方便、费用低、不受时间和地理区域限制等，同时由于不需要和用户进行面对面的交流，避免了当面访谈可能造成的调查者倾向误导的主观性问题。

网上市场调查的优势主要表现在以下方面。

（1）网上市场调查既可以反映市场现实需求，也可以推测市场发展的趋势。由于网络信息的传输速度快，信息能够被快速地传送到连接互联网的网络用户手中，这就保证了企业调查信息的准确性与及时性。同时，由于企业网络站点的访问者一般对企业产品有一定的兴趣，他们在对企业市场调查的内容做了认真的思考之后才会进行回复，而不像在传统调查方式下有人为了抽号中奖而被动地回答，因此网上市场调查的结果是比较客观和真实的，能够反映消费者的真实需求以及市场发展趋势。

（2）网上市场调查既可以共享网络资源、提升资源价值，又可以降低物质资源的消耗、体现数字经济特点。在进行网上市场调查时，无论是调查者还是被调查者，都只需要拥有一台计算机、一个调制解调器、一台路由器、一部手机、一台多媒体电视机就可以进行网络沟通交流。调查者在企业站点上发出电子调查问卷，提供相关的信息，及时修改、充实相关信息，然后利用计算机对被调查者反馈回来的信息进行整理和分析。这不仅十分便捷，而且会大大减少企业市场调查的人力和物力的耗费。

（3）网上市场调查既可以体现场景化、虚拟化，也可以由此节约交易成本，减少信息传递中的能量损耗与信息失真。在网上市场调查的过程中，调查者和被调查者可以借助网络视频、语音，进行相当于面对面的互动交流。在互动过程中，双方可以就某一调查问题展开对话甚至讨论，也可以采用语音或视频通信软件实现类似现实场景的群聊，形成一种沙龙氛围。这种场景体验形式的互动交流，可以使调查者更加广泛地了解消费者的需求与潜在需求，这是传统市场调查难以实现的，原因在于，在传统市场调查中，消费者与企业之间缺乏合适的沟通渠道或沟通成本过高。此外，在传统市场调查中，消费者一般只能针对现有产品提出建议甚至是不满，而难以涉足尚处于概念阶段的产品。

（4）网上市场调查既可以提高消费者的参与度和积极性，也可以激发消费新需求和提升消费满意度。大多数中小企业缺乏足够的用于了解消费者各种潜在需求的资源和手段，它们只能从自身能力或市场领导者的策略出发进行产品开发。而在网络环境下，这一状况会从根本上得以改变，即使是中小企业也可以通过电子公告牌系统（Bulletin Board System，BBS）、线上讨论广场和电子邮件等方式，以极低的成本在营销的全过程中针对消费者进行及时的信息搜集，消费者有机会对从产品设计到定价和服务等一系列问题发表意见。这种双向互动的信息沟通方式提高了消费者的参与性和积极性，更重要的是能使企业的营销决策有的放矢，从根本上提高消费者的满意度。

### 7.1.3　网上市场调查的劣势

尽管网上市场调查有其优越的一面，但也有一定的劣势，其劣势主要表现在网络的安全性问题，企业和消费者对网上市场调查缺乏认识及了解，网上市场调查技术有待完善、专业人员匮乏，网上市场调查存在大量的拒访现象，不能进行全面调查，无限制样本令人困扰等方面。

（1）网络的安全性问题。利用网络进行市场调查，有一个不足之处是消费者会暴露于网络潜在的威胁之下，消费者个人信息以及个人隐私会因网络安全性问题而泄露，以致整个网络的安全信用等级降低。

（2）企业和消费者对网上市场调查缺乏认识及了解。我国企业对市场调查，特别是对网上调查技术还比较陌生，与西方发达国家企业相比，国内部分企业在观念水平、技术运用方面存在着一些差距。消费者作为重要的调查对象，他们对市场调查和网络技术的不理解、不信任，将直接影响网上调查的实际运用效果。

（3）网上市场调查技术有待完善、专业人员匮乏。目前，网上市场调查仍处于发展阶段，网上市场调查专用技术的欠缺导致调查流程不畅。尽管网上市场调查的专门研究单位和软件迅猛发展，但网上市场调查仍有不尽如人意的地方。虽然国内企业拥有一些优秀的网络技术人员和市场调查人员，但能熟练地运用网络技术、调查实践经验强的专业的网络调查人员还相当缺乏，这给网上市场调查技术的实际运用带来很大的难度。

（4）网上市场调查存在大量的拒访现象，不能进行全面调查。由于我国地广人多，各地经济技术发展、文化素质等方面存在较大差异，互联网不大可能在短期内覆盖所有地区及每一个人。而网络用户的数量是网上市场调查发展的必要条件，用户数量的缺乏将限制网上市场调查的适用范围，从而影响调查结果的科学性和客观性。被调查者会出于各种原因拒绝参加网上市场调查活动，拒访率的高居不下将造成样本的流失，影响调查结果的可靠性。

（5）无限制样本令人困扰。由于网络的无限制性，调查项目极有可能受到网虫的骚扰。如果同一个人重复填写问卷的话，问题就会变得复杂。例如，企业在网上进行读者意向调查时，若对投票次数控制不当，则可能会出现重复投票的现象，调查结果会极其离谱，以致整个调查的可信度降低，导致调查结果失去商业价值，甚至会引起消费者的反感。

## 7.2 网上市场调查的方法

网上市场调查的方法根据调查方式的不同分为网上直接调查法和网上间接调查法。网上直接调查法是直接进行一手资料调查的方法；网上间接调查法是利用互联网的媒体功能，在互联网上收集二手资料的调查方法。

### 7.2.1 网上直接调查法

网上直接调查是指为了当前企业特定的目的，在互联网上收集一手资料或原始信息的过程。网上直接调查法有四种：网上观察法、专题讨论法、在线问卷法和网上实验法。目前，使用最多的是专题讨论法和在线问卷法。

#### 1. 网上观察法

网上观察法的实施主要是利用相关软件和人员记录网站浏览者的活动。相关软件能够记录网站浏览者浏览企业网页时所点击的内容、浏览的时间；喜欢看的商品类型；看商品时，先点击的是商品的价格、服务、外形，还是其他人对商品的评价；是否有就相关商品和企业进行沟通的愿望等。

⊙ 知识链接

调查项目所在网页的访问率越高，调查结果反映更大范围的上网人士意见的可能性也越大。因此为获取足够多的样本数量，一般将调查问卷网页与热门站点进行直接链接，如中国互联网络信息中心（CNNIC）的网上调查就与国内著名的站点进行链接。由于网上市场调查的数据可以保存到数据库中，被调查者填写完问卷后，一般就能看到初步的调查结果。这种调查方式适用于对待某些问题的参考性态度研究。

#### 2. 专题讨论法

专题讨论法是通过网络会议或网络实时交谈进行讨论的调查方法，此调查方法无须借助大量的调查者访问被调查者。在网上集中讨论使得调查在速度上具有绝对优势，讨论结束时，其调查结果便可立即到达调查者的手中。调查结果可以随时被调阅，大大缩短了调查周期。调查以一问一答的形式进行，但问者和答者均处在独立的空间，此时网民的回答往往是坦诚的，一般他们也不会回避敏感性问题，这使被调查者所反馈的信息质量大大提高，减少了无效或虚假信息的介入，这对调查专题的深入研究有着积极作用。这种调查方法较适用于重点调查或典型调查。

专题讨论法可通过新闻组（Usenet）、电子公告牌系统（BBS）、QQ 群、微信群或视频会议软件进行，以下列举两种形式。

（1）Usenet。Usenet 是世界范围的新闻组网络系统，由成千上万个新闻组组成，包括了整个互联网上几乎所有的电子论坛信息。通过 Usenet，人们可以张贴个人信息，回答其他人的问题等。由于参加新闻组讨论的用户人数众多，而且每个新闻组都按照其内容被划分成科技、娱乐、新闻、体育等不同类别，所以如果用户有什么问题或者希望了解什么信息，可以通过 Usenet 找到最全面、最满意的答案。

与即时通信软件不同，Usenet 上的新闻组讨论并不要求实时操作，因而用户可以在任何自己方便的时间内浏览或答复其他用户发布的信息，从而使用户操作起来更加方便、更加自如。

（2）BBS。BBS 通过在计算机上运行服务软件，允许用户使用终端程序通过互联网进行连接，执行下载数据或程序、上传数据、阅读新闻、与其他用户交换消息等方面的操作。

BBS 通过目前世界上最大的互联网发布电子信息，同时大量引进了互联网特有的先进技术。综合来看，BBS 具有以下几个特点。

一是信息量大。在互联网上，人们可以查询到几乎涉及所有自然学科、社会学科的信息。大型电子图书馆、网上信息库的建立，连入网络数量的持续增加及信息种类的不断丰富，使互联网成为独一无二的、最大的共享信息源。BBS 同样得益于互联网的信息优势，可以向网络用户提供极其丰富的信息资源。

二是信息更新快。与互联网上其他部分的资源相比，BBS 更新信息的速度较快，每个BBS 站点的信息都处于实时更新的状态。BBS 的普通用户在获取信息的同时，也提供各种不同的信息。

三是交互性强。BBS 具有很强的实时交互操作功能，能够提供强大的站上实时交谈和交互游戏的功能。BBS 按不同的主题分成很多个布告栏。布告栏是依据大多数 BBS 用户的要求和喜好设立的，用户可以阅读他人关于某个主题的最新看法，也可以将自己的想法毫无保留地贴到布告栏中。如果需要私下交流，用户可以将想说的话直接发到某个人的电子信箱中。

专题讨论法的步骤：①确定要调查的目标市场；②识别目标市场中要加以调查的讨论组；③确定可以讨论或准备讨论的具体话题；④登录相应的讨论组，通过过滤系统发现有用的信息，或创建新话题让大家讨论，从而获得有用的信息。

### 3. 在线问卷法

在线问卷法就是请求浏览企业网站的每个人参与其各种调查。在线问卷法可以委托专业公司进行。在线问卷的基本结构一般包括三个部分，即标题与标题说明、调查内容（问题）和结束语。

（1）在线问卷的标题与标题说明是调查者向被调查者写的简短信，主要说明调查的目的、意义、选择方法以及填答说明等，一般放在问卷的开篇。

（2）在线问卷的调查内容主要包括各类问题、问题的回答方式及其指导语，这是调查问卷的主体，也是问卷设计的主要内容。从形式上看，在线问卷中的问答题可分为开放式、封闭式和混合式三大类。

发布在线问卷的主要途径有以下三种。

第一种是将问卷放置在自己的网站上或者 QQ、微信上，等待访问者访问时填写问卷。

第二种是通过 E-mail 的方式将问卷发送给被调查者，被调查者完成问卷后，问卷结果会通过访问统计软件实时显示，调查者也就可以实时查看。

第三种是在相应的讨论组中发布问卷信息或者调查题目。

（3）在线问卷的结束语一般是表达对答卷者的感谢，这是问卷发放者最基本的礼貌。

4．网上实验法

网上实验法可以通过在网上所投放的广告内容与形式进行实验，设计几种不同内容和形式的广告在网页上发布，也可以利用 E-mail 传递广告。广告的效果可以通过服务器终端的访问统计软件随时监测，也可以通过用户反馈信息量的大小来判断，还可以借助专门的广告评估机构来评定。

## 7.2.2 网上间接调查法

网上间接调查指的是对网上二手资料的收集与分析。二手资料的来源有很多，如公共图书馆、大学图书馆、贸易协会、市场调查公司、广告代理公司、专业团体、企业情报室等。网上间接调查主要是利用互联网收集与企业营销相关的市场、竞争者、消费者以及宏观环境等方面的信息。再加上众多综合型互联网内容提供商（Internet Content Provider，ICP）、专业型 ICP，以及成千上万个搜索引擎网站，使得在互联网上收集二手资料变得非常方便。

网上间接调查法的具体操作形式有：利用搜索引擎查找资料，访问相关网站收集资料，利用 E-mail 收集资料，利用网站设置调查网页，利用在线调查平台进行网上调查，利用计算机辅助调查。

1．利用搜索引擎查找资料

（1）基本原理。搜索引擎是指根据一定的策略，运用特定的计算机程序从互联网上搜集信息，在对信息进行组织和处理后，为用户提供检索服务，将用户检索的相关信息展示给用户的系统。搜索引擎包括全文索引、目录索引、元搜索引擎、垂直搜索引擎、集合式搜索引擎、门户搜索引擎与免费链接列表等。

（2）搜索过程。网上虽有海量的二手资料，但要想找到自己需要的信息，必须熟悉搜索引擎的使用，同时要掌握专题型网络信息资源的分布。搜索引擎必须提供一个搜索入口，根据用户提供的关键词反馈出搜索结果，该结果是与关键词相关的商机信息，比如供求信息、产品信息、企业信息以及行业动态信息，并且给予用户一定的信息分拣引导，以最终达到满足用户实际需求的目的。

2．访问相关网站收集资料

如果用户知道某一专题的信息主要集中在哪些网站，就可以直接访问这些网站，获得所需的资料。另外，可以利用网上数据库查找资料，网上数据库有付费的和免费的两种，在国外，市场调查的数据库一般都是付费的。

通常此方法对时效性要求较高。

3．利用 E-mail 收集资料

用 E-mail 发送问卷与传统的邮寄问卷相比，在操作上较为简单易行，在问卷自动生成后可同时向多个被调查者发送，无须耗用大量的人力进行问卷的发送与回收。从费用角度看，用 E-mail 发放问卷的方式能节省大量资金，具有很好的规模效益。网上问卷发送距离越远、数量越大，越能体现其省时省钱的优点。

另外，此方法的调查对象的范围相对广泛、样本容量大，可以在一定程度上减少由于空间限制所造成的系统性误差，使调查的结果分析更具有真实性。此方法一般较适用于普查或抽样调查。

### 4. 利用网站设置调查网页

这种方法就是利用网站设置调查网页，采取主动浏览作答的方式吸引用户。由于具备不受时空限制、市场信息分布广泛、调查对象不受地域限制的特点，网站可以 24 小时不间断地开展调查，成本极低，易于操作。例如，CNNIC 就常采取这种调查方法。

调查网站可以对众多的访问者设置"过滤网"，在问卷填写前设置一些问题来确认其是否符合调查者的要求，对不符合要求的，程序将自动判断并拒绝其填写问卷，这样可以最大限度地防止无效问卷的产生。

### 5. 利用在线调查平台进行网上调查

在线调查平台是一种将在线调查和在线管理完美结合在一起的强大的在线调查软件。同传统市场调查方式相比，利用在线调查平台进行网上调查具有以下几个优势。

（1）高真实性、高质量。在线调查的可控性更高，通过 IP 地址、MAC 地址等技术手段，以及在被调查者注册过程和答题过程中的人工甄别，可以非常好地保证问卷的真实性和可靠性。在线调查尽可能地避免了人为造假、人为错误等非抽样误差。

（2）快速。利用在线调查平台进行网上调查省掉了很多传统市场调查中必不可少的环节，如问卷的印刷与运输、调查者的招募与培训、问卷的回收与录入等，可以大大缩短调查周期。

（3）高效率。利用在线调查平台进行网上调查，其全部过程均由计算机自动完成，几十倍甚至上百倍地提高了工作效率。另外，在调查完成后，在线调查平台可以自动生成饼图、柱状图等分析图形，为进行下一步的研究工作做好准备，从而大大提高了工作效率。

（4）能接触到合适的被调查者。传统的入户调查、街头拦截访问、电话调查等方法由于接触形式较为单一，被调查者的拒答率很高，尤其是高级管理人员，用传统方式往往难以接触到他们。而网上市场调查由于不限时间、不限地点等，往往能够比传统市场调查更轻松地接触到高收入人群、专业技术人员、高级管理人员等。

### 6. 利用计算机辅助调查

计算机辅助调查（CAI）方法采用的是"基于互联网用户的全景测量"，通过 ICP/IP 进行，调查结果不仅记录了用户访问的网站，还记录了用户上传和下载软件，收发电子邮件，运行视听媒体、聊天室及计算机游戏等全部网络行为，可以为调查者提供广泛和全面的资料。该方法把传统的几个调查步骤结合起来，形成"被调查者—调查者—数据用户"之间有效的循环，大大缩短了从数据收集到数据编辑的过程，提高了数据收集的时效性。

## 7.3 网上市场调查的步骤与策略

网上市场调查与传统市场调查一样，需要遵循一定的步骤，以实用的策略保证调查过程的质量和调查效率。

### 7.3.1 网上市场调查的步骤

网上市场调查的目的是收集网上用户的相关信息，充分利用网上市场调查的优势，加强与用户的沟通和理解，并与用户建立友谊，完善营销策略以更好地服务于用户。而要达到这一目的的前提是让更多的用户访问企业站点，这样市场调查人员就可以有针对性地制作网上调查表单，用户可以反馈信息并参加联机，进行交互调查和竞赛，或者征询信息。只有这样，市场调查人员才能掌握更多更翔实的市场信息。

网上市场调查是企业主动利用互联网获取信息的重要手段。网上市场调查遵循如图 7-1 所示的步骤进行。

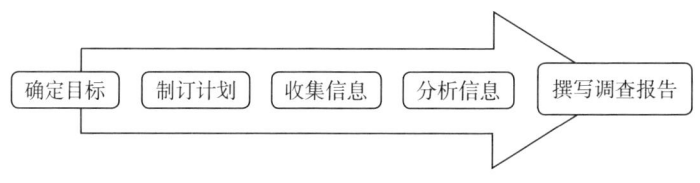

图 7-1　网上市场调查的步骤

**1. 确定目标**

明确问题并确定调查目标对网上市场调查尤为重要。互联网上有源源不断的信息流，当用户搜索时，可能无法精确地找到自己所需要的重要数据，不过沿路肯定会发现一些其他有价值，抑或价值不大但有一定价值的信息。这似乎验证了在互联网上进行信息搜索的定律：在互联网上，企业总能遇到不需要的信息。其结果是，企业为之付出了时间和资金的代价。因此，企业在网上搜索时，要有一个清晰的目标并用心去寻找。可以设定的目标包括：谁有可能使用网站提供的产品或服务？谁是最有可能购买网站提供的产品或服务的客户？在这个行业，谁已经利用了互联网技术？他们在干什么？客户对网站竞争者的印象如何？企业在日常运作中可能要受哪些法律法规的约束？

互联网是企业与客户有效沟通的渠道，企业可以充分利用该渠道直接与客户进行沟通，了解企业的产品或服务是否能满足客户的需求，同时了解客户对企业潜在的期望和改进的建议。在确定网上调查目标时，需要考虑的是被调查者是否上网，网民中是否存在被调查群体，规模有多大。只有当网民中的有效调查对象足够多时，网上市场调查才可能得出有效结论。

**2. 制订计划**

网上市场调查的第二步是制订出最为有效的信息搜索计划。具体来说，就是需要确定资料来源、调查方法、调查手段、抽样方案和联系方法。

（1）资料来源。确定收集的是二手资料还是一手资料（原始资料）。

（2）调查方法。网上市场调查可以使用专题讨论法、问卷调查法和网上实验法等方法。

（3）调查手段。调查手段分三种。①在线问卷。其特色是制作简单、分发迅速、回收方便，但要注意问卷的设计水平。②交互式计算机辅助电话访谈系统。该手段是利用一种软件程序在计算机辅助电话访谈系统上设计问卷结构并在网上传输。互联网服务器直接与数据库连接，对收集到的答案直接进行存储。③网上调查软件系统。这是专门为网上调查设计的问卷链接及传输软件，它包括整体问卷设计、网络服务器、数据库和数据传输程序。

网上市场调查的常用方法是问卷调查法，因此设计网上调查问卷是网上市场调查的关键。由于互联网交互机制的特点，网上市场调查可以采用调查问卷分层设计。这种方式适合过滤性的调查活动，因为有些特定问题只限于一部分被调查者回答，所以可以借助层次过滤机制寻找合适的调查对象。

（4）抽样方案。抽样方案是为实施抽样而制订的一组行动计划，包括抽样方式、抽样数量和抽样判断准则。

（5）联系方法。联系方法包括实体地址、社交网址、微信群、QQ群、公众号等。

### 3. 收集信息

网络信息技术的突飞猛进使得资料收集方法不断创新，互联网没有时空和地域的限制，因此网上市场调查可以在全国甚至全球进行。同时，收集信息的方法很简单，直接在网上递交或下载即可，这与传统市场调查的资料收集方式有很大区别。例如，某企业要了解各国对某一国际品牌的看法，只需要在一些著名的全球广告站点发布广告，把链接指向本企业的问卷即可，无须像传统市场调查那样，在各国找不同的代理分别实施。诸如此类的调查如果利用传统的调查方式进行会困难得无法想象。

被调查者回答在线问卷时经常会有意无意地漏掉一些信息，这可以通过在问卷页面中嵌入脚本或CGI（通用网关界面）程序进行实时监控。如果被调查者遗漏了问卷上的一些内容，程序会拒绝提交问卷或者验证后重发给被调查者要求补填。最终，被调查者会收到证实问卷已完成的公告。在线问卷也要保证问卷上所填信息的真实性。

在进行网上市场调查时，调查者采取较多的方法是被动调查法，即将调查问卷放到网站上等待被调查者自行访问和接受调查。因此，吸引被调查者参与调查是关键，为提高受众参与的积极性，可提供免费礼品、奖品等。另外，必须向被调查者承诺并且做到有关个人隐私的任何信息不会被泄露和传播。

### 4. 分析信息

收集网上信息后要分析信息，这一步非常关键。这一步更是市场调查能否发挥作用的关键，对于这一点，网上市场调查与传统市场调查的材料分析类似，要尽量排除不合格的问卷，这就需要对回收的大量问卷进行综合分析和论证。

调查人员如何从数据中提炼出与调查目标相关的信息，为最终的调查结果提供数据支持，这需要使用一些数据分析技术，如交叉列表分析技术、概括技术、综合指标分析技术和动态分析技术等，目前国际上较为通用的分析软件有SPSS、SAS等。由于网络信息的一大特征是即时呈现，而且很多竞争者可以从一些知名的商业网站上看到同样的信息，因此分析信息的能力相当重要，它能使调查人员在动态变化中捕捉到商机。

#### 5. 撰写调查报告

撰写调查报告是网上市场调查的最后一步，也是调查成果的体现。调查报告不是数据和资料的简单堆砌，调查人员不能把大量的数字和复杂的统计技术放在管理人员面前，这样就失去了调查的价值。正确的做法是把与市场营销关键决策有关的主要调查结果分离出来，并以调查报告所应具备的规范结构撰写调查报告。

撰写调查报告主要是在分析调查结果的基础上对调查数据和结论进行系统的说明，并对有关结论进行探讨性的说明。

### 7.3.2 网上市场调查的策略

为了使更多的消费者访问企业站点并乐于接受企业的调查询问，及时真实地发回反馈信息，市场调查人员必须研究调查策略，以充分发挥网上调查的优势，提高网上调查的质量。网上市场调查的策略主要包括识别企业站点的访问者，有效地在企业站点上进行市场调查，以及设计网上调查问卷和在线调查表。

#### 1. 识别企业站点的访问者

网上市场调查的关键是吸引大量消费者关注企业产品或服务，同时，通过数据库技术收集现实和潜在消费者的相关信息，利用网络加强与消费者的沟通，改善营销策略并更好地服务客户。通过识别企业站点的访问者并激励其访问企业站点，可以最大限度地提高网上调查的范围和效果，目前可采取以下具体策略。

（1）利用电子邮件或来客登记簿获得市场信息。互联网能在营销人员和客户之间搭起一座沟通交流的桥梁，而在其中起关键作用的是电子邮件和来客登记簿。电子邮件可以附有HTML表单，客户能在表单界面点击相关主题并且填写附有收件人电子邮件地址的有关信息，然后发回给企业。营销人员通过电子邮件和来客登记簿能获得有关访问者的详细信息。如果有相当人数的访问者回应，营销人员就能统计分析出企业的销售情况。

（2）向访问者承诺物质奖励。一般的网络访问者可能因担心个人站点被侵犯而发回不准确的信息，为此企业可根据实际情况，给访问者一定的奖品或给访问者购买商品的折扣优惠，这样企业就可以获得比较真实的访问者的姓名、住址和电子邮件地址。同时，当访问者按要求回复调查问卷时，企业应对其进行公告，访问者会在个人计算机上收到证实企业收到问卷的公告牌，被公告的访问者在一定期间内还可进行抽奖。

（3）自动检测问卷完成情况。由软件自动检测访问者是否完成调查问卷，访问者经常会无意或者有意地遗漏掉一些信息，问卷系统能确定他们是否正确地填写了调查问卷。如果访问者遗漏了调查问卷上的一些内容，系统会拒绝提交问卷，并要求补填；如果访问者按要求完成了调查问卷，他们会在个人计算机上收到证实问卷完成的公告牌。但是，这种策略不能保证调查问卷上所反映信息的真实性、可靠性。

#### 2. 有效地在企业站点上进行市场调查

有效地在企业站点上进行市场调查的具体策略如下。

（1）有针对性地跟踪目标客户。例如，Industry Net 是专门登载企业贸易信息的站点，这个站点提供大量免费的信息，并允许访问者下载软件，同时要求并鼓励访问者提供包括个人所在地域、单位、姓名、年龄、职业与职务及所在行业等在内的有关信息，这样就可以掌握访问者的基本情况。企业市场调查人员同样可以采用这种有针对性的跟踪策略。

（2）以产品特色、网页内容的差别化赢得访问者。企业站点不仅要展示产品的图片、文字等信息，而且要有针对性地提供公众感兴趣的时装、音乐、电影、家庭等有关话题，以大量与企业产品相辅相成的有价值的信息和免费软件吸引访问者，促使访问者乐于提供有关个人的真实情况。这样调查人员可以较方便地进入访问者的个人主页，逐步与访问者在网上建立友谊，以达到网上市场调查的目的。

（3）传统市场调查和电子邮件相结合。通过电子邮件和来客登记簿，不仅所有客户均可以了解企业的情况，而且市场调查人员可获得相关市场信息。比如，在确定访问者的邮编后，可以知道访问者所在的国家、地区、省市等地域分布范围，对访问者回复的信息进行分类统计，就可以进一步对市场进行细分，而市场细分是企业制定营销策略的重要依据之一。

另外，网上调查策略还包括监控在线服务，测试不同产品的性能、款式、价格和广告页，通过产品的网上竞买掌握市场信息等。

### 3. 设计网上调查问卷和在线调查表

网上调查问卷是网上市场调查的依据，一份成功的网上调查问卷应具备两个功能：一是能将所调查的问题明确地传达给访问者；二是同线下问卷调查一样，网上调查问卷也设法与对方建立合作关系，使访问者能给予真实、准确的回复。

在网上市场调查过程中，调查者与被调查者之间基于各种调查媒介开展调查，其中有诸多事项需要注意，以防止调查结果不尽如人意。影响网上市场调查的因素如下。

（1）样本的数量。样本数量难以保证可能是网上市场调查最大的局限之一。如果没有足够的样本数量，调查结果就不能反映总体的实际状况，也就没有实际价值。足够的访问量是一个网站进行在线调查的必要条件之一。

（2）样本的质量。由于网上市场调查的对象仅限于上网的用户，从网民中随机抽样取得的调查结果可能与消费者总体之间有误差。另外，用户地理分布的差别和不同网站拥有的特定用户群体的差别也是影响调查结果不可忽视的原因。

（3）个人信息保护。为了保证在人们不反感的情况下获取足够的信息，网上市场调查应尽可能避免调查最敏感的资料，如职业、家庭电话、身份证号等。

（4）被调查者的因素。被调查者提供信息的真实性直接影响在线调查结果的准确性。

（5）建立信息分析处理体系。企业收集到信息后必须能有效地处理信息，最好是由专人完成信息的收集与处理工作，并用数据库对信息进行组织管理，以备将来查询。在调查过程中，企业经常会收到很多垃圾邮件，在网上查到的资讯有些不是很准确，比如很多企业在网上公开的信息带有水分，所以企业必须深入了解才可以得到比较确切的信息。

在线调查表设计水平的高低直接关系到调查结果的质量。由于在线调查占用被调查者的上网时间，因此在调查表的内容设计上应该简洁明了，最大限度地减少占用被调查者填写表单的时间和上网费用，如果完成一份在线调查表需要 10 分钟以上的时间，相信多数人没有这种耐心，因此在线调查表设计应简洁明了，从而避免被调查者因产生抵触情绪而拒绝填写或者敷衍了事。设计在线调查表应注意以下问题。

（1）认真设计在线调查表。在线调查表应该主题明确、简洁明了，问题便于被调查者正确理解和回答，且便于调查结果的处理。有一位大学生曾经让同学填写一份关于机动车的调查表，因为内容多而杂，令人厌倦，导致调查结果不佳。所以在线调查表要简洁明了。

（2）注重调查表的信度和效度，吸引尽可能多的人参与调查。被调查者的数量对调查结果的可信度至关重要，而调查表设计水平对此有一定的影响，"你的意见对我们很重要"，诸如此类的说法会让被调查者感觉填写调查表就好像在帮助自己或所关心的人，这样往往有助于提高调查表的回收率。同时，有力的宣传推广也是必不可少的。

（3）使用计算机程序实施数据调查，尽量减少无效调查表。网上市场调查都应利用JavaScript等计算机程序在调查表提交时给予检查，并提醒被调查者对遗漏项目或者明显超出正常范围的内容进行完善。

（4）公布保护个人信息声明。无论在哪个国家，每个人对个人信息都有不同程度的自我保护意识，因此应让被调查者了解调查目的并确信个人信息不会被公开或者用于其他任何场合。其实，这一点不仅在市场调查中很重要，在网站推广、电子商务等各个方面也非常关键。

（5）避免滥用市场调查功能。市场调查信息能向消费者透露出企业的某些动向，使得市场调查具有一定的营销功能，但应该将市场调查与营销严格区别开来，如果以市场调查为名义收集用户个人信息开展所谓的数据库营销或者个性化营销，那么不仅将严重损害企业在消费者（至少是被调查者）心目中的声誉，也将损害合法的市场调查的信誉。

（6）样本分布不均衡的影响。在线调查结果不仅受样本数量的影响，样本分布不均衡同样可能造成调查结果误差大。样本分布不均衡表现在被调查者的年龄、职业、教育程度、地理分布以及不同网站的特定用户群体等方面，因此，在进行市场调查时要对网站用户结构有一定的了解，尤其是在样本数量不是很大的情况下。

（7）奖项设置合理。作为补偿或者为了刺激被调查者的积极性，问卷调查机构一般都会提供一定的奖励措施，合理设置奖项有助于减少无效问卷。

（8）将多种网上调查手段相结合。常用的网上调查手段除了在线调查表，还有电子邮件调查、对访问者的随机抽样调查、固定样本调查等。企业可以根据调查目的和预算采取多种网上调查手段相结合的方式，以最小的投入获得尽可能多的有价值的信息。

作为对被调查者的一种激励，在线上调查应尽可能地把调查报告的全部结果反馈给被调查者或广大读者，如果限定被调查者，则只需要分配给被调查者一个进入密码。对一些"举手之劳"式的简单调查，可以以互动的形式公布统计结果，这样效果更佳。

## 7.4 网上市场信息的收集与渠道

网上市场调查的适用范围很广，既适用于个案调查，也适用于共性化的统计调查，这一点随着国际互联网应用的普及逐渐显现出来。网上市场调查将成为21世纪应用领域最广泛的主流调查方法之一。

网上市场信息的收集与整理主要是指通过互联网收集有关企业产品或服务、消费者和竞争者的各种有价值的信息,及时把握市场形态和发展态势,制定有效的营销策略,使企业在竞争中始终立于不败之地。

### 7.4.1 网站在网上信息收集中的主渠道作用

互联网为我们收集各种市场信息提供了十分便利、快捷的手段。在互联网上,世界各个国家和地区发行的报纸、杂志、政府出版物、新闻公报、人口与环境分析报告、市场调查报告、工商企业的供求信息与产品广告都可以查到,市场调查人员只要掌握利用搜索引擎的技巧和一些相关的网站资源分布,就可以在互联网上查找到大量有价值的环境和商业原始数据或市场信息。目前市场调查类网站包括问卷星、第一调查网、集思网、数字一百市场咨询有限公司、新秦调查网、A.C.尼尔森等,这些网站是信息收集的主要渠道。

1. 利用合适的搜索引擎查找商务信息

以下分别介绍使用英文搜索引擎和使用中文搜索引擎来查找商务信息。

(1)使用英文搜索引擎查找商务信息。要学会利用查找国外商务信息时经常使用的搜索引擎,如 Yahoo。作为著名的搜索引擎之一,Excite 搜索引擎是一个对网上营销特别有价值的快速搜索引擎如图 7-2 所示。

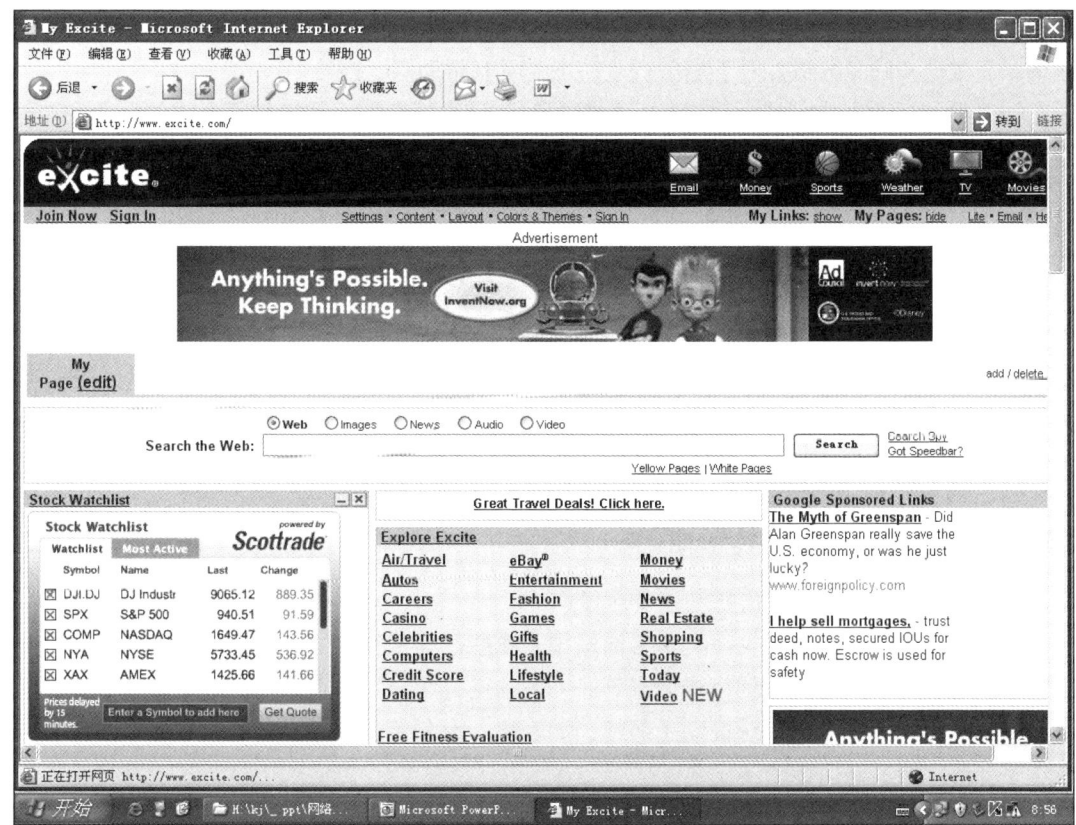

图 7-2 Excite 搜索引擎

（2）使用中文搜索引擎查找商务信息。查找国内或亚洲地区的商务信息，使用中文搜索引擎比较方便。

综合类搜索引擎有百度（http://www.baidu.com）、搜狐（http://www.sohu.com）、新浪（http://www.sina.com）等。

金融证券类搜索引擎有和讯网（http://www.hexun.com）、金融界（http://www.jrj.com.cn），它们几乎涵盖了国内金融证券网站的全部内容。

#### 2. 利用网上商业资源站点查找商务信息

要高效利用网上商业资源站点查找商务信息，可以采取以下步骤。

（1）确定信息需求：首先明确需要查找的特定行业信息类型，比如市场规模、行业数据、用户群体、市场增长率、财务报表等关键要素。

（2）选择合适的平台：根据需求选择合适的平台。例如，天眼查可以用于查询企业信息、企业诉讼、企业人员风险等，依托大数据处理技术，收录全国3.4亿多条社会实体信息，覆盖300多种数据维度；国家统计局和对应的行业协会、行业媒体官网、学术论坛可以获取行业整体数据和研究报告；中国证券监督管理委员会官网、发现报告网站、行行查网站、36氪、东方财富网、亿欧、钛媒体、QYResearch提供行业研究报告。

（3）利用高级搜索功能：大多数平台都提供高级搜索功能，可以通过设置特定的关键词、时间范围、地区等条件来缩小搜索范围，快速定位到所需信息。

（4）关注行业报告和研究：定期查看行业报告和市场研究报告，这些报告通常包含了行业的最新数据和趋势分析，对于理解行业动态非常有帮助。

（5）参加行业展会：展会是聚集行业资源和信息的好地方，可以与行业内的企业和专家面对面交流，获取第一手资料。

（6）利用专业信息整合平台：使用像天眼查这样的信息整合平台，可以直接获取精准信息，提高查找效率。

（7）持续跟踪和更新：行业信息是动态变化的，定期检查更新，确保获取的信息是最新的。艾瑞咨询专注于互联网相关领域的数据研究、数据调研、数据分析、互联网咨询数据等互联网研究及报告，电子商务是其研究领域的重要组成部分。其主要通过形象化的表格、图片，提炼出电子商务历年发展情况、阶段性发展情况及专项内容发展情况，为电子商务提供了丰富的数据信息。

### 7.4.2 网上竞争者的信息渠道

在互联网上收集竞争者信息的主要途径如下。

（1）访问竞争者网站，关注竞争者网站中有哪些经验值得借鉴，有什么疏漏或错误需要避免，竞争者是否做过类似的市场调查等。一般来说，领导型企业由于竞争需要都设立了网站，我国一些大型企业也纷纷设立了网站，如联想、海尔等，这正是市场挑战者及追随者获取竞争者信息的最好途径。

（2）收集竞争者在网上发布的各种信息，如产品信息、促销信息、电子出版物等。

（3）收集从其他网络媒体摘取的竞争者信息。通过网上电子版报纸、各电视台的网上站点如央视网（http://www.cctv.com）等，收集竞争者的各种信息。

（4）从有关新闻组和BBS中获取竞争者信息，如微软为提防Linux对其操作系统Windows的威胁，就经常访问有关Linux的新闻组和BBS站点，以获取最新资料。

（5）利用其他各种方式收集竞争者的信息。例如，利用搜索引擎设定与自己的产品相同或相似的关键词来寻找竞争者及其各种相关信息，还可利用报纸、杂志、广播等。

### 7.4.3 网上市场行情、消费者及环境信息是共享资源

数字经济也是共享经济，这一经济形态不仅促使政府、社会组织的信息量逐渐增长，也使信息生态环境逐渐形成，并为下一步信息技术扩张奠定雄厚的基础。

1. 市场行情信息

市场行情信息主要是指产品价格变动、供求变化等信息。目前，互联网上有许多站点提供这些信息，如前面介绍的各商业门户网站、商务搜索引擎网站等，另外还有一些专业信息网站提供这方面的信息，如下所示。

（1）实时行情信息网，如股票和期货市场网站。

（2）专业产品商情信息网，如慧聪网。

（3）综合类信息网，如中国商情网。

在收集信息时，调查人员可通过搜索引擎首先找出有关的各商情网址，然后访问各站点，最后寻找所需的市场行情信息。

2. 消费者信息

企业可以通过互联网了解消费者的偏好，主要采用的方法是网上直接调查法。在互联网上，调查人员可向各私人网站或公众站点发出询问请求，不定时地查看企业的电子邮箱，及时收集来自各方面的反馈信息，通过企业博客、竞争者博客、著名门户网站的博客以及相关BBS讨论组来获取消费者信息。

3. 网上市场环境信息

企业在做市场调查时，必须了解当地的政治、法律、人文、地理环境等信息。对于政治信息，可到一些政府网站（它们以.gov作为最高域名）和ICP站点（如新浪网）查找。法律、人文和地理环境等信息属于知识性信息，可直接去网上图书馆查阅，或查阅图书馆站点上的电子资源，也可直接通过搜索引擎在网上查找。在具体查找时，若要利用图书馆的信息，可通过搜索引擎先找出图书馆的网址，然后再利用图书馆站点上的搜索功能查找有关信息。

拓尔思信息技术股份有限公司的大数据舆情分析平台是建立在文本检索系统（Text Retrieval System，TRS）数据中心基础上的，基于云服务模式的互联网舆情分析服务平台。平台面向政府、企事业单位和个人，以在线云服务的方式提供全网监测、社交媒体互动效果分析、关联关系挖掘、传播路径分析、话题事件分析、传播效果评估等功能，囊括事前预警、事中分析、事后处理的全生命周期舆情管理服务。

TRS大数据舆情分析平台可实现对新闻、论坛、社交媒体等多种类型的互联网数据进行

7×24 小时不间断的实时采集，具备上千亿数据量的数据索引、挖掘分析和存储等功能，可支撑政府、企事业单位、媒体、金融、公安、电商等多领域用户的舆情分析云服务。

大数据舆情分析平台的常用模块包括采集模块、海量情报库、系统管理模块、情报服务模块，以上模块已被许多大型企业和政府机关引入并应用。

## 本章小结

网上市场调查经历了从不完善到逐渐完善，从技术不成熟到逐渐成熟的发展阶段。网上市场调查方法包括网上直接调查法与网上间接调查法。网上直接调查的主要方法有：网上观察法、专题讨论法、在线问卷法和网上实验法。网上间接调查的主要方法有：利用搜索引擎查找资料，访问相关网站收集资料，利用 E-mail 收集资料，利用网站设置调查网页，利用在线调查平台进行网络调查，利用计算机辅助调查。网上市场调查的步骤包括确定目标、制订计划、收集信息、分析信息、撰写调查报告。网上市场信息的收集与整理包括在相关网站上收集竞争者信息和网络市场行情、消费者及环境信息。

## 复习思考题

一、单项选择题

1. （　　）市场调查是指在互联网上进行市场信息的收集、整理、分析和研究的过程。
   A. 线下　　　　　　B. 网络
   C. 实地　　　　　　D. 电商

2. （　　）是指为当前企业特定的目的，在互联网上收集一手资料或原始信息的过程。
   A. 网上直接调查　　B. 网上间接调查
   C. 网上选择调查　　D. 网上定向调查

3. （　　）可通过新闻组（Usenet）、QQ群、微信群、电子公告牌系统（BBS）或邮件列表讨论组进行。
   A. 网上观察法　　　B. 专题讨论法
   C. 在线问卷法　　　D. 网上实验法

4. （　　）是指根据一定的策略、运用特定的计算机程序从互联网上搜集信息，在对信息进行组织和处理后，为用户提供检索服务，将用户检索相关的信息展示给用户的系统。
   A. 数据存储　　　　B. 搜索引擎
   C. 数据集成　　　　D. 数据传输

5. （　　）是选择多个可比的主体组，分别赋予其不同的实验方案，控制外部变量，并检查所观察到的差异是否具有统计上的显著性的方法。
   A. 网上观察法　　　B. 专题讨论法
   C. 在线问卷法　　　D. 网上实验法

6. 网上市场调查的第一步是确定（　　）。
   A. 计划　　　　　　B. 目标
   C. 方针　　　　　　D. 方向

7. 网上直接调查时多采取（　　）调查法，即将调查问卷放到网站上等待被调查者自行访问和接受调查。
   A. 被动　　　　　　B. 主动
   C. 宣讲　　　　　　D. 互动

8. 撰写（　　）是网上市场调查的最后一步，也是调查成果的体现。
   A. 调查方案　　　　B. 调查报告
   C. 调查计划　　　　D. 调查措施

9. 网上调查问卷是网上调查的依据，一份成功的网上调查问卷应具备两个功能：一是能将所调查的问题明确地传达给被调查者；

二是同线下调查一样，设法（　　），使访问者能给予真实、准确的回复。
   A. 获得对方信息　　B. 获取关键数据
   C. 增加访谈次数　　D. 与对方建合作关系
10. 阿里巴巴可供检索的市场信息包括贸易机会、产品展示和（　　）。
   A. 行业群　　　　　B. 公司库
   C. 产业圈　　　　　D. 产品线

## 二、多项选择题

1. 网上市场调查通过互联网及其调查系统把传统的调查分析方法在线化、智能化，其构成包括三个部分：（　　）。
   A. 客户　　　　　　B. 网络调查系统
   C. 参与人群　　　　D. 市场范围
   E. 技术手段
2. 网上市场调查的特点有（　　）。
   A. 及时性　　　　　B. 经济性
   C. 交互性　　　　　D. 客观性
   E. 突破时空性
3. 网上市场调查的劣势有（　　）。
   A. 网络的安全性问题
   B. 企业和消费者对网上市场调查缺乏认识和了解
   C. 网上市场调查技术有待完善
   D. 网络普及率不高
   E. 无限制样本令人困扰
4. 网上直接调查法包括（　　）等。
   A. 网上观察法　　　B. 专题讨论法
   C. 在线问卷法　　　D. 网上实验法
   E. 文献研究法
5. 网上间接调查法主要有（　　）等。
   A. 利用搜索引擎收集资料
   B. 利用网站收集资料
   C. 利用电子邮件收集资料
   D. 利用网站设置调查网页
   E. 利用在线调查平台

## 课堂实训

网上市场调查的具体过程如下表所示。

**网上市场调查**

| 任务名称 | 网上市场调查 | | 学时 | 4+课外 | 班级 | |
|---|---|---|---|---|---|---|
| 学生姓名 | | 学生学号 | | 组别 | 任务成绩 | |
| 实训设备 | | | 实训场地 | | 日期 | |
| 任务内容 | 根据项目背景资料，制订调查方案，明确网上市场调查的主要内容以及资料来源，对信息和资料进行整理分析，完成网上市场调查报告 ||||||
| 任务目的 | 掌握网上市场调查的内容及方法，实践操作"小组座谈会"的调查方法，对资料进行分析，撰写网上市场调查报告 ||||||
| 明确任务，获取信息 | （1）阅读并明确任务内容和任务目标<br>（2）阅读书中相关理论部分，学习理论知识<br>（3）收集网上市场调查方案，加深感性认识<br>（4）收集背景项目的企业信息与相关市场信息 ||||||
| 决策与计划 | 请根据任务背景和任务要求确定所需要的学习资料，对小组成员进行合理分工，并制订计划 ||||||
| 实施 | 1. 本项目调查内容 ||||||
| | 企业网上市场营销环境调查内容 ||| 资料来源 |||
| | （1）市场产品调查 ||||||
| | 产品包装、性能、质量、价格分析 ||| 消费者对品牌形象的认知 |||
| | | | | | | |

(续)

| | (2) 市场竞争状况分析 | |
|---|---|---|
| 实施 | 调查内容 | 资料来源 |
| | | |
| | (3) 营销受众调查 | |
| | "小组座谈会"情况 | 对象： |
| | | 时间： |
| | | 主持人： |
| | "小组座谈会"问题设计 | |
| | 营销受众调查结论概述 | |
| | 2. 撰写网上市场调查报告（Word 格式，另附页） | |
| 检查与修正 | 根据理论知识的学习和实践，结合教师的讲解与点评，对实训任务的完成质量进行检查，并修正实训结果 | |

## 课外实训

### 1. 网上市场调查流程分析

（1）各组答辩同学做 PPT 陈述（选派一名同学作为代表），时间为 5 分钟。

（2）非答辩组同学提问（时间控制在 1～2 分钟），答辩同学回答，答辩组其他组员可补充，时间为 2 分钟。

（3）答辩情况总结，时间为 1 分钟。

网上市场调查事项如下。

（1）各组需要提前将 PPT 复制到教室计算机桌面上，名称为各组组号（如 A01）。

（2）PPT 中必须有一页为组员在案例分析中承担任务的说明。

（3）做 PPT 陈述时请选择"幻灯片放映"中的"排练计时"选项。

（4）非答辩组同学应针对答辩组陈述中的漏洞做出提问。

（5）对于所有陈述及提问过程中发言的同学均做记录并将其作为该生平时成绩的重要依据（含小组成绩及个人表现成绩）。

### 2. 实践与训练

各组针对市场上某一种产品（任选）开展网上市场调查。

要求如下。

（1）完成时间：2025 年 11 月 15 日。

（2）完成形式：制作 PPT（内容主要包括产品背景介绍、市场现状、主要竞争对手分析、改进方案）。

## 案例分析

### "消费者购买家电渠道选择行为偏好问卷调查"结果出炉

商务部将 2023 年定位为"消费提振年"，迎春消费、绿色消费、国际消费、家电下乡、让利促销、以旧换新……2023年以来，各地政府纷纷推出不同主题性活动，为消费复苏按下"快进键"。

作为居民消费的重要组成部分，家电消费正"蓄势待发"。消费者家电消费能力如何？消费者喜欢什么？线上线下，哪个才是消费者的"心头好"？消费者更倾向于使用哪些购物渠道？哪些因素在影响消费者的消费习惯？这些答案都需要倾听消费者的声音。

为此，中国家电网于2023年发起"消费者购买家电渠道选择行为偏好"问卷调研，调查共收集到3 207份有效样本，涵盖各年龄层人群，透过真实的消费者反馈，我们一一寻找答案。

根据此次调研数据，2021—2022年消费者购买过的家电品类（多选）中，手机、平板电脑等移动终端占比较高，达到47.5%左右。倾向于满足多样化需求的电暖气、电热毯、电吹风等生活小家电以及破壁机、食物料理机、电磁炉等厨房小家电占比分别为25.6%和23%。满足消费者生活上基本需求的冰箱、冷柜等制冷类大家电与洗衣机、干衣机等清洁类大家电占比达到23.9%和22.30%。

网上选购是一个看得见、摸不着的过程。有消费者觉得线上购买家电更方便、实惠，在"您更倾向于在网上购买电器的原因是？"问题中，购物比较方便、比较容易进行产品比较以及价格便宜成为消费者选择网购的重要原因。也有人更倾向于在实体店购买电器，主要是因为可以接触、更直观地体验产品。在他们看来，质量比较容易得到保证、售前售后服务较好是驱使他们选择线下购物的重要原因。可见，网购和线下购物两者各有千秋，网购家电省时省力，且产品来自全国各地，对于消费者来说有更多选择性。而线下实体店中的产品，看得见、摸得着。此外，线下的体验服务也是网购比拟不了的。

当前，电商平台在家电行业销售渠道中的地位显著提升。2022年，中国家电线上市场零售额达4 861亿元，同比增长4.24%，家电网购占比上升至58.2%，进一步夯实家电"网购化""电商化"趋势。当网购在居民生活中日渐成为常态，消费者最青睐的平台又是谁呢？在3 207名被调研的消费者中，1 909名消费者首选京东购买家电，占比超过59.5%；淘宝、天猫紧随其后，占比达48.3%，线下品牌专卖店占比达22.10%。当被问到"未来从抖音平台购买家电会成为您第一选择吗？"时，58.2%的消费者选择不会。由此可见，虽然视频、内容类的知识型传播非常受欢迎，但京东、淘宝等传统电商仍然是当前消费者购买家电的重要渠道。

"在选择家电购买渠道时，您会受到以下哪些因素的影响？（多选）"这一问题中，排在前4名的分别是"产品品质""换货便捷性""渠道可靠性"以及"价格及有无促销活动"。而从这一问题，我们也能窥见消费者的家电需求偏好。虽然消费者的信心和支出可能会随着宏观经济环境的变化而波动，但消费者对产品品质的要求会日益严苛，这是一个毋庸置疑的趋势。在此次调研中，选择"产品品质"这一选项的消费者占比高达57.90%，同时，选择"价格及有无促销活动""渠道可靠性"两个选项的消费者占比均超过50%。

家电消费的另一面是消费者在消费时更趋于理性。网上主动搜索是消费者最为常见的获得相关产品信息的渠道。当产生某种需求或潜在需求时，消费者会更积极地寻求折扣和促销，寻找价格更具竞争力的渠道来购买想要的产品。同时，线上购买平台的搜索排名也会对消费者的购买渠道产生影响。除此之外，超一半被调研消费者明确表示，对于需要购买的家电产品，他们会通过习惯的渠道（线下门店/电商平台）找到偏好品牌，在自己的预算内进行选择。由此可见，大多消费者倡导"钱包友好"，更关注确定性的购物需求。

长期来看，随着消费者对宏观经济、市场和自身发展的信心逐渐恢复，消费意愿及消费预期将呈现积极向上的态势。而零售渠道也要主动出击，持续深耕消费需求，在机遇到来之际更好地乘风而上。

资料来源：中国家电网，《干货："消费者购买家电渠道选择行为偏好问卷调查"结果出炉》，2023年4月20日。

问题：

1. 根据中国家电网的"消费者购买家电渠道选择行为偏好问卷调查"结果，消费者在选择家电购买渠道时，最看重的因素是什么？这些因素是如何影响他们的购买决策的？
2. 线上购物平台如京东、淘宝和天猫在家电购买市场中的地位日益重要，这些平台是如何满足消费者的家电购买需求的？它们相比线下实体店有哪些优点和不足？
3. 在消费提振年的背景下，家电消费市场的增长动力主要来自哪些方面？未来家电消费市场的发展趋势将如何变化？

## 知识解析

# 第 8 章　市场调查报告

● 学习目标

1. 掌握市场调查报告文体的写作方法和基本要求，学会对市场调查资料进行取舍分析。
2. 培养撰写市场调查报告的能力，重点掌握各种市场调查报告分析方法的具体运用。
3. 通过市场调查实践与案例分析以及撰写训练，强化对市场调查报告文字的驾驭能力。

● 引导案例

## 如何撰写调研报告

调研报告就是将调研所得以及经过统计分析的数据报告出来。对调研结果的介绍要尽量简洁，描述形式通常以表格或图形为主，要对图表中的数据资料所隐含的趋势、关系或规律加以客观地描述。具体包括以下 4 个方面。

### 1. 企业市场现状

说明企业发展历史、现状和趋势，市场总额与份额统计，销售量，市场占有率，销售人员配备等。

### 2. 主要竞争对手调研

调查各竞争对手的市场状况，以及它们在研发、销售、资金、品牌等方面的实力。

如对娃哈哈和统一的市场调研。娃哈哈在饮品市场上的占有率名列前茅，说明其在饮品行业有强有力的地位，也有很深的影响力，而且在品牌影响力、知名度、技术等方面有很大的优势。娃哈哈紧随时尚的脚步，不断创新，研发新的饮品，争取更好满足消费者各方面的需求。畅通的营销渠道、完善的营销策略也使得其在市场上一直保持着不错的地位。统一在饮品行业内也占有相当大的市场份额，基于良好的声誉、完善的运营体系、先进的技术、良好的财务状况和稳固的销售渠道，统一拥有不容忽视的竞争实力，大多数消费者对于统一饮品也很青睐。

### 3. 目标市场调研

包括产品消费群体特征、消费方式以及影响市场的因素。对于饮品行业，最主要的消费人群是 15～35 岁的年轻人群，这群人是时尚的代表，是饮品消费市场的中流砥柱。

调查结果显示，女性的消费情况稍高于男性，女性最常喝饮料的比例高于男性，这与女性消费者对于饮料的饮用频率高、注重口感、追求时尚的特性有很大的关系。调查对象主要在学校内部或附近的商店购买饮料，购买的时间段集中在早上和下课时间，尤其是在体育课之后，购买饮料人数会迅速增多。

### 4. 得出结论

用简洁明了的语言对研究前所提出的问题做出明确的结论，并针对调研获得的结论对市场发展趋势做出预测，对该企业提出具有针对性和可行性的营销建议和措施，供决策者参考。

从以上调查问卷的分析可知，娃哈哈饮料的市场占有率非常高，娃哈哈在大学生心目中的印象也很好。但大学生对于娃哈哈产品的了解不全面，而且认为娃哈哈产品的口感与可口可乐等国际大品牌还是存在差距。所以，对于娃哈哈饮料，可以得出以下结论。

#### 1. 娃哈哈饮料的优点

（1）口感好，营养非常丰富。
（2）电视广告做得好，宣传广泛。
（3）价格实惠，可以令大学生接受。
（4）品牌形象好。

#### 2. 娃哈哈饮料的缺点

（1）网络广告宣传力度不够，网络促销活动少，导致大学生对娃哈哈新产品的了解少。
（2）促销活动方面做得不够全面，学校内部超市等没有针对娃哈哈产品的促销活动，没有针对学生的降价促销活动。
（3）竞争力相对其他品牌尚不够强。

#### 3. 建议

（1）加大网络宣传，针对年轻人开展宣传促销活动。
（2）提升质量，在学生心中树立品牌意识，提升品牌知名度。
（3）在各大高校赞助学生活动，以进一步加深娃哈哈品牌在学生心中的地位。

问题：
1. 娃哈哈饮料在目标市场（如大学生群体）中的市场占有率与统一等竞争对手相比，有何不同？是否存在明显的竞争优势或劣势？
2. 娃哈哈饮料在目标市场的消费者群体中，其品牌形象和知名度是否达到了预期水平？如果未达到，原因是什么？
3. 根据调研结果，娃哈哈饮料在口感、价格、宣传等方面有哪些优点和不足？这些优点和不足对消费者购买决策有何影响？

## 8.1 市场调查报告的概念

市场调查报告的撰写者必须具有一定的哲学理性思维，能够根据大量的现象发现其中包含的事物的本质，并通过一定的量化分析找到事物发展的规律性，据此对事物的未来做出趋势性判断。调查活动要以研究为目的，根据社会或工作的需要，制订出切实可行的调查计划，同时要不断了解新情况、新问题，并有意识地探索和研究，这样才能写出有价值的调查报告。

调查报告的核心是：实事求是地反映和分析客观事实。通过事实现象分析、本质问题挖掘、基本规律总结、未来趋势展望等分析环节，对所调查的材料进行理性处理。调查报告主要包括两个部分：一是调查，二是研究。调查，即深入实际，准确地反映客观事实，不凭主观想象，按事物的本来面目了解事物，详细地钻研材料。研究，即在掌握客观事实的基础上认真分析，透彻地揭示事物的本质。至于战略决策方面，在调查报告中可以提出一些建议和意见，但是对于复杂的企业决策体系而言，战略决策的制定是一个深入的、复杂的、综合的反复过程，调查报告提出的建议能否被采纳，甚至能否上升到企业战略，都需要经过严格的预评估。

### 8.1.1 市场调查报告的主要类型

市场调查报告是企业或组织为了了解市场状况、消费者行为、竞争环境等信息而进行的系统性研究。市场调查报告主要有以下类型。

#### 1. 市场趋势报告

分析特定市场或行业的发展趋势，包括增长、衰退、季节性变化等。如《2024中国消费趋势调研：预期谨慎 存在潜力》报告显示：消费者对自身消费增长的预期相对谨慎，预期增长率为 2.2%～2.4%；消费者储蓄意愿仍然强劲，短期内消费潜力未完全释放；逾 2/3 被调查者仍然乐观，但悲观情绪明显抑制消费预期。

#### 2. 消费者行为报告

研究消费者的购买习惯、偏好、需求和决策过程。如《2023麦肯锡中国消费者报告：韧性时代》，该报告基于对中国消费者的定量调研、民族志研究，以及为在华客户提供咨询服务时进行的观察。调查样本包括来自 44 座城市及附近乡镇的逾 6 700 名消费者，代表了中国约 90% 的 GDP 和半数以上的人口。报告深入了解消费者的总体态度、购买行为、消费模式和休闲习惯的主要走向，以及对生活、成功、财富和健康的态度。

#### 3. 竞争分析报告

分析竞争对手的产品、价格、市场策略和市场份额等。如《2024—2025 年中国运动鞋服行业竞争品牌案例分析》，该报告分析了国内外运动品牌激烈的竞争情况，以及科技研发如何提升产品市场竞争力，涉及的品牌包括安踏、李宁、鸿星尔克、回力等。

### 4. 市场细分报告

将市场划分为不同的细分市场，以识别和评估不同的消费者群体。

### 5. 市场规模和预测报告

估计当前市场的大小并预测未来的增长潜力。如《中国大数据产业发展前景与投资战略规划分析报告》预计，2029 年我国大数据产业市场规模将达到 7.25 万亿元，2024—2029 年复合年增长率约为 25%。

### 6. 行业分析报告

提供特定行业的全面分析，包括行业结构、主要参与者和行业动态。如《中国智能手机行业市场需求预测与投资战略规划分析报告》指出，中国智能手机行业发展趋势为产业集中化、国内市场稳定、AI 技术推动产品升级；行业发展前景为预计 2029 年智能手机市场规模将达到 1.5 亿元，年均复合增长率约为 9.2%。

### 7. 产品及价格分析报告

评估特定产品或服务的市场表现，包括销售、市场份额和消费者反馈。如某产品的价格分析报告研究产品的定价策略和价格敏感度。

### 8. 渠道分析报告

分析产品分销渠道的效率和效果。如 SWOT 分析报告可以评估企业或产品的优势（Strengths）、劣势（Weaknesses）、机会（Opportunities）和威胁（Threats）。

### 9. 市场进入报告

为进入新市场提供指导，包括市场潜力、法规要求和文化差异。如《中国农业供应链金融及市场进入策略研究报告》，该报告提供了中国农业供应链金融的发展现状、发展模式、存在的问题以及对未来发展前景的深入分析。该报告还涉及了供应链金融的主要参与者，包括核心企业、中小企业、物流服务商、供应链服务商等，并探讨了供应链金融的运行模式，如应收账款融资、存货融资和预付账款融资等。

### 10. 品牌定位与广告效果评估报告

分析品牌在消费者心中的位置和形象；评估广告活动的效果，包括品牌知名度、消费者态度和销售影响。

### 11. 市场测试报告

在特定地区或群体中测试新产品或服务的市场反应。如《PPP 项目市场测试案例——亚洲开发银行试点项目为例》展示了市场测试的具体实施步骤，包括公告—信息发布—现场问答—项目考察。案例中，研究人员对洛阳的两个试点项目（市政道桥、污水处理）和哈尔滨的既有建筑节能改造项目均进行了市场测试，以了解市场反应和企业参与情况。

12. 环境扫描报告

监测外部环境变化，如经济、政治、技术和社会趋势。

13. 技术趋势报告

分析技术发展对市场和行业的潜在影响。如德勤在其《技术趋势2025》报告中指出，未来18～24个月内，"交互、信息、计算、技术业务、网络与信任、核心现代化"六大技术趋势将对企业转型升级至关重要。

总之，市场调查报告的具体类型可以根据研究目的和需求进行选择，以提供最相关的市场信息和见解。

## 8.1.2 市场调查报告的格式

市场调查报告按印刷格式包括扉页、正文、附录。

### 1. 扉页

扉页包括标题、客户（委托人）、调查公司、日期、内容、目录。

市场调查报告的标题就是市场调查报告的题目。标题必须准确揭示市场调查报告的主题思想。标题要简单明了、高度概括、题文相符。如《××市居民电子产品消费需求调查报告》《关于化妆品市场的调查报告》《××手机滞销的调查报告》《提高电商服务反思质量——××××电商企业的调查报告》等。这些标题都很简明，能吸引人。

调查报告要使用能揭示中心内容的标题，具体写法有以下几种。

（1）公文式标题。这类标题多数由事由和文种构成，平实沉稳，如《关于农民工工作生活状况的调查报告》，也有一些标题由调查对象和"调查"二字组成，如《女性网络消费情况的调查》。

（2）一般文章式标题。这类标题直接揭示市场调查报告的中心内容或思想，十分简洁，如《本市老年人各有所好》。

（3）提问式标题，如《分红新政策能给投资者带来几多利好？》。这是市场调查报告常用的标题写法，其特点是具有吸引力。

（4）正副题结合式标题。这是用得比较普遍的一种市场调查报告标题，特别适用于介绍典型经验的调查报告和反映新生事物的调查报告。正题揭示调查报告的思想意义，副题表明调查报告的事项和范围，如《政协委员破解从田头到餐桌的"环节拥堵"——"卖难买贵"为何两头受累？》。

市场调查报告可以采用规范化的标题格式，即发文主题加文种，基本格式为《××关于××××的调查报告》《关于××××的调查报告》《××××调查》等。

### 2. 正文

正文主要包括：目标的简要陈述、调查方法的简要陈述、主要调查结果的简要陈述、结论与建议的简要陈述、其他相关信息（如特殊技术、局限、背景信息等）的简要陈述。正文内容一般分为前言、主体、结尾三个部分。

(1) 前言。前言是市场调查报告的开头部分。一般用来说明市场调查的目的和意义，介绍市场调查工作的基本概况，包括市场调查的时间、地点、内容和对象以及采用的调查方法，这是比较常见的写法。也有调查报告在前言中先写调查的结论是什么，或直接提出问题等，这种写法能增强读者阅读报告的兴趣。调查报告的前言一般根据主体部分组织材料的结构顺序来安排，常用的前言有以下几种形式。

1) 提要式。提要式就是对调查对象最主要的情况进行概括，使读者在开篇就对调查对象的基本情况有一定的了解。例如，《靠名牌赢得市场——关于深圳市飞亚达（集团）股份有限公司的调查》的前言：

飞亚达（集团）股份有限公司（以下简称"飞亚达"）是一家以生产钟表为主的大型企业，1987年成立于深圳。在经济特区这块改革开放的沃土上，飞亚达坚持不懈地实施名牌战略，终于在竞争激烈的钟表行业后来者居上。历经十多年的艰苦创业，飞亚达由一个钟表小厂发展为总资产逾8亿元，年创利润8 000万元的上市公司，成为国内同行的翘楚。

这个前言对飞亚达的发展情况和主要成绩做了概括性的介绍，提纲挈领，统率全文。

2) 交代式。交代式是指在调查报告开头简单地交代调查的目的、方法、时间、范围、背景等，使读者在开篇就对调查的过程和基本情况有所了解。例如，《浙江省跨境电子商务发展报告》一文的前言：

近年来，我省跨境电商总体上呈现良好的发展态势。2015年，全省实现跨境电商出口超40亿美元，约占全国的16%，居广东之后列全国第二位。

从渠道分布来看，第三方跨境电商平台销售是我省跨境电商销售的主渠道，约占全部销售额的95%，排名在前五位的第三方跨境电商平台分别是速卖通、eBay、亚马逊、Wish和敦煌网。我省卖家在这五大平台上的销售额均居前三位。另外，电商企业通过自建平台进行跨境销售，该渠道销售比重约占5%，代表性企业有杭州全麦电子商务有限公司、浙江执御信息技术有限公司等。

这个前言包括目的、方法、范围和结论等几个方面，总的来说属于交代式前言。

3) 问题式。问题式是指在调查报告开篇提出问题，以引起读者对调查课题的关注，促使读者思考。这样的开篇可以采用提问的方式引出问题，也可以直接将问题摆出来。例如，《农村手机未来市场调查》的前言：

农村将逐渐成为消费的主力军。然而一个新兴市场用户的需求和品位在不断发展之中，我们必须及时了解和把握他们的需求，并适时推出相应的产品与服务，这样才能持续赢得他们的信赖。

伴随固定电话拥有率的大幅下降，农村地区移动电话拥有率呈现显著增长趋势。手机上网日益普遍，1/5的农村手机用户经常用手机即时通信工具聊天。当农村人口也开始积极追求"随时随地的互联网连接"时，这对中国电信市场的发展意味着什么呢？今天的农村消费者对于手机等通信产品和服务的态度与消费习惯，又可以给运营商带来什么样的启示呢？未来农村手机用户对通信产品有哪些新的需求呢？

前言有三种写法：第一种是写明调查的起因或目的、时间和地点、对象或范围、经过与方法以及人员组成等调查本身的情况，从而引出中心问题或基本结论；第二种是写明调查对象的历史背景、大致发展经过、现实状况、主要成绩、突出问题等基本情况，进而提出中心问题或主要观点；第三种是开门见山，直接概括调查结果，如肯定做法、指出问题、揭示影响、说明中心内容等。前言起到画龙点睛的作用，要精练概括、直切主题。

（2）主体。这是调查报告最主要的部分，这部分详述调查研究的基本情况、做法、经验，以及分析从调查研究所得材料中得出的各种具体认识、观点和基本结论。

主体是表现调查报告主题的重要部分。这一部分的写作直接决定调查报告的质量高低和作用大小。主体部分要客观、全面地阐述市场调查所获得的材料、数据，用它们来说明有关问题，并得出有关结论，对有些问题、现象要做深入分析、评论等。总之，主体部分要善于运用材料来表现调查的主题。这部分是调查报告的主干和核心，是引语的引申，是结论的依据。这部分主要写明事实的真相、收获、经验和教训，即介绍调查的主要内容是什么，为什么会是这样的。主体部分要包括大量的材料，如人物、事件、问题、具体做法、困难障碍等，内容较多，所以要精心安排调查报告的层次，安排好论述结构，有步骤、有次序地表现主题。

前言之后、结尾之前的文字都属于主体。这部分的材料丰富、内容复杂，在写作时最需要注意的问题就是结构的安排。调查报告主体的主要层次形式有以下三种。

1）用观点串联材料。这种形式是由几个从不同方面表现基本观点的层次组成主体，以基本观点为中心线索将它们贯穿在一起。例如，调查报告《按照市场经济规律指导农民增收——山东省微山县调查》的主体就是这样的形式。它由四个部分构成，分别是"抓住了规律就抓住了根本""把握市场需求，发挥自身优势""围绕市场竞争，加强联合与协作""遵循价值规律，推进农业'四化'"。这四个部分就是由标题所显示的基本观点贯穿起来的。

2）以材料的性质归类分层。课题比较单一、材料比较分散的调查报告，可采用这种层次形式。撰写者经分析、归纳后，根据材料的不同性质，将它们梳理成几种类型，将每种类型的材料集中在一起进行表达，形成一个层次。在每个层次之前可以加上小标题或序号，也可以不加。例如，调查报告《不信民心唤不回——从宁乡县五个乡镇的变化看做好农民回乡创业工作的重要性》，分别从原因、措施、启示这三个方面着眼，写了三个大的层次，其中将原因概括为五条，将启示概括为四条，这就形成了大层次下的若干小层次。

3）以调查过程的不同阶段自然形成层次。事件单一、过程性强的调查报告，可采用这种层次形式。它实际上是以时间为线索来谋篇布局的，类似于记叙文的时间顺序写法。《广州专业市场调查——多少财富故事在这里上演？》一文，就是采用的这种有清晰过程的写法，这种形式可以提高读者的阅读兴趣。

调查报告中关于事实的叙述和议论主要都写在主体部分。一般来说，调查报告主体的结构有以下三种形式。

1）横式结构。横式结构是指对调查的内容加以综合分析，紧紧围绕主旨，按照不同的类别将内容分别归纳成几个问题来写，在每个问题之前可以加上小标题，而且每个问题里往往还包含着若干个小问题。介绍典型经验的调查报告多采用这样的结构，这种结构可以做到观点鲜明、中心突出，使人一目了然。

2）纵式结构。纵式结构有两种形式：一是按调查事件的起因、发展及先后次序进行叙述和议论，揭露问题的调查报告多采用这种结构，有助于读者对事物的发展有深入、全面的了解；二是按成绩、原因、结论层层递进的方式安排结构，一般综合性质的调查报告多采用这种结构。

3）综合式结构。综合式结构兼有纵式和横式两种结构的特点，两种结构互相穿插配合，组织安排材料。调查报告的主体采用综合式结构时，一般在叙述和议论发展过程时采用纵式结构，而在写收获、认识和经验教训时采用横式结构。

调查报告的主体部分不论采用什么结构形式，都应该做到先后有序、主次分明、详略得当、联系紧密、层层深入，结构形式为更好地表达主题服务。

（3）结尾。结尾是调查报告分析问题、得出结论、解决问题的必然结果。对于不同的调查报告，结尾的写法各不相同。一般来说，调查报告的结尾有五种形式：一是归纳总结调查报告，总结主要观点，深化主题，以提高人们的认识；二是对事物发展做出展望，提出努力的方向，启发人们进一步探索；三是提出建议，供领导参考；四是写出尚存在的问题或不足，说明今后有待研究解决的问题；五是补充交代正文没有涉及而又值得重视的情况或问题。调查报告常在结尾部分显示调查者的观点，对主体部分的内容进行概括、升华，因此，它的结尾往往是比较重要的一个部分。结尾常见的写法有以下三种。

1）概括全文，明确主旨。在调查报告结束的时候将全文归结到一个思想的立足点上，例如，《市属国有企业改革工作调查报告》一文的结尾：

以不断增强市属国有经济的活力、控制力和影响力为目标，坚持政企分开、政资分开，优化资产、合理重组，突出主业、做优做强，管理提升、转型增效，加快推进国有企业重组整合，建立完善现代企业制度，构建科学的国资监管体系，推动市属国有企业健康发展，实现国有资产保值增值。

这样的结尾为读者提供了清醒、理性的认识。

2）指出问题，启发思考。如果一些存在的问题还没有引起人们的注意，以及限于各种因素的制约，调查者不可能提出解决问题的办法，那么只要把问题指出来，引起有关方面的注意，或者启发人们对这一问题的思考，这一报告就是很有价值的。例如，《某市农产品市场调查报告》一文的结尾：

农产品销售市场萎靡的关键就在于市场信息渠道不够畅通，同时也存在政府的优惠政策没有落地的问题。目前，"三农"问题已经是各级政府关注的焦点，农产品销售是解决"三农"问题的突破口和瓶颈。当前，农业生产与经营的转型必须借助互联网技术来实现。农村从基层管理者到普通农户都要树立互联网思维，重视信息的作用，加大信息平台搭建的力度，最终解决信息渠道不畅的问题。

3）针对问题，提出建议。在揭示有关问题之后，为解决问题提供一些可行的建议。例如，专题调查《大学生消费情况调查报告总结》就写了一个建议性的结尾：

通过这次调查，我们基本掌握了当代大学生消费的趋势及现状。对大学生而言，培养独立的理财能力、科学的价值观应是当务之急。我们有理由相信，在社会各方面的共同努力下，中国当代大学生一定会形成一种更合理、更现实的消费观。

给大学生消费的一些建议如下。

1）消费需求理性化。享受与潮流已成为吸引大学生消费的主要因素。从调查的结果来看，大学生的消费观念与消费习惯需要调整并改善。

2）拒绝奢侈品的消费。作为一个学生，我们应该为自己、为家庭负责，减少那些为满足虚荣心而进行的不良消费。

3）调整消费结构。大学生消费应以饮食费用、购买学习资料和用品为主体。而最近几年，大学生消费结构失衡，这不仅反映了学习风气的恶化，也反映了人心的浮躁与社会对于大学生消费心理的影响。大学生的消费结构必须加以调整以适应其消费水平。

4）杜绝攀比心理，不过分追求时尚。大学生必须杜绝自己的攀比心理，不过分追求时尚。大学生本应以学习为主，一些不必要的消费本就不应成为每天最让大学生操心的事。在这方面的改进必然有助于大学生养成好的消费习惯。

5）树立经济独立意识与科学储蓄观念。大学生作为接受先进知识，随时走入社会的专业人才，很有必要在大学期间就尝试经济上的独立，培养一定的投资理念，并树立自己的科学储蓄观念。

3. 附录

有的市场调查报告还有附录。附录的内容一般是有关调查的统计图表、材料出处、参考文献等。

市场调查报告是对整个调查工作，包括计划、实施、收集、整理等一系列过程的总结，是调查者劳动与智慧的结晶，也是客户需要的最重要的书面结果之一。它是一种沟通、交流形式，其目的是将调查结果、战略性建议以及其他结果传递给管理人员或其他担任专门职务的人员。因此，认真撰写调查报告，准确分析调查结果，明确给出调查结论，是报告撰写者的责任。

## 8.1.3 撰写市场调查报告的核心要素分析

1. 撰写流程

（1）确定报告结构：明确报告的大纲，包括引言、市场概况、市场分析、竞争分析、消费者分析、SWOT分析、营销策略建议、结论和附录等部分。

（2）收集和整理数据：根据报告结构，收集相关的市场数据和信息，包括一手数据和二手数据。

（3）数据分析：运用统计学方法和市场分析工具对收集的数据进行分析，提炼出有价值的信息。

（4）撰写报告：根据分析结果，撰写报告的各个部分，确保逻辑清晰、论据充分。

（5）审阅和修改：对撰写的报告进行多轮审阅和修改，确保报告的准确性和专业性。

2. 撰写原则

（1）客观性：确保报告内容基于事实和数据，避免主观臆断。

（2）逻辑性：报告的论述应具有逻辑性，各部分之间应有清晰的联系。
（3）简洁性：避免冗长和复杂的表述，力求简洁明了。
（4）专业性：使用专业的市场分析术语和表达方式。

**3．注意事项**

（1）数据准确性：确保所使用的数据来源可靠，数据准确无误。
（2）保密性：对于涉及商业秘密的内容，应做好保密工作。
（3）版权问题：对于引用的数据和资料，应注明来源，尊重版权。
（4）格式规范：遵循企业或行业的报告格式规范，包括字体、字号、图表样式等。

**4．报告审阅**

（1）内部审阅：由项目团队成员进行初步审阅，提出修改意见。
（2）专家审阅：邀请市场分析专家对报告进行审阅，提供专业意见。
（3）客户审阅：在报告交付前，由客户进行最终审阅，确保满足客户需求。

### 8.1.4 市场调查报告的分析方法

初次撰写市场调查报告时，最重要的是学习他人撰写的优秀调查报告，仔细揣摩其撰写技法，不断提高对报告文体的感悟能力，直至能自己撰写报告。

**1．宏观市场环境分析**

（1）基于PEST分析模型从政治法律环境、经济环境、社会文化环境和技术环境四个方面分析行业的发展环境，帮助企业了解行业发展环境现状及发展趋势。
（2）行业上下游主要产业的供给与需求情况，主要原材料的价格变化及影响因素。
（3）行业的竞争格局、竞争趋势，与国外企业在技术研发方面的差距，跨国公司在中国市场的投资布局。

**2．微观市场环境分析**

（1）分析行业当前的市场容量、市场规模、发展速度和竞争状况。
（2）分析主要企业规模、财务状况、技术研发、营销状况、投资与并购情况、产品种类及市场占有情况等。
（3）分析客户需求，包括消费者及下游产业对产品的购买需求规模、议价能力和需求特征等。
（4）分析进出口市场，包括行业产品进出口市场现状与前景。
（5）分析产品市场情况，包括产品销售状况、需求状况、价格变化、技术研发状况、产品主要的销售渠道变化影响等。
（6）分析重点区域市场，包括主要竞争企业的重点分布区域、客户聚集区域、产业集群、产业地区的投资迁移变化。

**3．行业发展的关键因素和发展预测分析**

分析影响行业发展的主要敏感因素及其影响力，预测行业未来若干年的发展趋势，该行业的进入机会及投资风险，为企业制定行业市场战略、预估行业风险提供参考。

## 8.1.5 市场调查报告的特点

市场调查报告是基于调查资料的整理分析而撰写的，在撰写过程中，要尊重事实，对材料进行理性处理，防止个人主观臆断，得到材料背后的本质与规律，以此为企业决策者的决策提供依据和建议。

### 1. 注重事实

市场调查报告必须注重事实。调查报告是在占有大量现实和历史资料的基础上，用叙述性的语言，实事求是地反映某一客观事物。充分了解实情和掌握全面、真实、可靠的素材是写好市场调查报告的基础。它通过调查得来的事实材料说明问题、阐明观点，揭示市场运行规律，引出符合客观实际的结论。

市场调查报告的基础是客观事实，一切分析研究都必须建立在事实基础之上，确凿的事实是市场调查报告的价值所在。因此，尊重客观事实、用事实说话是市场调查报告的最大特点。写入市场调查报告的材料必须真实无误。只有用事实说话，才能真正提供解决问题的经验和方法，研究的结论才有说服力。如果市场调查报告失去了真实性，就失去了它赖以存在的科学价值和应用价值。

### 2. 以理服人

市场调查报告一般有明确的意向或以某一问题为导向，相关的调查取证都是针对和围绕某一综合性或专题性问题展开的，所以市场调查报告反映的问题集中而有深度。市场调查报告的主要内容是事实，主要表现方法是叙述，但市场调查报告的目的是从这些事实中概括出观点，这些观点是市场调查报告的灵魂。因此，占有大量材料不一定能写出好的市场调查报告，需要对调查材料加以分析综合，进而提炼出观点。

关于材料的研究，调查者要在正确思想的指导下，用科学的方法经过"去粗取精，去伪存真，由此及彼，由表及里"的过程，从事物发展的不同阶段找出起支配作用的、本质的东西，把握事物发展的内在规律，运用最能说明问题的材料并合理安排这些材料，做到既弄清事实，又说明观点。这就需要在对事实叙述的基础上进行恰当的议论，表达出报告的主题思想。议论是"画龙点睛"之笔，市场调查报告紧紧围绕事实进行议论，要求叙大于议，有叙有议，叙议结合，如果议大于叙，就成了议论文。所以，既要防止只叙不议，观点不鲜明，也要防止空发议论，叙议脱节。夹叙夹议是撰写市场调查报告的主要特色。

### 3. 语言简洁

市场调查报告离不开确凿的事实，但又不是材料的简单堆砌，而是对核实无误的数据和事实进行严密的逻辑论证，探明事物发展变化的原因，预测事物发展变化的趋势，提示本质性和规律性的东西，得出科学的结论。

市场调查报告的语言要简洁明快，其文体形式是充足的材料加少量的议论，不需要细腻的描述，只需要用简明朴素的语言报告客观情况。但由于市场调查报告涉及可读性问题，因此市场调查报告可以适当采用大众化的、生动形象的语言，同时注意使用一些浅显生动的比喻，增强说理的形象性和生动性，但生动形象的语言必须是为说明问题服务的。

另外，要注意市场调查报告的时效性，要顺应瞬息万变的市场形势。市场调查报告必须讲究时间效益，做到及时反馈，只有及时到达使用者手中，使决策跟上市场形势的发展变化，才能发挥市场调查报告的作用。

### 8.1.6 撰写市场调查报告的主要程序

撰写市场调查报告的主要程序包括确定主题、取舍材料、布局和拟定提纲、起草报告、修改报告这五个部分。

#### 1. 确定主题

主题是市场调查报告的灵魂，对市场调查报告的成败具有决定性意义。企业往往是围绕生产经营过程中存在的问题开展市场调查的。因此，在确定主题时要注意：报告的主题应与调查主题一致；主题宜小，且宜集中；主题要与标题协调一致，避免题文不符。

#### 2. 取舍材料

对经过统计分析与理论分析后得到的系统、完整的调查材料，在撰写市场调查报告时仍要精心选择，不可能也不必将所有材料都写入报告中，要注意取舍。那么如何选择材料呢？主要应注意以下三个方面。

（1）选取与主题有关的材料，舍弃无关的、关系不大的、次要的、非本质的材料，使主题集中、鲜明、突出。

（2）注意材料点、面、体的结合，材料不仅要支持报告中的某个观点，还要相互支持，既形成面上的"大气"，也要最终形成立体化体系。

（3）在现有的有用材料中，比较、鉴别、精选材料，选择最好的材料支持报告的观点，使每份材料充分发挥其价值。

#### 3. 布局和拟定提纲

布局和拟定提纲是市场调查报告构思中的一个关键环节。布局就是指市场调查报告的表现形式，反映在提纲上就是文章的"骨架"。拟定提纲的过程实际上就是把调查材料进一步分类、构架的过程。构架的原则是"围绕主题，层层进逼，环环相扣"。提纲或"骨架"反映的是市场调查报告的内在逻辑性，所以必须纲目分明、层次分明。

市场调查报告的提纲有两种：一种是观点式提纲，即将调查者在调查中形成的观点按逻辑关系一一列写出来；另一种是条目式提纲，即按层次意义表达上的章、节、目，逐一地写成提纲。也可以将这两种提纲结合起来布局和拟定提纲。

#### 4. 起草报告

起草报告是市场调查报告的行文阶段。在这一阶段，撰写者要根据已经确定的主题、选好的材料和写作提纲，有条不紊地撰写报告。在写作过程中，要从实际需要出发选用材料，灵活地划分段落。

在撰写报告时要注意：①结构合理（标题、导语、正文、结尾、落款）；②报告文字规范，具有审美性与可读性，例如，"制定优惠政策，引进紧缺人才""运用竞争机制，盘活现有人才"（文章段落的条目式观点）；③通俗易懂。注意对数字、图表、专业术语的使用，做到深入浅出，使语言准确、鲜明、生动、朴实，具有表现力。

起草报告的一般步骤如下。

（1）确定标题。市场调查报告的标题可以是公文式标题，即由调查对象和内容、文种名称组成，例如《关于2020年安徽省农村服装网络销售情况的调查报告》。值得注意的是，在实践中，撰写者常将市场调查报告简化为"调查"，这样也是可以的。标题也可以是文章式标题，即用概括的语言直接交代调查的内容或主题，例如《杭州城镇居民潜在购买力动向》。在实践中，有的市场调查报告的标题还采用双题（正副题）的结构形式，这一形式更为引人注目，富有吸引力。例如，《竞争在今天，希望在明天——全国洗衣机用户问卷调查分析报告》《市场在哪里——天津地区三峰轻型客车用户调查》等。

（2）提炼导语。导语又称引言，是市场调查报告正文的前置部分。导语要写得简明扼要、精练概括。导语一般应交代出调查的目的、时间、地点、对象及范围、方法等与调查相关的情况，也可概括出市场调查报告的基本观点或结论，以便读者对全文内容、意义等获得初步的了解。

（3）构思正文。这是市场调查报告最主要的部分。这部分详述市场调查研究的基本情况、做法、经验，以及分析基于调查材料所得出的各种具体认识、观点和基本结论。市场调查报告可以利用古代撰写文章的起、承、转、合的方法谋篇布局，在各段落层次之间合理设计衔接语词和句子，保证通篇表达流畅、符合逻辑。开篇可以简单介绍调查的主体，调查的时间、对象、范围以及调查的背景、条件、意义，接着可以说明调查的方法和要求以及相关调查的经验做法。构思正文时要设计好材料分析技术的使用，以及斟酌结论段落的字词、语句。文字务求精要，切忌材料芜杂。

（4）结尾。结尾部分要简洁有力，引人深思。尤其是对关乎企业未来发展战略的市场问题，撰写者要站在一定的历史高度预测、判断市场的未来趋势与方向，提升调查报告的使用价值。总之，调查报告的结尾要简洁有力，有话则长，无话则短，没有必要也可以不写。结尾主要是形成市场调查的基本结论，也就是对市场调查的结果做一个小结。有的市场调查报告还要在这一部分提出对策措施，供有关企业决策者参考。

5. 修改报告

在报告起草好以后，要对报告进行认真的修改。修改报告主要是指对报告的主题、材料、结构、语言文字和标点符号进行检查，并加以增、删、改、调。在完成这些工作之后，才能定稿向上报送或发表。

修改与完善是市场调查报告实现价值的核心内容，也是撰写报告的重点和难点所在。在这一步，撰写者要完整、准确、具体地对调查的基本情况进行详尽的梳理以及科学合理的分析预测，并在此基础上提出有针对性的对策和建议。这一过程具体包括以下三方面的内容。

（1）情况介绍确保详实，无重要遗漏。市场调查报告的情况介绍，即对调查所获得的基本情况进行介绍，是全文的基础和主要内容。撰写者要用叙述和说明相结合的手法，将调查对象的历史和现实情况（包括市场占有情况，供给与需求的关系，产品、产量及价格情况等）表述清楚。在具体写法上，撰写者既可以按问题的性质将其归结为几类，采用设立小标题或者摘要的形式编写，也可以以时间为序，或者列示数字、图表或图像等加以说明。无论如何，这一部分都要力求准确和具体，富有条理性，以便为下文进行分析和给出建议提供坚实充分的依据。

（2）分析预测的数据模型要保证准确科学。市场调查报告的分析预测，即在对调查所获得的基本情况进行分析的基础上对市场发展趋势做出预测，它直接影响到有关部门和企业决策者的决策行为，因而必须全面、准确。撰写者要采用议论的手法，对调查所获得的资料条分缕析，进行科学的研究和推断，并据此形成符合事物发展变化规律的结论性意见。用语要富有论断性和针对性，也要做到析理入微、言简意明，切忌脱离调查所获资料随意发挥。

（3）注重市场开发运作建议的准确、有针对性。这一内容是市场调查报告写作目的和宗旨的体现，要在上文调查情况和分析预测的基础上，提出具体的建议和措施，供决策者参考。要注意建议的针对性和可行性，使其能够切实解决问题。

⊙ 知识链接

## 市场调查报告的写作技巧

### 1. 要在收集材料上下功夫

市场调查报告的写作是"要我写"，而不是"我要写"，其内容很可能是撰写者从未涉及或是不感兴趣的，要想写出既具有理论性、政策性，又具有实践性、可行性的高质量的市场调查报告，如果没有大量素材做基础是不可能做到的。因此，撰写者必须在材料的收集上狠下功夫，建立自己的资料库。

收集材料主要从以下三方面着手。

（1）掌握政策，吃透上情。政策是上情，是市场调查报告立论的基础和依据，如果偏离、脱离、背离政策，市场调查报告就会失去应有的现实价值。因此，建立政策资料库，及时掌握政策十分必要。如今，计算机的运用很普遍，在收集政策资料时，应首选电子版，如果能够编纂印制成册最好。

（2）钻研理论，学透行情。理论是社会行情，是专家对前人的批判、超越，反映了社会对某个问题的新近认识，是撰写市场调查报告的源头活水，是提高市场调查报告质量的保障。如果不注重理论，市场调查报告就会陷入经验式总结，这样的市场调查报告就不可能具有深刻性、前瞻性。因此，撰写市场调查报告的人必须善于学习理论，善于站在理论的前沿思考问题。

（3）深入调查，摸透下情。基层是下情，没有调查就没有发言权，基层调查材料是决定市场调查报告质量的根本所在，因此必须在调查方式、调查内容上精心设计。

### 2. 要在应用转化上下功夫

调查研究是为了更好地指导和推动工作，市场调查报告不能是一堆正确而无用的废话，只有把调查研究成果转化为决策，应用到促进经济社会发展的实践中去，调查工作才有意义。因此，应不断提高调查成果的转化水平。起草报告时，要切实把握好以下两个原则。

（1）审时势，坚持全局意识。当今社会，宏观形势错综复杂，科技发展日新月异，各种思想相互碰撞，各种因素相互交织，新情况、新问题不断出现。同时，各级领导的知识面越来越宽，视野越来越开阔。因此，撰写者必须深刻把握影响市场调查报告成功的各种主要关系，努力找到"牵一发而动全身"的决策重点，提高建议措施的可行性，真正参到点子上，谋到关键处。

（2）写事实，坚持求是精神。以事实为依据是撰写市场调查报告应遵循的首要原则。在写作中要避免两种情况：一是先入为主，市场调查报告的撰写者不能把课题调查简单化为"做文章""写材料"，不要为了完成报告而带着已有的观点去找论据；二是报喜不报忧，对调查收集到的第一手资料，要认真分析研究，应正视困难、直面矛盾、有喜报喜、有忧报忧、喜不夸大、忧不回避，更不要移花接木。

### 3. 要在撰写程序上下功夫

一篇市场调查报告从动笔到最后定稿，需要经过起草、修改、审稿等多个环节，如果要避免走弯路，就要实现市场调查报告撰写步骤的科学化。

资料来源：瑞文网，《最新略谈调研报告的写作技巧》，2024年10月12日。

## 8.2 市场调查报告的价值分析

市场调查报告就是对企业市场营销战略与策略实施过程的价值分析和评价。市场调查报告基本上把市场营销理论的精髓部分都展现出来了，价值点包括市场细分、目标市场选择、市场定位，以及产品分析、价格分析、渠道分析、促销分析。

### 8.2.1 市场营销战略调查的价值

设计成功的市场营销计划的第一步是深刻理解市场结构及市场竞争的性质，战略性市场调查就是为管理者提供用于理解当前和今后市场上竞争环境的信息，以及决策的参考意见。

理解顾客对于同一类型产品的认知，确定产品之间的相似性和竞争关系，从而确定产品的定位或对原来的定位进行调整，进一步确定相应的竞争策略（营销组合策略）。其主要方法是通过对顾客的调查，获取顾客对相关产品（品牌）的认知信息，绘制认知图。

市场营销战略调查的价值主要体现在：开发并评估战略计划；了解市场竞争结构；连续追踪市场变化；选择正确的竞争目标并了解其不足之处；分析企业的营销投入对产品认知的影响；定位及重新定位某一品牌以吸引特定市场；对新产品分类延伸的成败概率提供建议。

市场战略分析包括三大部分，即市场细分、目标市场选择、市场定位。

（1）市场细分。进行市场细分的条件是细分市场存在并且可以确定。市场细分变量有行为因素、人口因素、心理因素、地理因素和利益因素。其基本思路包括从短缺到剩余，从大众消费到个性消费，从普遍营销到差异化营销，完成市场细分就是将顾客及潜在顾客按照其对某一个或某几个营销组合变量的敏感度进行分组。

（2）目标市场选择。目标市场选择是根据自身产品及服务的特点，与竞争者的产品差异化和个性化情况，市场占有率和覆盖率，产品在特定市场的总体满意度、认可度和忠诚度等以及整个市场的总体需求量和供应量来确定目标市场。

（3）市场定位。市场定位是根据细分获得的市场信息，以产品或服务的具体销售目标为调查目的，确定产品或服务的最终市场定位。

## 8.2.2 市场营销策略调查的价值

市场营销策略就是传统的4P营销理论的具体运用，包括产品（Product）策略、价格（Price）策略、渠道（Place）策略、促销（Promotion）策略以及这些策略的组合。

（1）产品策略。调查报告应该主要从以下六个方面来分析产品。

1）产品的性能分析：①产品的性能有哪些；②产品最突出的性能是什么；③产品最适合顾客需求的性能是什么；④产品的哪些性能还不能满足顾客的需求。

2）产品的质量分析：①产品是否属于高质量的产品；②顾客对产品质量的满意程度如何；③产品的质量能否继续保持；④产品的质量有无继续提高的可能。

3）产品的价格分析：①产品价格在同类产品中居于什么档位；②产品的价格与产品质量的配合程度如何；③顾客对产品价格的认识如何。

4）产品的材质分析：①产品的主要原料是什么；②产品在材质上有无特别之处；③顾客对产品材质的认识如何。

5）产品的生产工艺分析：①产品采用什么样的生产工艺；②产品在生产工艺上有无特别之处；③顾客是否喜欢采用这种生产工艺的产品。

6）产品的外观与包装分析：①产品的外观与包装是否与产品的质量、价格和形象相称；②产品在外观和包装上有没有缺陷；③外观和包装在货架上的同类产品中是否醒目；④外观和包装对顾客是否具有吸引力；⑤顾客对产品外观和包装的评价怎么样。

（2）价格策略。价格策略是指企业通过对顾客需求的估量和成本分析，选择一种能吸引顾客、实现市场营销目标的策略。在市场调查过程中，要高度关注价格策略。价格策略的确定一定要以市场调查信息为依据，以科学规律的研究为基础，以实践经验判断为手段，在维护商家和顾客双方经济利益的前提下，以顾客可以接受的水平为基准，结合调查数据，根据市场变化情况灵活反应、客观制定双赢的价格决策。

（3）渠道策略。在市场调查报告，通过统计全部市场不同营销渠道的比例或销售量，更详细地分析个别产品各营销渠道的利润率水平。由于通常缺乏足够的统计数据，因此进行营销渠道调查很困难，但仍然可以进行。

在渠道调查中，对供应商的调查是重点所在，通过产品供应商进行调查最为方便，这样不但可以缩小受访者的范围，而且能针对了解营销渠道状况的人员进行调查。渠道调查有时可以同顾客对于营销渠道的偏好与满意度调查相结合。渠道调查最主要的目的是帮助顾客选择最有效及最易获得利润的营销渠道。

以往当新产品推出后，即使价格、目标顾客与以往的产品大不相同，企业也会采用既有的营销渠道，但现在新产品或新市场的获利及市场渗透不允许企业随便选择营销渠道。渠道策略的主要目的是缩短产品前期促销时间，增加利润，提高市场占有率及渗透率等。

数字经济背景下的渠道调查具有更多利润空间和技术内涵。全球市场竞争的日益激烈，促使各企业开始研究如何改变营销渠道以占有更大的市场，获取更大的利润。许多知名企业都因为其营销渠道策略选择失当而导致利润大减。

（4）促销策略。调查者需要与目标顾客取得有效的信息沟通和联系，同时，在面对竞争的情况下，还需要说服和刺激顾客产生购买本企业产品的意愿，因此就需要寻找一种有效的沟通方法。这些都需要企业的营销人员掌握在营销活动中开展有效的促销活动的技巧与说服艺术，以实现企业既定的营销目标。

许多企业主要依靠一两种营销沟通手段以达到其目的，但是经济环境的迅速变化，如大市场细分为许多小的子市场、最新媒体的运用及消费者需求的复杂化，使得每个细分市场都需要有自己的沟通手段，而沟通手段、信息及对象的多样化使企业对沟通工具的综合运用变得极为重要，如借助网络形式直播带货，可以缩短营销渠道，提高消费体验与效果。

在市场营销策略调查中，促销调查是重点内容，具体包括以下三个方面。

1）广告调查。广告的最终目的是提高企业的经济效果，因此，每个企业都应当重视对广告本身经济效果的调查，积累经验，从而提高日后的广告效果。

2）营业推广效果调查。营业推广的目的是取得一定的经济效果，因此，企业应重视对营业推广效果进行的调查和评价，这有利于企业积累经验，为今后开展更有效的营业推广活动打下基础。企业可以从多种途径调查营业推广效果，其中最主要的途径有三种。第一，对营业推广前、营业推广期间以及营业推广后三个时期的销售额进行比较。通过比较营业推广前和营业推广期间的销售额，企业就能发现该项营业推广的短期效果；通过比较营业推广前后的销售额，企业就能分析出该项营业推广对后来产品销售的影响。第二，进行消费者调查，了解消费者受营业推广影响的程度，调查大约多少人参与其中并从中得到某些利益，以及营业推广对他们今后的购买行为有什么影响。第三，试验法，即企业在不同地区采用不同的营业推广方案，然后比较多种方案的效益。

3）人员推销效果调查。评价人员推销的效果基于以下因素：第一，根据有关信息评价推销人员，这些信息的来源包括推销人员的工作报告、顾客来信，以及通过顾客调查和企业管理者同其他推销人员的交谈获取的信息；第二，推销人员之间的比较，其中包括推销成绩的比较，但由于各个地区不同的市场潜力、竞争状况等因素会影响推销人员的工作成绩，因此，还要比较推销人员的工作态度、对企业的奉献精神等；第三，对推销人员进行历史比较，即把推销人员现在的工作效率、工作成绩同过去的情况进行比较，以了解推销人员掌握的企业知识、产品知识、顾客和竞争者知识的情况。

（5）营销组合策略。20世纪50年代，美国哈佛大学教授尼尔·鲍顿（N. H. Borden）提出了营销组合的概念，并确定了营销组合的12个要素。随后，理查德·克莱维特（Richard Clevit）把营销组合要素归纳为产品、定价、渠道、推广。伴随市场变化不确定性的增加，单一营销策略已难以为继，市场营销组合的使用越来越普遍，组合拳成为市场竞争的撒手锏。企业开展市场调查活动时要高度关注竞争对手的市场营销组合模式，把调查结果作为制定企业未来营销策略的基础，这样可以保证企业从整体上满足顾客的需求，抵消单一营销策略带来的被动性。

## 本章小结

一篇完整的市场调查报告包括扉页、正文、附录等部分。撰写市场调查报告的主要程序包括确定主题、取舍材料、布局和拟定提纲、起草报告和修改报告五个步骤。对市场调查报告的价值分析主要是对市场营销战略调查的价值和市场营销策略调查的价值的分析。

## 复习思考题

### 一、单项选择题

1. 市场调查报告可以采用公文式标题。公文式标题多数由（　　）构成。
   A. 主体和副标题　　B. 事由和文种
   C. 事由和副标题　　D. 副标题

2. 介绍典型经验的市场调查报告和反映新生事物的市场调查报告的标题写法是（　　）。
   A. 正副题结合式　　B. 正标题
   C. 副标题　　D. 提问式标题

3. （　　）是市场调查报告的开篇部分，一般说明市场调查的目的和意义，介绍市场调查工作的基本概况。
   A. 前言　　B. 主体部分
   C. 结尾　　D. 附录

4. （　　）是市场调查报告最主要的部分。
   A. 前言　　B. 主体
   C. 结尾　　D. 附录

5. （　　）是市场调查报告分析问题、得出结论、解决问题的必然结果。
   A. 前言　　B. 主体部分
   C. 结尾　　D. 附录

6. 市场调查报告必须注重（　　）。市场调查报告是在占有大量现实和历史资料的基础上，用叙述性的语言实事求是地反映某一客观事物。
   A. 问题　　B. 事实
   C. 资料　　D. 方法

7. 市场调查报告的语言（　　），要求充足的材料加少量的议论，不要求细腻的描述，只需要用简明朴素的语言报告客观情况。
   A. 简洁明快　　B. 情真意切

   C. 动人心弦　　D. 引人深思

8. 市场调查报告的提纲有两种：一种是观点式提纲，另一种是（　　）式提纲。
   A. 栏目　　B. 条目
   C. 细分　　D. 选题

9. 市场调查报告撰写活动就是对企业营销战略与策略实施过程的（　　）分析和评价。
   A. 价值　　B. 背景
   C. 情况　　D. 战略

10. 渠道调查中的重点调查内容是对（　　）的调查。
    A. 供应商　　B. 顾客
    C. 竞争对手　　D. 合作企业

### 二、多项选择题

1. 市场调查报告要用能揭示内容中心的标题，具体写法有（　　）。
   A. 公文式标题
   B. 一般文章式标题
   C. 提问式标题
   D. 正副题结合式标题
   E. 提问形式标题

2. 市场调查报告的前言一般根据主体部分组织材料的结构顺序来安排，常用的有（　　）。
   A. 提要式　　B. 交代式
   C. 问题式　　D. 客观式
   E. 时空式

3. 市场调查报告主体结构安排的主要形式有（　　）。
   A. 用观点串联材料
   B. 以材料的性质归类分层

C. 以调查过程的不同阶段自然形成层次

D. 以材料的数量归类

E. 以材料来源渠道分层

4. 结尾往往是市场调查报告比较重要的一个部分，常见的写法有（　　）等。

A. 概括全文，明确主旨

B. 指出问题，启发思考

C. 针对问题，提出建议

D. 收集资料，形成方案

E. 明确战略，细化对策

5. 评价一篇市场调查报告是否优质主要看（　　）等。

A. 调查题目与陈述方面

B. 文献探讨方面

C. 调查方法与步骤方面

D. 结果分析与讨论部分

E. 结论和建议部分

## 课堂实训

### 市场调查报告的撰写任务单

| 任务名称 | 市场调查报告的撰写 | | 学时 | 2+课外 | 班级 | |
|---|---|---|---|---|---|---|
| 学生姓名 | | 学生学号 | | 组别 | 任务成绩 | |
| 实训设备 | | | 实训场地 | | 日期 | |
| 任务内容 | 根据教师所给的资料，进行资料与数据的统计和整理，以及宏观环境分析、消费者分析、竞争者分析，按照市场调查报告的格式要求撰写市场调查报告 | | | | | |
| 任务目的 | 掌握调查数据、资料的整理与分析方法，学会市场分析，掌握市场调查报告的写作要求，学会撰写市场调查报告 | | | | | |
| 明确任务，获取信息 | 1. 阅读任务要求，明确任务内容和任务目标<br>2. 阅读教材中的相关理论知识<br>3. 阅读其他市场调查案例及其他网络资料，熟悉市场调查报告的写作要求<br>4. 了解相关统计软件的使用方法 | | | | | |
| 决策与计划 | 请根据任务背景和任务要求，确定所需要的学习资料，并对小组成员进行合理分工，制订计划 | | | | | |
| 实施 | 1. 问卷调查数据的录入与整理（Excel或SPSS等统计软件）<br>2. 对二手资料及实地调查资料进行整理和分析（以Word格式保存）<br>3. 撰写市场调查报告（以Word格式另附页） | | | | | |
| 检查 | 根据理论和实践中的结果，结合课堂交流与教师点评，对实训任务的完成质量进行检查并修正 | | | | | |
| 评估 | 自我评价 | | | | | 评分（满分15） |
| | 组内互评 | 学号 | 姓名 | 评分（满分20） | 学号　姓名 | 评分（满分20） |
| | | 注意：最高分与最低分相差最少为5分，同分人最多为3人，某一成员分数不得低于或高于平均分5分 | | | | |
| | 小组互评 | | | | | 评分（满分25） |
| | 教师评价 | | | | | 评分（满分40） |

## 案例分析

案例1

# QB 乡农家乐经营调查报告

### 1. 农家乐对经济社会发展的意义

各地对农家乐的定义不尽统一，但基本意思相近，即利用庭院、堰塘、果园、花圃、农场等自然资源和乡村文化资源优势，为游客提供观光、娱乐、运动、住宿、餐饮等服务的经营实体。简单来说，农家乐就是为游客提供吃、住、玩等服务的休闲场所。

农家乐对经济社会发展的意义如下。

（1）满足了城市居民短程出游的需要。随着自驾游的迅速发展，城市人群需要寻找近郊观光目的地。

（2）实现了人与自然的和谐发展。农家乐作为一种文化现象，在满足人们不同需求的同时，也兼顾了人与自然的和谐发展。

（3）促进了消费，带动了相关产业的发展。品牌化发展是农家乐经营的必然趋势，农家乐的品牌大多与农村产业联系在一起，扩大了消费需求。

（4）增加了农民收入。QB 乡农民人均占有的耕地面积在一亩⊖左右，在这样面积并不大的耕地上想创造高产值，只靠种地是不可能的。依托城市，针对城市居民的需求，利用农民自有的资源开展农家乐经营，可以有效地提高农民收入，是开拓农村市场的有效思路。

### 2. QB 乡农家乐基本情况

（1）农家乐旅游作为一种旅游形式，已是生态旅游的一个重要分支，对资源开发和农民就业增收有极为重要的意义。近年来，QB 乡结合本地资源特点，强化引导和政策扶持，培育了排楼杨梅基地、杨家种业合作社、薛家蜜桃基地等一批小有规模的农家乐。全乡共有农家乐 15 户，直接就业人员 100 人，年收入 400 余万元。

（2）QB 乡农家乐主要有以下特点。

1）消费水平不高。QB 乡的综合收入水平和消费水平都不高，多数农家乐采取低廉价格的经营策略来吸引游客，通过"薄利多销"支撑生意。根据调查，QB 乡农家乐一般的消费标准为每人每次 50～100 元，这一标准主要用来满足游客将采摘品带回家自己食用的需求；高档消费为每人每次 100～300 元，这一标准主要是满足游客购买摘下来的水果带回去馈赠亲朋好友的需求。

2）消费人群广。多数游客认为，农家乐是一种追求清静、亲近大自然的休闲方式。其消费人群覆盖了社会的各个阶层，而且大多数消费人群是来自周边地区的工薪阶层，也有不少退休的人前来消费。大多数人到农家乐是为了喝茶、打扑克、搓麻将，品尝农家菜，摘水果。

3）经营地理位置好、季节性强。QB 乡自然环境优美、地势起伏、错落有致、景观别致，距离城市只有 13km。城市居民在工作之余需要找一个幽静的环境放松一下，QB 乡农家乐恰好迎合了城市居民的这种需求。大多数农家乐属于户外活动，季节性较强，一般有效经营时间为三个多月，多在春天花开的季节和秋天收获的季节。

---

⊖ 1 亩 = 666.67m$^2$。

（3）QB乡农家乐存在的不足。近年来，QB乡的新农村建设始终排在全县前列，已有30多个新农村点，这成为开发乡村游、建设农家乐的有效载体。但QB乡的农家乐发展还未能成为县域经济和农民收入的重要增长点，总体来看，有五大瓶颈制约着QB乡农家乐旅游的发展。

1）发展未成规模。在QB乡农家乐中发展较好的仅有6家，远远跟不上新农村建设的步伐。而且大多数农家乐只停留在"吃"上，没有将特色农家风味、人居环境、服务水平放在重要位置，在经营特色、服务质量上花的心思不多。

2）宣传力度不够。农家乐的宣传主要靠"回头客"和口碑传播，而主动借助中介组织宣传和参加集体促销的意识与要求不强烈，由于游客潜在的需求没有得到很好的组织和引导，因此很难转化为强大的消费力。

3）基础设施不全。目前，农家乐旅游大多是以农民投资为主体，农民的投资能力有限，造成农家乐缺乏自身必要的配套设施，项目单一、滞后，亟须政府对其公共基础设施进行完善和管理。

4）市场定位不明。大部分农家乐旅游除为游客提供必要的吃、住、玩等服务外，没有开发独特的旅游项目（如干农家活、享农家乐趣等），因而很难满足城市居民在这方面的需求。

5）缺乏发展规划。QB乡农家乐旅游大多处于初级阶段，缺乏长期的发展规划和发展战略，这使得农家乐的旅游特色不明。

### 3. 加快发展的方向和措施

受财政体制和农民收入水平的影响，QB乡农家乐的旅游发展必须因地制宜，通过各方资源的最佳整合，花最少的钱，办最好的事，从而形成"政府引导、需求拉动、政府推动、部门联动、全民参与"的格局，促进农家乐有序、健康地发展。具体措施如下。

（1）农家乐积极发挥主体作用。

1）农家乐的发展要坚持可持续发展的原则。农家乐旅游是生态旅游的一个分支，而可持续发展又是生态旅游的必备条件，因此，农家乐必须以可持续发展为前提。农家乐是以环境优美的自然乡村为背景，在不影响农事、维持农耕和民俗的前提下，为游客提供各种各样的乡村旅游服务，为农民增收的一种可持续增长的旅游模式。

2）农家乐的经营要加强管理、规范服务。要引导农家乐经营户树立遵纪守法、合法经营的思想观念，以优质的服务和风格独具的"农"家特色吸引广大游客。同时，要为农家乐的发展提供高效优质的服务，要加强对农家乐经营者和从业人员的培训，包括服务规范、卫生防疫、消防安全等方面。注重规范发展，保证质量。

3）加强宣传，增强品牌意识，扩大影响力。以节庆活动为载体，实现多种宣传手段并举。将农家乐的特色项目制作成宣传折页和宣传画册对外进行全面的宣传推广；邀请新闻媒体拍摄农家乐宣传片并进行专题报道，以扩大影响力。

4）农家乐的发展要科学规划、因地制宜。要使农家乐项目健康、快速地发展就要进行科学的规划和设计。政府要充分发挥指导作用，为农家乐旅游开发提供便利，帮助农民做好策划、宣传和管理工作，不断改善农家乐旅游的发展环境，逐步改变发展过程中存在的规模小、分布散、项目单一、层次不高、发展无序的状况。要因地制宜，突出特色，做精农家乐品牌，提高农家乐旅游的文化品位和服务档次。

5）农家乐的活动要与乡村主题活动相结合。在乡村主题活动中，农家乐作为提供餐饮、休闲等服务性活动的平台，既要保障后勤服务，又要有自己鲜明的主题活动。

（2）政府积极引导，加强监管。

1）建立组织，保障发展。为保障农家乐产业的持续健康发展，政府要既不缺位，也不越位。政府要为农家乐产业发展健全组织体系，成立农家乐项目领导小组，统筹领导全乡的农家乐项目，协调解决农家乐发展中存在的问题和困难。领导小组办公室可设在各乡新农村建设办公室，将新农村建设和农家乐产业发展有机统一起来。

2）打造精品，示范发展。按照一村一品的发展要求，选择产业基础较好的村，比如排楼、薛家等村，推出"排楼杨梅""薛家蜜桃""QB钓鱼"等农家乐休闲精品项目，进一步强化示范发展的作用。

3）科学规划，引导发展。按照"因地制宜、合理布局、突出特色、持续发展"的原则，将农家乐的发展与推进村庄环境整治和农业基础设施建设结合起来，与发展高效农业结合起来，充分利用自然景观、田园景观、村居民舍等资源，实现互促互动。根据新的变化形势，下一步将按一村一品的发展要求来促进乡村农业产业的发展，形成乡村旅游业和特色农业这两条主线的协调发展。

4）政策引导，扶持发展。在项目建设、发展方面为重点村提供资金保障、技术指导及人才培养等支持。政策扶持主要体现在两方面：一是简化审批程序，政府出面积极与工商、税务、卫生、消防、国土等职能部门协调，在审批农家乐建设项目时简化程序，提高效率。二是提供资金政策帮助，政府层面与农村信用社沟通，为经营户提供信贷支持，帮助解决农家乐在发展过程中的资金需求问题，并在贷款利率上给予优惠支持。

资料来源：根据网络公开资料改编。

问题：

1. 本案例问题的提出方式是什么？
2. 调查的主要目标是什么？
3. 调查报告的撰写方法和思路是什么？
4. 模仿本文撰写一篇校园周边商业街区内某一商业项目的发展报告。

**案例2**

## 毕马威中国重磅发布证券业最新调查报告

毕马威中国发布的《2023年中国证券业调查报告》是毕马威中国连续17年面向中国证券行业的年度调查报告。报告认为，在市场机遇与监管环境因素的双重推动下，中国证券行业转型迎来加速期，不仅要紧跟全面注册制新导向，提升研究、定价、销售等能力，强化海外业务洞察、夯实全面风险管理能力，也要筑牢网络和信息安全防线，借科技之手，对证券公司合规内控管理实现赋能提效，同时践行ESG理念，发挥绿色纽带作用，促进资本市场可持续转型。

这份报告从中国证券业协会公布的140家内地证券公司2022年的年度报告出发，以详实的数据分析为基础，从行业动态、政策趋势和业务发展等维度，分析中国证券行业在新时期面临的机遇和挑战，助力行业在高质量发展的征途上不断识局、谋局和破局。

报告认为，中国证券行业坚持践行高质量发展理念，不断提升服务实体经济的能力，但受多重挑战因素影响，2023年中国证券行业实现营业收入和净利润分别为3 950亿元和1 433亿元（母公司财务报表口径）。证券公司整体收入结构与上年基本保持一致，但各业务条线收入较上年均有不同程度的回落。短期承压不改长期向好的大势，中国证券行业的高质量发展更需要坚定信心、勇挑重担。应对挑战时敢于逆势而上，在改革和转型上久久为功；面对机遇时善于顺势而为，继续提升优势和长处。

2023年以来，资本市场的深化改革马不停蹄，注册制全面实施、互联互通机制深化、个人养老金制度落地、券商资管公募化转型、科创板做市业务启动等一系列资本市场基础制度完善与创新举措的推进，均持续推动证券行业积极融入国家发展大局，充分发挥资本市场枢纽的重要功能。

毕马威中国金融服务业主管合伙人张楚东表示："作为资本市场的关键组成部分，证券行业认真贯彻党的二十大精神，服务国家改革发展大局，以综合金融服务推动实体经济持续高质量发展。全面注册制的落地，为健全中国特色多层次资本市场体系、推动企业融资高质量发展及持续激发市场活力提供全新指引。"

近年来，一系列资本市场双向开放政策渐次落地，我国国际化进程的步伐不断加快，国际竞争力不断提高。毕马威亚太区证券及基金业主管合伙人廖润邦认为："证券行业积极投身'一带一路'的建设，加速推进国际化进程，助力中国经济更持续、更充分地利用国际国内两个市场、两种资源，加速自身新旧动能转换。"

近年来，监管政策接踵而至，从顶层设计层面提出了高质量推进金融业数字化转型计划，促使当下证券行业进入数字化转型深水期的关键节点。毕马威中国证券及基金业咨询主管合伙人郑昊认为："在内控合规管理的数字化方面，未来证券公司将结合内控合规应用场景的展开，以及基础内控合规信息数字化程度的提升，结合科技手段，进一步对证券公司合规内控管理实现赋能提效。"

资料来源：文汇报百家号，《转型加速！毕马威中国重磅发布证券业最新报告》，2023年8月15日。

**问题：**
1. 毕马威中国的调研报告在第一段阐述了什么观点？对证券行业有何指导意义？
2. 证券行业基本态势如何？资本市场的深化改革举措和成效如何？
3. 资本市场双向开放政策如何推进金融业国际化？金融业数字化转型对内控合规提出了哪些更高要求？本报告专业性较强，在撰写报告时候应该运用哪些专业知识，请谈谈自己的体会。

## 知识解析

# 第 9 章　市场预测

◦ 学习目标

1. 了解市场预测的基本原理，熟悉市场预测的基本方法和预测工具。
2. 掌握各种市场预测的模型和预测过程。全面了解预测的意义以及预测终极作用。
3. 掌握定性预测的基本概念、特点及规则要求。
4. 熟悉定性预测的适用范围，了解定性预测的发展历程。
5. 掌握定性分析类型、特点及其实际应用，理解定性向定量过渡的节点和环节。

◦ 引导案例

## 功能性饮料市场发展趋势预测

功能性饮料市场近年来迅速增长，涵盖能量饮料、运动饮料、健康饮品等多个细分市场。功能性饮料通常含有维生素、矿物质、氨基酸、咖啡因等成分，旨在提升体能、增强免疫力或改善心理状态。当前市场趋势显示，消费者更加注重产品的天然、低糖、无添加，以及特定功能如助眠、抗氧化等，促使厂商不断推出创新配方。

功能性饮料的未来将更加注重科学验证和个性化定制。随着精准营养学的发展，饮料配方将更加精准地针对不同人群的健康需求，如按年龄、性别、生活习惯定制。同时，植物基成分、超级食物的加入，以及微生物组学的应用，将推动功能性饮料向更加自然、健康和高效的方向发展。此外，环保包装和可持续供应链也将成为行业关注的焦点。

《全球与中国功能性饮料市场现状调研与发展趋势预测报告（2025年版）》是功能性饮料领域比较专业和全面系统的深度市场研究报告。该报告首先介绍了功能性饮料的背景情况，包括功能性饮料的定义、分类、应用、产业链结构、产业概述、功能性饮料行业国家政策及规划分析、最新动态分析等。

功能性饮料市场的研究涵盖了产品分类、产品应用、发展趋势、产品技术、竞争格局等，还包括全球主要地区和主要企业功能性饮料的价格、成本、毛利、产值等详细数据。

资料来源：产业调研网。

## 9.1 市场预测概述

市场预测是指企业在市场调查获得一定资料的基础上，针对企业的实际需要以及相关的现实环境因素，运用已有的知识、经验和科学方法，对企业和市场未来发展变化的趋势做出适当的分析与判断，为企业制定营销活动决策等提供可靠依据的一种活动。

### 9.1.1 市场预测的原理

目前，市场包括产品市场和服务市场两个部分。由于各自有自身的特点和运营规律，所以在预测中应根据国家产业政策和地域历史情况进行预测，以保证预测的精准性。

基于"未来＝现在＋过去"这个等式，根据预测主体的不同、不同时间以及相关变量的趋势变化，可以设计出不同的预测模型，总结出不同的预测方法。

随着对"已知→未知"过程的逻辑关联的理性认识不断增强，人们通过"过去→现在→将来"三者的相互联结来掌握事物的本质、规律、趋势，这是一种以逻辑知识为基础的认识过程，是对过去及现在经验的理性分析，其实质是展示预测者自身分析问题的能力和水平。

市场预测的原理包括相关性原理、惯性原理、类推原理和概率推断原理。

#### 1. 相关性原理

事物都是以自己的对立面为存在前提的，在对立面或具有函数关系的要素关系中，相互促进就是正相关，反之就是负相关，所以最典型的相关性是正相关和负相关。

（1）正相关是指事物之间相互促进、相互赋能的关系。例如，有企业根据"二孩将成为生育趋势"的政策信息来推断玩具、教育相关产品和服务的市场将会火爆，提前布局，争得先机。预测中应充分考虑这方面因素的影响。

（2）负相关是指事物之间相互制约、相互消减的关系。一种事物的发展导致另一种事物受到限制，特别是"替代品"，比如资源政策、环保政策出台必然导致"一次性资源"替代品的出现。再比如国家鼓励使用电动汽车，会对燃油汽车的销售产生影响；打车软件的出现，对传统出租车行业的市场份额冲击成为必然。

#### 2. 惯性原理

类似牛顿第一定律，在没有外力作用下，物体会保持静止或匀速状态不变。惯性使得事物之间的衔接性和连贯性增强，显示出平滑运动变化的情况。任何事物的发展都具有一定的惯性，即在一定时间、一定条件下保持原来的趋势和状态，这也是大多数传统预测方法的理论基础，比如"线性回归""趋势外推"等。

#### 3. 类推原理

类推原理是指根据事物之间的关系，利用逻辑学中的不同推理方法，进行演绎推理、归纳推理和类比推理。不同推理的严谨程度差异，导致方法、信度与效度的差异。类推原理建立在"分类"的思维高度，更加关注事物之间的关联性。

**4. 概率推断原理**

人们在不可能完全把握未来的情况下，根据所获得的经验和历史资料，很多时候能大致预估一个事件发生的概率，根据这种可能性采取对应措施。例如，扑克、象棋游戏和企业博弈型决策都在不自觉地使用这个原理。

### 9.1.2 市场预测的分类

市场预测按照不同的划分标准分成不同类型，这些类型之间既有质的差异又有一定的关联。

**1. 根据预测范围分类**

根据预测范围不同，市场预测分为宏观市场预测和微观市场预测。

（1）宏观市场预测是对整个市场未来发展的预测分析，是研究总量指标、相对数指标以及平均数指标之间的联系与发展变化趋势的预测方法。宏观市场预测对企业确定发展方向和制定营销战略具有重要的指导意义。

（2）微观市场预测是对生产单元、业务模块、公司或企业的营销活动范围内的各种预测。微观市场预测是企业制定正确营销战略的前提条件，是宏观市场预测的基础和前提，宏观市场预测是微观市场预测的综合与扩大。

**2. 根据预测时间分类**

根据预测时间不同，市场预测分为近期预测、短期预测、中期预测和长期预测。

（1）近期预测是时间在1周至1季度之间的预测。近期预测有助于企业及时掌握市场动态。

（2）短期预测是时间在1季度至1年之间的预测。短期预测可以帮助企业适时调整营销策略，实现企业经营管理的目标。

（3）中期预测是时间为1～5年的预测。中期预测可以帮助企业确定营销战略。

（4）长期预测是时间在5年以上的市场变化及其趋势的预测。长期预测为企业制定总体发展规划和重大营销决策提供科学依据。

**3. 根据预测对象分类**

市场预测根据预测对象的不同分为单项产品或服务的预测、同类产品或服务的预测、产品或服务总量的预测。

（1）单项产品或服务的预测是市场预测的基础。它按照产品或服务的品牌、规格与功能进行预测，为企业编制季度计划、年度计划与安排生产或进度提供科学依据。

（2）同类产品或服务的预测是按照产品或服务类别进行预测。一般而言，它按照同一大类产品的具体标志性特征进行具体预测。

（3）产品或服务总量的预测是对消费者需要的各种产品或服务的总量进行预测。这种预测一般属于行业预测。

#### 4. 根据预测的性质分类

市场预测根据预测的性质不同分为定性预测和定量预测。

（1）定性预测是研究和探讨预测对象在未来市场所表现的性质。定性预测主要通过对历史资料的分析和对未来条件的研究，凭借预测者的主观经验、业务水平和逻辑推理能力，对未来市场的发展趋势做出推测与判断。定性预测简单易行，主要采取语言描述的方式，在对预测精度要求不高时较为可行。

（2）定量预测是确定预测对象在未来市场的可能数量。定量预测以准确、全面、系统、及时的资料为依据，运用数学或其他分析手段，建立科学合理的数学模型，用图表、数据、曲线等方式处理数据，对市场发展趋势做出数量分析。定量预测主要包括时间序列预测与因果关系预测两大类。

## 9.2 产品市场预测

市场预测同市场调查一样是企业生产经营活动的起点和基点，其预测的整个过程都是围绕企业的经营活动展开的。产品市场预测主要应用在制造业、商品流通业等商品销售与生产领域。产品市场预测主要是对未来市场容量、占有率、购买能力等的预测。

### 9.2.1 产品市场预测的内容

由于区块链技术的应用，市场预测的内容不断扩展与质量不断提升形成同步效应，这一切都取决于信息技术应用的场景拓展与程度加深，而且这也使预测从虚拟到现实有了更大的扩展空间。从产品市场的预测到服务市场的预测，在传递信息的过程中不仅保证了信息的保密性和完整性，而且通过区块链技术，信息的不可否认性和不可篡改性得到保证。

#### 1. 上游市场的预测

产品市场的预测应立足于整个供应链与区块链，对从原料供应到产品交付以及后续服务的全过程进行预测。

上游市场的预测主要从以下几方面进行。

（1）原材料供应的保证程度。这是对当前和今后一段时间内企业生产产品所需原材料供应的保证程度进行充分的估计，其中包括原材料的质量、数量、经济性、工艺要求和物流渠道等，并且做好使用代用材料的准备。

（2）能源与社会无形资源的保证程度。比如原材料、辅料、损耗性材料以及专利、工艺等。

（3）使用新材料或新的商业模式的可能性。新技术的推广、新材料的研制成功、新发明的应用等都可能引起原材料的变化，因此，企业应对这方面及早进行预测，以争取主动权，采取积极措施，提高产品的竞争力。

（4）资源综合利用的可能性及其发展趋势。资源综合利用会给企业带来新的生产力，提供新的原材料，开拓新的生产领域，或使产品具有更加广阔的市场前景。

⊙ **知识链接**

区块链在市场预测中的具体应用场景包括但不限于以下几个方面。

（1）数字货币：区块链技术作为数字货币的底层技术，实现了无须第三方中转或仲裁的电子现金系统，如比特币。同时，中国也在积极推进央行数字货币（DC/EP）的研发与应用。

（2）金融资产交易结算：区块链技术在支付结算、证券发行交易、数字票据和供应链金融等领域的应用，能够降低跨行跨境交易的复杂性和成本，提高交易效率和安全性。

（3）数字政务：区块链技术在简化政府办事流程、提高效率方面具有显著优势。例如，区块链发票、扶贫资金管理等领域的应用，能够实现数据的透明使用、精准投放和高效管理。

（4）存证防伪：区块链技术在司法鉴证、身份证明、产权保护、防伪溯源等领域提供了解决方案。通过区块链技术的数字签名和链上存证，可以对各类内容进行确权，并通过智能合约创建执行交易。

（5）数据服务：区块链技术优化大数据应用，尤其在数据流通和共享上发挥作用。它保证了数据的真实性和高质量，有助于解决"数据垄断"和"数据孤岛"问题，实现数据流通价值。

（6）产品溯源：在食品医药、关键零部件、装备制造等领域，区块链技术用于建立产品溯源体系，实现全生命周期的追踪溯源，提升质量管理和服务水平。

（7）供应链管理：推动企业建设基于区块链的供应链管理平台，提升供应链效率，降低企业经营风险和成本。

（8）数据共享：利用区块链打破数据孤岛，实现数据采集、共享、分析过程的可追溯，推动数据共享和增值应用，促进数字经济模式创新。

（9）数字藏品：区块链技术在数字藏品领域应用广泛，具有唯一性、不可篡改性和易于交易等特点，近年来市场潜力逐渐得到认可。

（10）双碳交易、数据流通、供应链金融：区块链基础设施框架正趋于稳定，其技术创新的热点方向主要是进一步提高服务性能、加强交互友好性、增强可信安全性等，规模性应用的场景扩展到这些多方信任和价值管理的模式。

这些应用场景展示了区块链技术在市场预测中的多样化和深远影响，促进不同行业透明度、安全性和效率的显著提升。

**2. 下游市场的预测**

下游市场的预测主要从以下几方面进行。

（1）了解商品的生产量、市场需求趋势，预见市场商品的供需趋势，为企业决定发展方向提供依据，在宏观上为企业调节商品供需平衡，加强宏观经济管理水平提供依据。

（2）通过市场资源预测，了解技术进步的变化、新的商业模式、新产品开发和产品更新换代的信息，从而对新产品、新材料、新品种可提供的资源做出预测。

（3）了解市场资源中商品的品种、规格、花色等构成及变化趋势，了解伴随生活质量提升之后社会需求的变化，为企业确定经营方向、目标经营策略提供依据。

## 9.2.2 市场容量预测

市场容量是指在不考虑产品与服务价格或供应商策略的前提下，市场在一定时期内能够吸纳某种产品或劳务的单位数目，所以市场容量实际上就相当于需求量。

### 1. 市场容量预测内容

市场容量是由使用价值需求总量和可支配货币总量两大因素构成的。仅有使用价值需求没有可支配货币的消费群体是贫困的消费群体，仅有可支配货币没有使用价值需求的消费群体是持币待购群体或十分富裕的群体。这两种现象均被称为因消费要件不足而不能实现的市场容量。

市场容量是一国经济或全球经济增长的第一因素。没有市场容量的商品生产是不能实现最终交易的生产，所以没有市场容量的 GDP 指标也是未来才能完成交易平衡的经济增量。

### 2. 扩大市场容量的思路

市场容量成为市场预测的内容主要是因为它是市场趋势化分析的基础和前提，以此保证市场预测分析既有容量观测也有向量的考量。

扩大市场容量有三种基本思路。

一是增加可支配货币收入。这是根据最广大消费群体物质文化需求的不断增长（即使用价值水平的提升）及时增加他们的可支配货币收入。促进收入增加，实现城乡脱贫致富，防止两极分化是其中的基本要求，给贫困群体更多发展机会也是基本要求。

二是推动科技自主创新。科技创新产品可以因产品使用价值水平显著提高而吸引消费者，也可以因成本降低而最终降低消费者的购买门槛，释放消费者的购买力，从而达到扩大市场容量的目的。

三是开拓国外市场。这一措施可以为国内市场预留更多的发展空间，也使一部分企业走出去开拓国外市场，掌握更多开拓广义市场的能力，为国内市场深度开发创设条件。

### 3. 市场容量预测的方法

市场容量预测的方法很多，在市场营销活动中，市场潜量预测和销售量预测是两项最为重要的预测市场容量的方法。

（1）市场潜量预测。市场潜量预测的连锁比率法就是对与某产品的市场潜量相关的几个因素进行连锁相乘，即通过对几个相关因素的综合考虑进行预测。

购买力指数就是对家庭收入、家庭户数、地区零售额等加权平均后，得出的一个标准系数。购买力指数是一个相对数，只有用全部潜在需求量乘以购买力指数，才能得到某地区的潜在需求量。

类比法也叫比较类推法，包括历史类推和横断比较两种预测方法。历史类推是一种用当前的情况和历史上发生过的类似情况进行比较来推测市场行情的方法。横断比较就是将同一时期内某国或某地区某种产品的市场情况与其他国家或地区的情况相比较，然后测量这些国家或地区的市场潜量。

（2）销售量预测。销售量预测包括以下几种方法。

1）销售人员意见综合法。这是一种最为简单的预测方法，要求各销售区域的销售人员做出每个销售区域的销售预测，然后进行汇总，求出总的销售潜量。

2）购买者意图调查法。这种方法就是采用各种手段，直接向购买者了解其购买意图。如果购买者有清晰的意图，而且愿意付诸实施，这一方法是非常有效的。

3）行业调查法。行业调查是指对某特定行业内各家公司的调查，这类调查可能针对用户，也可能针对制造商。

4）专家意见法。这种方法是由专门人员（特别是那些比较熟悉业务，能预见业务趋势的主管人员）集思广益，进行判断，做出预测。它是一种快速而简便的方法。为了提高预测的准确性，可以在预测前向专家提供经济形势和业务情况的资料，并组织他们讨论，然后综合考虑各种意见，最后做出结论。

5）趋势预测法。这种方法是将历史资料和数据按时间先后次序排列，根据其发展规律来推测未来市场的发展方向和变动程度。

市场容量变化的预测内容可分为生产资料市场容量预测和消费资料市场容量预测。生产资料市场容量预测是通过对国民经济发展方向、发展重点的研究，综合分析预测期内行业生产技术、产品结构的调整，预测工业品的需求结构、数量及其变化趋势。消费资料市场容量预测主要从以下三个方面进行预测。

（1）消费者购买力预测。预测消费者购买力要做好两个预测。第一，人口数量及变化预测。人口的数量及其发展速度，在很大程度上决定着消费者的消费水平。第二，消费者货币收入和支出的预测。

（2）购买力投向预测。消费者收入水平的高低决定着消费结构，即消费者的生活消费支出中商品性消费支出与非商品性消费支出的比例。消费结构规律是收入水平越高，非商品性消费支出越大，如娱乐、消遣、劳务费用支出增加，在商品性消费支出中，用于饮食费用支出的比重大大降低。另外还必须充分考虑消费者心理对购买力投向的影响。

（3）商品需求的变化及其发展趋势预测。根据消费者购买力总量和购买力投向，预测各种商品的数量、花色、品种、规格、质量等需求变化及发展趋势。

除了预测容量的变化，市场容量预测还有对商品价格的预测以及对生产发展及其变化趋势的预测。在企业生产中投入品的价格和商品的销售价格直接关系到企业盈利水平。在商品价格的预测中，要充分研究劳动生产率、生产成本、利润的变化，市场供求关系的发展趋势，货币价值和货币流通量的变化以及国家经济政策对商品价格的影响。对生产发展及其变化趋势的预测是对市场中商品供给量及其变化趋势的预测。

## 9.3 服务市场预测

伴随第三产业的发展，服务业异军突起，在国民经济发展中的贡献率逐年提升，对服务市场的预测也成为市场预测的重点。在现代服务市场中最具吸引力的是劳务市场、金融市场、电信市场、旅游市场、运输市场、社会中介服务市场等。

服务市场既包括满足生活服务需要的市场，也包括满足生产服务需要的市场。它提供的是一种特殊的产品，虽然这种产品（服务）与实物产品在很多营销原理方面是相同的，但是服务产品有它的特殊性。这种完全无形或基本无形的产品可直接从服务的提供者转换给服务的购买者，不需要被运输或储藏，因此具有极大的消失性。

服务市场是伴随商品市场的产生而出现的，但服务市场的蓬勃发展却是在第二次世界大战以后的几十年间。在数字化背景下，服务市场的趋势变化主要体现在以下几个方面：

（1）大零售整合：零售领域将继续整合，全渠道零售、按需经济、社交经济和零售供应链将结合起来，提升消费者体验。

（2）服务虚拟化：线上渠道服务逐渐成为中心，特别是在医疗和教育服务领域，数字化进程加速，人工智能创造个性化、互动性、沉浸式的学习体验，同时解决医疗资源分布不均的问题。

（3）出行革命：电动汽车和联网智能汽车的推广应用将继续赋能共享出行网络，数字创新成为争夺市场份额的关键，推动软件、解决方案和服务等方面的创新。

（4）社交生活数字化：消费者的社交和休闲活动日趋转向虚拟空间，线上线下社交活动实现融合，生活朝着 O2O 的方向发展。

（5）数字城镇化：智慧城市建设推动城市一体化数字平台的构建，教育、健康、物流和全渠道电商等方面的数字创新大规模应用到城市公共服务中。

（6）数字化转型加速：越来越多的企业意识到数字化转型的重要性，并积极投入资源进行数字化转型，包括升级 IT 基础设施、优化业务流程、提升数据分析能力。

（7）人工智能与大数据的广泛应用：AI 技术正在渗透到各行各业，企业对大数据分析的依赖日益增长，通过多维数据的挖掘与分析，企业能够在竞争中占据优势。

（8）跨界融合：未来，数字化转型将与其他领域进行更多跨界融合，例如与智能制造、智慧城市等领域的融合将推动数字化转型市场的进一步发展。

（9）可持续发展：随着全球对可持续发展的重视程度不断提高，数字化转型也将更加注重环保和可持续性。

（10）新兴技术的广泛应用：新兴技术如量子计算、生物计算等将不断涌现并应用于数字化转型中，为数字化转型服务市场带来更多创新和发展机遇。

这些趋势变化显示了数字化技术在服务市场中的深远影响，推动了服务模式的创新和效率的提升。

### 9.3.1 服务市场的运行特点

服务市场或称服务产品市场，是服务产品交换关系的集合。它既是市场体系的一个组成部分，又是商品市场形成、发展和完善的条件或经济环境。在现代经济条件下，服务市场迅猛拓展，成为独立于实物商品市场之外的有机部分，并充当市场体系中具有生命活力的因素。服务市场的运行特点体现在以下几个方面。

#### 1. 无形性

（1）服务的不可感知性：服务是一种无形产品，消费者在购买之前无法像购买实物商品那样通过触摸、视觉、听觉等感官来直接感知服务的质量和特性。例如，消费者在选择咨询服务时，无法提前看到咨询服务的具体模样，只能通过咨询师的介绍、过往案例等来大致了解。

（2）对信任和预期的依赖：由于服务的无形性，消费者在购买服务时往往需要基于对服务提供者的信任以及自身对该服务效果的预期来做出决策。比如，消费者选择一家美容院进行皮肤护理，很大程度上是基于对该美容院品牌的信任以及对其宣传效果的期待。

### 2. 不分离性

（1）生产和消费的同时性：服务的生产过程与消费过程是同时进行的，消费者只有参与到服务过程中，才能真正享受到服务。例如，在餐饮服务中，顾客只有坐在餐厅里，由服务员为其提供点餐、上菜、用餐过程中的服务等，才能完成整个消费过程。

（2）服务人员与服务的紧密关联：服务的提供离不开服务人员，服务人员的素质、技能、态度等直接决定了服务质量。比如，一家酒店的服务质量不仅取决于其设施设备，更取决于酒店员工的服务水平，员工的专业性、热情度等都会影响顾客的消费体验。

### 3. 差异性

（1）服务提供者的差异：不同的服务提供者即使提供相同类型的服务，也会因个人能力、经验、性格等因素而存在差异。例如，不同的心理咨询师在咨询方法、沟通技巧、解决问题的能力等方面各有不同，导致其提供的咨询服务效果也会有所区别。

（2）服务消费者的差异：不同消费者的偏好、需求、期望等各不相同，即使是同一种服务，不同消费者也会有不同的感受和评价。比如，对于同一家健身房的健身服务，有的消费者可能看重健身教练的专业指导，有的消费者则更看重健身环境的舒适度。

### 4. 易逝性

（1）服务无法储存：服务不能像实物商品那样储存起来以备后用，如果在服务提供的时间内没有消费者购买，那么这部分服务就会永远丧失。例如，航空公司的一趟航班座位，如果在起飞前没有售出，那么这个座位的价值就无法实现。

（2）时间敏感性：服务的有效性与时间密切相关，消费者对服务的需求往往具有时效性。比如，在旅游旺季，消费者对酒店住宿的需求非常迫切，如果酒店不能及时提供服务，消费者可能会选择其他酒店，而酒店空置的房间也无法在其他时间弥补这一损失。

### 5. 供求弹性大

（1）需求弹性大：服务市场的需求受多种因素影响，如价格、消费者收入水平、消费观念等，且消费者对服务的需求往往具有较大的灵活性和可变性。例如，当经济形势较好时，消费者可能会增加对高端旅游、美容美发等服务的消费；而当经济不景气时，这些服务的需求则会相应减少。

（2）供给弹性大：服务的供给相对容易调整，服务提供者可以根据市场需求的变化灵活调整服务的时间、方式、内容等。例如，一家培训机构可以根据市场需求的增加或减少，灵活调整课程的开设数量、课程时间安排等。

### 6. 受政策和法规影响大

（1）行业规范性强：服务市场涉及众多行业和领域，政府为了保障消费者权益、规范市场秩序，通常会出台一系列政策和法规对服务市场进行监管和规范。例如，金融服务业受到严格的金融监管政策约束，医疗服务业需要遵循相关的医疗法规和标准。

（2）政策导向性强：政府的产业政策、税收政策等对服务市场的发展方向和规模具有重要的引导作用。例如，政府对新兴服务业的扶持政策，如对信息技术服务业的税收优惠、财政补贴等，可以促进这些服务行业的发展壮大。

### 9.3.2 服务市场的运行规则

全球服务贸易自由化是服务市场运行的目标。为了推动这一目标的实现，作为世界贸易组织前身的关税及贸易总协定于第八次谈判即乌拉圭回合缔结了《服务贸易总协定》（GATS）。该协定全面规定了服务市场运行的条件、内容和原则。中国作为WTO的成员，其服务市场的运行不能不受到GATS的制约，中国服务市场必须引以为机制，融入国际服务市场系统。

服务市场的运行规则是保障市场健康、有序发展的关键，以下是服务市场运行规则的主要内容。

**1. 市场准入与资质管理**

（1）资质要求：服务提供者需要具备相应的资质和许可，例如，电力调频辅助服务市场要求参与单位具备AGC/APC功能，并提供有资质检测机构出具的试验报告。

（2）行业标准：依据《行业标准管理办法》，服务行业需要制定和执行行业标准，确保服务质量和安全。

（3）准入退出机制：市场监管部门通过优化经营主体准入退出环境，提升登记注册便利化水平，完善市场退出制度。

**2. 服务质量与标准规范**

（1）服务标准制定：服务标准需考虑消费者需求，如国家标准《服务标准制定导则 考虑消费者需求》（GB/T 24620—2022），明确了服务要素和消费者权益保护等内容。

（2）质量监测与评价：建立服务质量分级制度，通过顾客满意度、投诉处理等手段进行质量监测和评价。

（3）服务要素管理：服务提供者需完善服务体系，包括服务规划、人员管理、隐私保护、反馈处理等。

**3. 市场交易与价格规则**

（1）价格管理：服务市场须建立合理的价格机制，防止恶意涨价、哄抬物价等行为，市场监管部门会加强价格监测和执法。

（2）交易规则：在一些特定服务市场，如电力调频市场，交易需按照统一出清价格和规则进行，确保公平竞争。

（3）合同与协议：服务提供者与消费者之间需签订明确的合同或协议，明确双方的权利和义务。

### 4. 市场竞争与秩序维护

（1）公平竞争：市场监管部门通过规范执法，打击不正当竞争行为，维护市场公平竞争秩序。

（2）秩序维护：强化市场价格动态监测，及时查处恶意涨价、囤积居奇等行为，确保市场秩序稳定。

（3）综合监督：构建市场秩序综合监督体系，推进多部门协同监管，提升监管效能。

### 5. 消费者权益保护

（1）消费者权益保障：服务标准中明确消费者享有的权益，如自主选择、知情权、安全权、隐私保护等。

（2）投诉处理机制：建立完善的投诉处理机制，畅通消费者投诉渠道，及时处理消费者诉求。

（3）信息披露：服务提供者须向消费者提供真实、准确的服务信息，保障消费者的知情权。

### 6. 政策与法规支持

（1）政策引导：政府通过产业政策、税收优惠等手段引导服务市场的发展方向，支持新兴服务行业的发展。

（2）法规保障：市场监管部门依据相关法律法规，规范服务市场运行，保护消费者和经营者的合法权益。

（3）行业规范：各服务行业须制定和执行行业规范，推动行业自律和健康发展。

## 9.3.3 我国服务市场的未来趋势

在全球产业链已经形成的背景下，尽管不同国家有短期的利益诉求或政治谋利，但是从长远看，基于服务的市场发展最终要走向全球化。

（1）国际服务业的发展和各国间服务贸易的激增要求我国开放服务市场。随着各国服务业的迅猛发展，服务业的产值占国内生产总值的比重提升很快。各国间的服务贸易额激增，服务业成为各国推动国民经济良性发展的主导行业。服务贸易的主导性和国际化成为时代潮流，预示着世界经济发展将沿着服务产业比重增加、贡献率提升的趋势发展，我国不能背离这一历史规律。

（2）我国经济对外开放的历史进程促使服务市场的开放提上新的议程。自1978年我国实行改革开放以来，我国的对外开放经历了三个相互联系的阶段。

第一阶段，以第一产业和第二产业市场的开放为主，辅之以第三产业（服务业）市场的开放。

第二阶段，以第三产业（服务业）市场的开放为主，辅之以第一产业和第二产业市场的开放。

第三阶段，以资本市场开放为主，辅之以第一、二、三产业市场的开放。

这既是时间上先后相继的三个阶段，也是各具特色、各有偏重的三个阶段。经过 40 多年的努力，第一阶段已完成，目前正向第二阶段、第三阶段过渡。目前尽管世界经济发展存在诸多的不确定性，但这也正是我国实施服务市场对外开放的有利时机。

我国服务领域的开放程度同发达国家相比还显得偏低，但与发展中国家相比处于前列，所以，在服务贸易的开放上，尤其在金融业和电信业的开放上，已经按照我们自己的时间表行动。一旦我们与大多数发展中国家形成利益共同体，保持同步开放，服务市场的发展就会稳步推进。

（3）我国加入世界贸易组织后，发展国际贸易必然要推动服务营销活动的开展。我国自始至终都是乌拉圭回合服务贸易谈判的参与方。1994 年乌拉圭回合谈判结束后制定了《服务贸易总协定》，1997 年世界贸易组织又通过三项重要的服务贸易方面的协议，即《基础电信协议》《信息技术协议》《金融服务贸易协议》，这些协议将推动国际服务贸易与商品贸易并重发展，甚至形成以服务贸易为主、商品贸易为辅的格局。我国要融入国际大市场不能不推进服务市场的对外开放。

## 9.4 定性预测概述

定性预测是指预测者依靠熟悉的业务知识、集合具有丰富经验和综合分析能力的人员与专家，根据已掌握的历史资料和直观材料，运用个人的经验和分析判断能力，对事物的未来发展做出性质和程度上的判断，然后通过一定形式综合各方面的意见，作为预测未来的主要依据。

定性预测在市场预测中被广泛使用，尤其在数字经济背景下，大数据有效集成，使得经济组织在复杂环境下对未来发展的趋势性判断更加科学。大数据技术的运用使市场预测特别适用于对预测对象的历史或现实数据资料掌握不充分，影响因素干扰变量复杂，指标难以量化描述，多变量给建模带来数量分析困难等情况。

### 9.4.1 定性预测的特点

定性预测偏重于对市场行情的发展方向和运营中各种影响市场运营成本等因素的分析，能够发挥专家经验和主观能动性，比较灵活，而且简便易行，可以较快地提出预测结果。企业定性预测分析如图 9-1 所示。但是在进行定性预测时，也要尽可能地搜集数据，运用数学方法，得出定性结论，其结果通常也是从数量上进行定性预测。定性预测的特点如下。

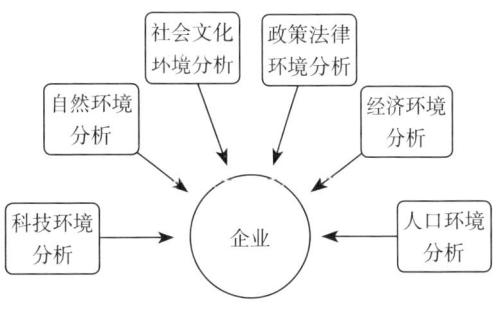

图 9-1　企业定性预测分析

（1）着重对市场发展的性质进行预测，主要凭借人的经验以及个体的分析判断能力。

（2）着重对市场发展的趋势、方向和重大转折点进行预测。

## 9.4.2 定性预测的优缺点

定性预测在市场预测中始终有自身的作用体现，尽管在预测过程与结果中存在不足或偏差，但是在企业战略性决策引导上，不能低估它的应用价值。

（1）定性预测的优点：注重对市场发展性质方面的预测，具有较大的灵活性，易于充分发挥人的主观能动作用，且简单、迅速、省时、省费用。

（2）定性预测的缺点：易受主观因素的影响，比较注重人的经验和分析判断能力，从而易受人的知识、经验的多少、能力大小的束缚和限制，尤其是缺乏对市场发展进行数量上的精确描述。

定性预测应该在预测过程中充分与大数据结合，扬长避短，提高预测的准确性和科学性。

## 9.4.3 定性预测的主要方法

定性预测根据预测对象及预测手段分为若干种方法，这些方法既可以单独使用，也可以综合利用。

### 1. 波士顿矩阵

波士顿矩阵（BCG Matrix）又称市场增长率－相对市场份额矩阵、波士顿咨询集团法、四象限分析法、产品系列结构管理法等。波士顿矩阵是由美国大型商业咨询公司——波士顿咨询集团（Boston Consulting Group，BCG）首创的一种规划企业产品组合的方法。波士顿矩阵的关键在于要解决如何使企业的产品品种及其结构适应市场需求的变化的问题，只有这样企业的生产才能不断积累核心竞争要素，促使企业持续稳定发展。

（1）基本原理。波士顿矩阵认为一般决定产品结构的基本因素有两个：市场引力与企业实力。

1）市场引力。市场引力包括企业销售增长率、目标市场容量、竞争对手强弱及利润高低等。其中最主要的是反映市场引力的综合指标——销售增长率，这是决定企业产品结构是否合理的外在因素。

2）企业实力。企业实力包括市场占有率，技术、设备、资金的利用能力等，其中市场占有率是决定企业产品结构的内在因素，它直接显示出企业的竞争实力。

销售增长率与市场占有率既相互影响，又互为条件。市场引力大，销售增长率高，可以显示产品发展的良好前景，企业也具备相应的适应能力，实力较强；如果仅市场引力大，而没有相应的高销售增长率，则说明企业尚无足够实力，该种产品也就无法顺利发展。相反，企业实力强，而市场引力小的产品也预示着该产品的市场前景不佳。

（2）两个维度。波士顿矩阵的两个维度是市场增长率（反映市场引力）和相对市场份额（反映企业实力）。

市场增长率（Market Growth Rate）指企业经营单位所在的地域或网络市场年增长率。

相对市场份额（Relative Market Share）指企业经营单位的地域或网络市场占有率相对于最大竞争者的市场占有率的比率。

（3）模型分析。波士顿矩阵模型如图9-2所示。波士顿矩阵的两个维度交叉形成四个象限，每个象限代表不同类型的业务和产品。

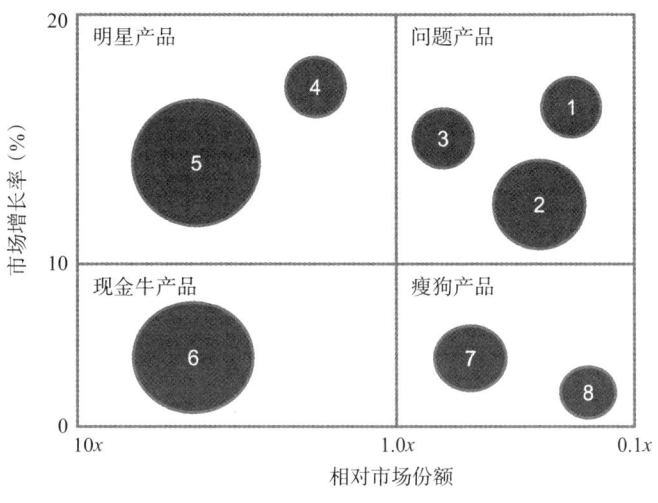

图 9-2 波士顿矩阵模型

1）问题产品属于增长产品，它是处于高市场增长率、低相对市场份额象限内的产品群。高市场增长率说明市场机会大，前景好，而低相对市场份额则说明在市场营销方式上存在问题。其财务特点是利润率较低，所需资金不足，负债比率高。例如，在产品生命周期中处于引进期、出于种种原因未能开拓市场局面的新产品即属问题产品。对问题产品应采取选择性投资战略，即首先确定对该象限中哪些经过改进可能会成为明星的产品进行重点投资，提高相对市场份额，使之转变成明星产品；对其他将来有希望成为明星的产品则在一段时期内采取扶持的对策。

2）明星产品是指处于高市场增长率、高相对市场份额象限内的产品群，这类产品可能成为企业的现金牛产品，需要加大投资以支持其迅速发展。采用的发展战略是积极扩大经济规模和市场机会，以长远利益为目标，提高相对市场份额，加强竞争地位。

3）现金牛产品又称厚利产品。它是指处于低市场增长率、高相对市场份额象限内的产品群，说明产品已进入成熟期。其财务特点是销售量大、产品利润率高、负债比率低，可以为企业提供资金，而且由于市场增长率低，也无须增大投资。因而现金牛产品成为企业回收资金，支持其他产品，尤其是明星产品投资的后盾。对这一象限内的大多数产品，市场份额的下跌已成不可阻挡之势，因此可采用收获战略，即所投入资源以达到短期收益最大化为限，具体方法：①尽量压缩设备投资和其他投资；②采用榨油式方法，争取在短时间内获取更多利润，为其他产品提供资金。对于这一象限内的销售增长率仍有所增长的产品，应进一步进行市场细分，维持现存市场增长率或延缓其下降速度。对于现金牛产品，适合用事业部制进行管理，其经营者最好是市场营销型人才；适合采取收割战略，给企业带来大量资金回报，支持企业其他单位的发展。

4）瘦狗产品也称衰退类产品。它是处在低市场增长率、低相对市场份额象限内的产品群。其财务特点是利润率低、处于保本或亏损状态，负债比率高，无法为企业带来收益。对这类产品应采用撤退战略：首先应减少批量，逐渐撤退，对那些市场增长率和市场份额均极低的产品应立即淘汰；其次是将剩余资源向其他产品转移；最后是整顿产品系列，最好将瘦狗产品与其他事业部的产品合并，统一管理或采取放弃战略，适时撤离。

### 2.GE 矩阵

GE 矩阵（GE Matrix / Mckinsey Matrix）又称通用电气公司法、麦肯锡矩阵、九盒矩阵法、行业吸引力矩阵。GE 矩阵可以用来根据事业单元在市场上的实力和所在市场的吸引力对这些事业单元进行评估，也可以表述为一个公司的事业单元组合判断其强项和弱点。

（1）GE 矩阵的应用价值。针对波士顿矩阵所存在的很多问题，美国通用电气公司（GE）于 19 世纪 70 年代开发了新的投资组合分析方法——GE 矩阵。相比 BCG 矩阵，虽然 GE 矩阵也提供了产业吸引力和业务实力之间的类似比较，但不像 BCG 矩阵用市场增长率来衡量吸引力，用相对市场份额来衡量实力，只是单一指标衡量，而 GE 矩阵使用数量更多的因素来衡量这两个变量，纵轴用多个指标反映产业吸引力，横轴用多个指标反映企业竞争地位，同时增加了中间等级。

（2）GE 矩阵模型分析。GE 矩阵按市场吸引力和企业竞争力两个维度评估现有业务（或企业单位），每个维度分三级，分成九个格以表示两个维度上不同级别的组合，两个维度可以根据不同情况确定评价指标，如图 9-3 所示。

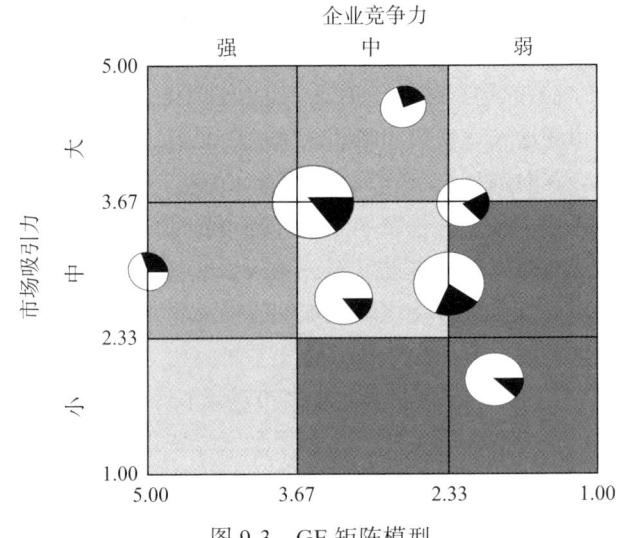

图 9-3　GE 矩阵模型

绘制 GE 矩阵，需要找出外部（市场吸引力）和内部（企业竞争力）因素，然后对各因素加权，得出衡量企业竞争力和市场吸引力的标准。当然，在开始搜集资料前，仔细选择那些有意义的战略事业单元是十分重要的。

1）定义各因素。选择评估企业竞争力和市场吸引力所需的重要因素。在 GE 矩阵内部，分别称为内部因素和外部因素。确定这些因素可以采取头脑风暴法或名义群体法等，关键是不能遗漏重要因素，也不能将微不足道的因素纳入分析中。

2）估测内部因素和外部因素的影响。从外部因素开始，纵览评估表，并根据每一因素的吸引力大小对其评分。若某一因素对所有竞争对手的影响相似，则对其影响做总体评估；若某一因素对不同竞争者有不同影响，可比较它对自己业务的影响和对重要竞争对手的影响。在评分时可以采取 5 级评分标准（1= 毫无吸引力，2= 没有吸引力，3= 中性影响，4= 有吸引力，5= 极有吸引力）对外部因素进行评定，也可使用 5 级标准对内部因素进行类似的评定（1= 极度竞争劣势，2= 竞争劣势，3= 同竞争对手持平，4= 竞争优势，5= 极度竞争优势），在这一部分，应该选择一个总体上最强的竞争对手做对比的对象。

### 3. 类推法

（1）类推法的原理。类推法是指通过不同事物的某些相似性类推出其他的相似性，从而预测出它们在其他方面存在类似可能性的方法。其结论的或然性必须由实验来检验，类比对象间共有的属性越多，则类比结论的可靠性越大。

与其他推理方法相比，类推法属于平行式的推理。无论哪种类推都应该在同层次之间进行。亚里士多德在《工具论·前分析篇》中指出：类推表示的不是部分对整体的关系，也不是整体对部分的关系。类推法是一种或然性推理，前提真结论未必就真。要提高类比结论的可靠程度，就要尽可能地确认对象间的相同点。相同点越多，结论的可靠性就越大，因为对象间的相同点越多，二者的关联度越大，结论就可能越可靠，反之结论的可靠性就会越小。此外，要注意的是在类推前提中所根据的相同情况与推出的情况要带有本质性。

同类事物发展有各自的规律性，但其间又有许多相似之处。我们可以把先发生的同类事件称为先导事件，后发生的同类事件称为迟发同类事件，当发现它们之间有某些相似之处时，就可以利用先导事件的发展过程和特征类推迟发同类事件的发展过程和特征以及未来的发展。

（2）类推法的影响因素。类推法的结论具有或然性，这是因为即使是同类事物，由于其变化过程所处的环境有所不同或预测主体不同，其结论也很难趋同。类推法的影响因素如下。

1）技术方面。若受技术环境的影响，则可从技术方面进行类推。

2）经济方面。经济类推从理论上说，要从某一先导事件推测另一事件，包括现有的经济理论对该事件在经济方面的了解程度及认识水平等。在实际推测时，一般包括对投资、市场、成本等各种经济发展趋势的推测。

3）管理方面。管理类推包括管理的现实与理论，例如，管理人员的数量及水平和管理的过程等。

4）政治方面。政治类推与国家政体、制度、法律有关，也与党派、群众团体、个人有关。

5）社会方面。社会类推与社会组织形式、社会人口、地理分布、国民收入和家庭有关，这些与社会传统和风俗有关。

6）文化方面。文化类推与社会的价值观念、文化观念有关，也和表现这些观念的方式有关。

7）生态方面。如果地球上的植物群和动物群对预测对象和被类推对象能够产生影响的话，那么可以进行生物类推。考虑的环境因素越周到，用类推法预测的结果就越准确。

类推法在特殊方法和过程上具有优势，但是世界上很难找到非常相似的两个事物，所以这种方法的局限性较明显，同时还受到人为行动的各种限制等。类推法不是一种严格的预测方法，它是探索性预测方法中的比较典型的一种预测技术。类推方法常用的是对比类推法，而对比类推法是指应用类推性原理，把预测目标同其他类似事物加以对比分析，以此来推测其未来发展趋势的一种可参考的推断方法。

（3）类推法的具体分类。类推法具体可分为国际类推法、地区类推法、行业类推法、产品类推法。

1）国际类推法。国际类推法就是将要分析的国内产品同国外发达国家的同类产品的发展变化规律相对比，借以判断国内某产品处于生命周期的哪个阶段。我国与先进国家在产品的生产、销售等方面存在时间的差异，若要分析国内某种产品的发展变化规律，可以选择某发达国家同类产品进行分析，找出该产品在该国各时期的变化规律，进而类推国内产品所处的生命周期阶段。

2）地区类推法。地区类推法是依据其他地区（或国家）曾经发生过的事件来进行类推的市场预测方法。这种推测方法是把所要预测的产品同国内外同类产品的发展过程或变化相比较，找出某些共同相类似的变化规律，用来推测目标产品的未来变化规律或趋向。

同一产品在不同地区（或国家）有领先或落后的发展状况，可以根据某一地区的市场状况类推另一地区的市场。我国地区之间经济发展速度与规模因资源禀赋不同而有所差异，但是在发展过程中，地区之间经济的互补性与关联性，使得各地区之间以产品和市场为纽带的互动机制早已形成。

3）行业类推法。行业类推法是根据同一产品在不同行业使用时间的先后，利用该产品在先使用行业所呈现出的特性，类推该产品在后使用行业的规律。行业的发展必然遵循由低级的自然资源掠夺性开采利用和低级的人工劳务输出，逐步向规模经济、科技密集型、金融密集型、人才密集型、知识经济型、数字经济型转变；从输出自然资源，逐步转向输出工业产品、知识产权、大数据人才等。同时，许多产品的发展是从某一行业市场开始，逐步向其他行业推广的。

4）产品类推法。产品类推法就是以国内市场上的同类产品或类似产品在发展中所表现的特征来类推某产品的生命周期。许多产品在功能、构造、用途等方面具有很大的相似性，因而这些产品的市场发展规律往往也有某种相似性，我们可以利用这些相似性进行类推。例如：可以利用5G手机的发展特性来类推6G手机的发展特性；利用纯平彩电电视的发展特性类推液晶电视的发展特性；可以根据我国家用电冰箱的市场发展规律大致地推断家用空调的发展趋势。

4. 集体意见法

集体意见法是把预测者的个人预测通过加权平均而汇集成集体预测的方法。在企业内部通常由企业的经理召开熟悉市场情况的各业务部门主管人员参加的座谈会，将与会人员对市场商情的意见加以归纳、分析、判断，制订企业的预测方案。

集体意见法的优点如下。

（1）上下结合进行预测，有利于发挥集体智慧，充分调动全体人员开展市场预测的积极性。

（2）结论的得以以市场商品供需发展变化为依据，预测结果一般比较准确可靠。

（3）预测不需要经过复杂计算，比较迅速和经济，当市场发生剧烈变化时，可以及时对预测结果进行调整。

集体意见法的缺点：对市场商情的变化了解得不够深入具体，主要依靠经验判断，受主观因素影响大，只能做出粗略的数量估计。

5. 德尔菲法

德尔菲（Delphi）是一处古希腊遗址，在德尔菲城中有一座阿波罗神殿，阿波罗是传说中的预测神，众神每年集会于德尔菲城以预测未来。

德尔菲法最早出现于美国20世纪50年代末，当时美国为了预测在其"遭受原子弹轰炸后，可能出现的结果"而发明的一种方法。1964年，美国兰德公司发表了"长远预测研究报告"，首次将德尔菲法用于技术预测，以后便迅速地应用于美国和其他国家。

除了科技领域，德尔菲法还几乎可以用于任何领域的预测，如军事预测、人口预测、医疗保健预测、经营和需求预测、教育预测等。此外，它还用来进行评价、决策和规划工作，并且在长远规划者和决策者心目中享有很高的威望。

德尔菲法具有反馈性、匿名性和统计性特点，选择合适的专家是做好德尔菲预测的关键。

（1）基本原理。德尔菲法采用函询调查，对所预测问题有关领域的专家分别提出问题，而后将他们回答的意见予以综合、整理、反馈，经过多次反复循环，得到一个比较一致且可靠性较大的意见。

预测中应用的德尔菲法，是指采用背对背的通信函方式征询专家小组成员的预测意见，经过几轮征询，使专家小组的预测意见趋于集中，最后做出符合市场未来发展趋势的预测结论。

如果说专家会议法是专家们面对面开会进行预测，那么，德尔菲法就是专家"背靠背"进行预测，即专家之间互不往来，彼此之间都不知道对方是谁。采用"背靠背"的形式，这就克服了在专家会议法中经常发生的各专家不能充分发表意见，权威人物的个人意见往往左右其他人的意见等弊病。德尔菲法让各位专家能真正充分地发表自己的预测意见。

（2）操作步骤。德尔菲法的操作步骤如下。

1）确定管理小组和应答小组。管理小组主要对预测工作进行组织和指导，拟定征询调查表、汇总整理各轮专家意见、统计处理预测结果和预测报告。应答小组主要是参加预测的专家。他们对预测的目标比较了解，有丰富的实践经验或理论水平，富于创造性和判断力。

专家来源广泛。一般实行"三三制"，即本企业、本部门专家占1/3，与本企业关系密切的行业专家占1/3，有影响的专家占1/3。专家人数视预测主题的规模而定。专家小组人数一般以10~50人为宜，但对重大问题的预测，专家小组的人数可扩大到100人左右。

2）第一轮征询。管理小组提供背景材料给专家，并发给专家一张空白的预测问题表，让专家填写应该预测的一些技术问题，应答者可自由发挥，这样可以排除先入之见，但常常过于分散，难以归纳，所以经常有管理小组预先拟定一个预测事件的一览表，直接让专家们评价，同时允许他们对此表进行补充和修改。

3）第二轮征询。根据第一轮统计材料、补充材料与专家提供的理由，专家对第二轮征询表所列的每个征询问题做出评价，并阐明理由。

4）第三轮征询。根据第二轮统计材料，专家再一次进行判断和预测，并充分陈述理由。

5）第四轮征询。在第三轮统计结果的基础上，专家再次进行预测。根据管理小组要求，有的成员要重新做出论证。

6）确定预测值，做出预测结论。对专家应答结果进行量化分析和处理，这是德尔菲法预测的最后阶段，也是最重要的阶段。这一阶段采取的处理方法和表达方式，取决于预测问题的类型和对预测准确度的要求。

（3）德尔菲法的优缺点。德尔菲法的优点如下。

1）通过可视化、场景化的定性预测活动，可以加快预测速度和节约预测费用。

2）在短时间内整合不同专家的理性判断，可以获得各种不同但有价值的观点和意见。

3）适用于长期预测和对新产品的预测，在历史资料不足或不可测因素较多时尤为适用。

德尔菲法的缺点如下。

1）行业与地区细分导致出现客观上的信息孤岛现象，对于分地区的顾客群或产品的预测则可能不可靠。

2）参与预测的专家缺少组织归属，缺少必要的权益配比，导致参与预测的责任比较分散。

3）短时间、应激性的定性预测难以消除判断信息的碎片化甚至去雾化，导致专家的意见有时可能不完整或不切合实际。

### 6. 头脑风暴法

头脑风暴法是由美国 BBDO 广告公司的 A. F. 奥斯本于 1938 年提出的。头脑风暴（Brain Storming）原是精神病理学上的术语，是指精神病患者在精神错乱时的胡思乱想，A. F. 奥斯本借用并转变其意为思维无拘无束、打破常规、自由奔放地联想，创造性地思考问题。它适用于产生大量观点或可选方案的方法。头脑风暴法是鼓励在小组中进行创造性思维最常用的方法。

（1）头脑风暴法的基本原理。头脑风暴法是针对某一问题，召集由有关人员参加的小型会议，在融洽轻松的会议气氛中，敞开思想、各抒己见、自由联想、畅所欲言、互相启发、互相激励，使创造性设想起连锁反应，从而获得众多解决问题的方法。头脑风暴法分为创业头脑风暴法和质疑头脑风暴法。

1）创业头脑风暴。组织专家对所要解决的问题开会讨论，各持己见地、自由地发表意见，集思广益，提出所要解决问题的具体方案，如电子商务园区建设方案。

2）质疑头脑风暴。对已制订的某种计划、方案或工作文件，召开专家会议，由专家提出疑问，去掉不科学的部分，使报告或计划趋于完善，如科技园建设可行性申报书。

（2）头脑风暴法的流程。头脑风暴法的基本操作流程，如图 9-4 所示。

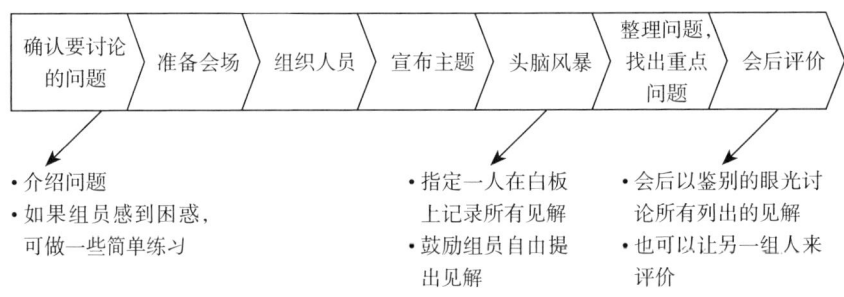

图 9-4　头脑风暴法的基本操作流程

（3）头脑风暴法的要求。

场地要求：较集中的封闭空间（15m² 左右）；装饰简单；足够的白板，用以记录；有饮品。

人员组成：10～15 人；有主持人；有记录员。

对主持人的要求：对主题有深刻的理解；不独断；有激情；能控制场面和进度；有引导

能力。

头脑风暴的后续工作：合并问题的同类项；对问题进行排序；组合问题；评论问题，论证问题的可行性。

（4）头脑风暴法的优缺点。

头脑风暴法的优点：通过信息交流，产生思维共振，进而激发创造性思维，能在短期内得到创造性成果；通过会议讨论，获取的信息量大，考虑的预测因素多，提供的方案比较广泛、全面。

头脑风暴法的缺点：参加会议的人数受限制；受权威影响较大，不利于充分发表意见；易受心理因素影响，容易随大流；易受表达能力的影响。

**7. 主观概率法**

预测者对某一事件在未来发生或不发生可能性的估计，反映个人对未来事件的主观判断和信任程度。主观概率法是在采用市场调查预测法或专家预测法得到的定量估计结果的基础上进行集中整理的方法，是一种定量与定性相结合且偏定性的预测方法。

（1）基本原理。主观概率法是利用主观概率对各种预测意见进行集中整理，得出综合性预测结果的方法。主观概率是人们凭经验或预感而估算出来的概率。它与客观概率不同，客观概率是根据事件发展的客观性统计出来的一种概率。在很多情况下，人们没有办法计算事情发生的客观概率，因而只能用主观概率来描述事件发生的概率。客观概率是指某一随机事件经过反复试验后出现的频数，也就是对某一随机事件发生的可能性大小的客观估量。客观概率具有可检验性，主观概率不具有可检验性。

（2）主观概率加权平均法。主观概率加权平均法是以主观概率为权数，通过对各种预测意见进行加权平均，计算出综合性预测结果的方法。

1）预测者确定各种可能情况及出现的概率，一般考虑最高限、最低限、最可能的值。计算每人预测的最高限、最低限和最可能的值的加权和，并将其作为个人预测期望值。

2）以主观概率为权数，对每个人的期望值进行综合平均，得到各类人员的预测期望值。

3）再以主观概率为基础，对各类人员的期望值进行综合平均，计算公司的预测值。

4）计算平均偏差程度，校正预测结果。

（3）主观概率法的操作步骤。主观概率法的操作步骤如下。

1）组成专家预测小组对预测对象进行分析，准备相关资料。

2）把定性分析定量化、汇总，形成初步结果，编制主观概率调查表。

3）根据实际情况修正，取得最终结果，然后汇总整理。

4）判断预测。

# 本章小结

市场预测是在市场调查的基础上，对市场未来发展的趋势的预判。按照预测对象不同分为产品市场预测和服务市场预测。市场预测可以按预测范围、预测时间、预测对象、预测性质的不同进行分类。市场预测方法主要包括定性预测法和定量预测法。

定性预测是指预测者依靠熟悉的业务知识、集合具有丰富经验和综合分析能力的人员与专家，根据已掌握的历史资料和直观材料，运用个人的经验和分析判断能力，对事物的未来发展做出性质和程度上的判断。其特点有：着重对事物发展的性质进行预测，主要凭借人的经验以及分析能力；着重对事物发展的趋势、方向和重大转折点进行预测。

定性预测的适用范围小到产品大到国际市场预测。定性预测的主要方法包括波士顿矩阵、GE矩阵、类推法、集体意见法、德尔菲法、头脑风暴法、主观概率法等。

## 复习思考题

### 一、单项单选题

1. 市场预测的惯性原理对应下列哪种现象？（　　）
   A. 电动汽车销量增长导致燃油车销售下降
   B. 利用线性回归模型预测未来市场趋势
   C. 通过类比国外市场推测国内产品需求
   D. 预估新产品上市的成功概率

2. 下列哪项属于宏观市场预测的范畴？（　　）
   A. 某企业下季度的产品销量预测
   B. 全国范围内功能性饮料市场规模预测
   C. 某超市周末客流量预测
   D. 某品牌运动鞋的市场占有率预测

3. 定性预测的主要特点是（　　）。
   A. 依赖数学模型和数据统计
   B. 着重分析市场发展的性质和趋势
   C. 必须使用历史数据进行量化分析
   D. 适用于短期精确预测

4. 波士顿矩阵（BCG矩阵）中，"现金牛产品"的特征是（　　）。
   A. 高市场增长率、高市场占有率
   B. 高市场增长率、低市场占有率
   C. 低市场增长率、高市场占有率
   D. 低市场增长率、低市场占有率

5. 德尔菲法的核心特点不包括下列哪项？（　　）
   A. 匿名性　　　　B. 反馈性
   C. 统计性　　　　D. 面对面讨论

6. 服务市场的"易逝性"特征指的是（　　）。
   A. 服务无法储存，未被消费的服务价值丧失
   B. 服务价格波动大
   C. 服务需求受季节影响显著
   D. 服务提供者流动性高

7. 下列哪种方法属于定量预测？（　　）
   A. 头脑风暴法　　B. 时间序列预测法
   C. 类推法　　　　D. 德尔菲法

8. 市场容量预测中的"购买力指数法"属于哪种类型？（　　）
   A. 潜量预测　　　B. 销量预测
   C. 定性预测　　　D. 长期预测

9. GE矩阵评估业务的两个核心维度是（　　）。
   A. 市场增长率和相对市场份额
   B. 市场吸引力和企业竞争力
   C. 成本和利润
   D. 技术水平和市场需求

10. 定性预测向定量预测过渡的关键节点是（　　）。
    A. 数据资料的充分性
    B. 专家经验的丰富性
    C. 市场环境的稳定性
    D. 预测周期的长短

11. 下列哪项属于产品市场预测的上游市场内容？（　　）
    A. 消费者购买力预测
    B. 原材料供应的保证程度
    C. 市场价格变化预测
    D. 产品需求量预测

12. 类推法的逻辑基础是（　　）。
    A. 事物发展的惯性
    B. 事物之间的相似性
    C. 数据的统计规律
    D. 专家的主观判断

13. 服务市场运行规则中,《服务贸易总协定》（GATS）的核心目标是（　　）。
    A. 保护国内服务业
    B. 推动全球服务贸易自由化
    C. 规范服务价格
    D. 限制外资进入服务业
14. 头脑风暴法的主要目的是（　　）。
    A. 通过匿名讨论获得专家意见
    B. 快速产生大量创造性方案
    C. 统计分析市场数据
    D. 预测市场份额变化
15. 下列哪项不属于定性预测的方法?（　　）
    A. 主观概率法　　　B. 趋势外推法
    C. 集体意见法　　　D. 行业类推法
16. 市场预测的概率推断原理适用于哪种情况?（　　）
    A. 数据完整且规律明确
    B. 无法完全把握未来时预估可能性
    C. 需严格遵循历史趋势
    D. 仅适用于短期预测
17. 功能性饮料市场中,"植物基成分加入"属于哪类预测趋势?（　　）
    A. 产品创新方向　　B. 渠道变革
    C. 价格波动　　　　D. 消费者偏好转移
18. 定性预测的缺点主要是（　　）。
    A. 无法处理复杂影响因素
    B. 易受主观因素影响,缺乏精确量化
    C. 成本高、耗时长
    D. 不适用于长期预测
19. 服务市场的"不分离性"指的是（　　）。
    A. 服务生产与消费同时进行
    B. 服务价格与成本不可分割
    C. 服务质量与人员素质关联
    D. 服务需求与供给同步变化
20. 下列哪项属于下游市场预测的内容?（　　）
    A. 原材料价格波动
    B. 市场需求趋势与供需平衡
    C. 能源供应保证程度
    D. 新技术应用可能性

## 二、多项选择题

1. 市场预测的基本原理包括下列哪些?（　　）
    A. 相关性原理　　　B. 惯性原理
    C. 类推原理　　　　D. 概率推断原理
2. 定性预测的主要方法包括（　　）。
    A. 波士顿矩阵（BCG）
    B. 德尔菲法
    C. 头脑风暴法
    D. 回归分析法
3. 服务市场的运行特点包括（　　）。
    A. 无形性　　　　　B. 不分离性
    C. 差异性　　　　　D. 易逝性
4. 市场容量预测的方法包括（　　）。
    A. 连锁比率法
    B. 购买力指数法
    C. 销售人员意见综合法
    D. 类比法
5. 按预测时间分类,市场预测可分为（　　）。
    A. 近期预测　　　　B. 短期预测
    C. 中期预测　　　　D. 长期预测
6. 产品市场预测的内容包括（　　）。
    A. 上游原材料供应预测
    B. 下游市场需求趋势预测
    C. 市场价格变化预测
    D. 消费资料市场容量预测
7. 德尔菲法的操作步骤包括（　　）。
    A. 组建管理小组与应答小组
    B. 多轮征询与反馈
    C. 统计处理专家意见
    D. 面对面会议讨论
8. 类推法的具体分类包括（　　）。
    A. 国际类推法　　　B. 地区类推法
    C. 行业类推法　　　D. 产品类推法
9. 定性预测的适用范围包括（　　）。
    A. 数据资料不充分时
    B. 影响因素复杂难以量化时
    C. 须快速得出预测结论时
    D. 精确量化要求高的场景

10. 扩大市场容量的思路包括（　　）。
   A. 增加消费者可支配收入
   B. 推动科技创新
   C. 开拓国外市场
   D. 降低产品价格

## 课堂实训

举例说明市场调查与市场预测的关系。

## 课外实训

根据实训课程中市场营销沙盘模拟系统提供的数据，通过网上调查，采用不同的预测方法对所关注的商品销售情况进行预测，并提供预测结果。学生也可以下载数据模板，填写预测数据并导入系统中，进行预测数据与实际判断的比对分析。

## 案例分析

### 更充分释放养老家政服务业就业潜力

近年来，在需求驱动和政策保障牵引的双重作用下，我国养老家政等社会服务业发展取得显著成效。扩大养老家政服务专业人才有效供给，充分释放养老、家政等社会服务业领域的就业潜力，既有利于推动养老和家政服务业高质量发展，也是培育就业新序列、开发就业增长点的重要着力点。

在需求驱动方面，老龄化、城镇化与高抚养比等人口结构特征，使养老家政服务日益成为刚性需求。据民政部数据，截至2023年年末，全国60周岁及以上老年人口29 697万人，占总人口的21.1%；全国65周岁及以上老年人口21 676万人，占总人口的15.4%。全国65周岁及以上老年人口抚养比为22.5%。

此外，人们生活水平日益提高，使得养老家政服务成为有效需求。社会保障高质量发展，奠定了养老家政服务需求的坚实基础。数据显示，全国参加基本养老保险人数超10亿人，享受高龄津贴的老年人3 547.8万人，49个试点城市参加长期护理保险人数超1.8亿人，我国已建成世界上覆盖人口规模最大的社会保障安全网。同时，城乡居民收入水平提高，城乡居民收入差距持续缩小，进一步充实了养老家政服务需求购买力。

在政策保障牵引方面，国家大力支持社会服务业高质量发展，我国养老家政服务业发展规模不断扩大，积累了扎实的产业基础，成为现代服务行业的重要业态。党的二十届三中全会就健全加快生活性服务业多样化发展机制作出重要部署，提出"优化基本养老服务供给"等改革举措。《关于促进家政服务业提质扩容的意见》《关于推进养老服务发展的意见》等文件的出台，为养老和家政服务业高质量发展提供了政策牵引和制度保障。截至2023年，全国共有各类养老机构和设施40.4万个，养老床位合计823万张；家政服务市场规模达到11 641亿元。

当前，加快发展养老家政服务业、加快生活性服务业多样化发展，有利于催生出新的就业增长点。据测算，当前我国对养老护理员的需求达600万名，但实际从业人员只有50万名。庞大老年群体对养老服务的需求日益增长且多样化，不仅包括基本的生活照料，更涵盖健康管理、精神慰藉、康复护理等多个方面。旺盛的服务需求蕴藏巨大的就业潜力，同时也为专业人才的供给提出了更高的要求。

资料来源：光明网，《更充分释放养老家政服务业就业潜力》，2025年1月21日。

问题：
1. 养老家政服务业就业潜力市场预测主要在哪几个方面？为什么？
2. 为什么说服务业就业潜力市场有利于催生出新的就业增长点？主要体现在哪些方面？
3. 在需求驱动方面的预测与在政策保障牵引方面的供给的匹配度如何？请提出自己的建议。

## 知识解析

# 第 10 章　定量预测

## ● 学习目标

1. 了解定量预测分析的基本原理和分析原则。
2. 熟悉定量预测分析的类型以及模型特点。
3. 掌握时间序列预测法中的移动平均法和指数平滑法的具体运用。
4. 了解一元回归分析方法的具体应用和要求。

## ● 引导案例

### 泰伯智库发布《全球及中国低空经济全景深度研究报告（2024）》

2024 年 9 月 12 日下午，在 2024 低空经济时空信息基础设施论坛上，泰伯智库发布了最新研究成果《全球及中国低空经济全景深度研究报告（2024）》。

在报告中，泰伯智库采用多元化的研究方法，结合定量分析与定性分析，旨在全面评估全球及中国低空经济市场的现状、发展趋势以及未来潜力。通过深入分析行业报告、市场数据、专家访谈和案例研究，泰伯智库力求构建一个全面、准确的行业画像。通过此次研究，泰伯智库希望能够为相关领域的企业、投资机构、研究机构和政策制定者提供有价值的参考，推动低空经济市场的进一步发展和应用。

政策的推动、技术的创新以及资本的注入是低空经济快速发展的三大柱石。国内外的技术进步共同推动了无人机和 eVTOL 的广泛应用。通过持续的技术创新和规范化的安全法规适应，无人机和 eVTOL 的应用正从实验室和小规模试点走向广泛的商业化和民用化，显示出该领域未来的广阔发展前景。

中国低空经济的相关配套市场和基础设施得益于国家政策的支持和市场需求的驱动，正处于快速发展阶段；制造业、通信导航技术、航空交通管理系统以及相关基础设施建设均见证了显著的增长和创新。

在政策支持和技术进步的背景下，2023 年和 2024 年中国低空经济市场规模呈现增长态势；总体来看，2023 年中国低空经济市场规模预估为 5 300 亿元人民币，预计在 2024 年增长至 6 100 亿元人民币，2028 年将超过 1 万亿元。政策的支持，包括空域放开和安全监管的改进，是促进该领域持续发展的关键因素。

资料来源：新浪财经，《泰伯智库预测中国低空经济市场规模将实现显著增长，2028年有望超万亿》，2024年10月。

**问题：**
1. 泰伯智库综合运用定量与定性分析开展研究，在构建低空经济行业画像时，如何确保不同研究方法获取的数据与结论能相互验证、精准反映市场实际？
2. 政策、技术和资本作为低空经济发展的三大支撑，当政策导向与技术创新速度不匹配时，会对低空经济商业化进程产生哪些潜在风险与挑战？
3. 依据报告预测，2028年中国低空经济市场规模将突破万亿元，在实现这一目标过程中，哪些细分领域可能成为新的增长极并重塑市场格局？

## 10.1 定量预测概述

定量预测体现出量化指标对预测精准性的贡献，同时，定量预测也是预测主体采用数据、图表、曲线等方式来表达组织产品或服务市场的变化情况，可以使阅读者更清晰、更形象地发现预测对象的变化规律，也可以据此判断预测对象的发展趋势。

### 10.1.1 定量预测的概念

定量预测是指使用历史数据或因素变量来预测需求。定量预测是通过构建数学模型的方法来进行预测的，因此它只能在掌握若干统计数据资料的基础上才能应用。时间序列模型和因果关系模型是市场预测中两种主要的定量预测模型。

（1）时间序列模型将一切其他因素对需求的影响都归结为时间的影响，以时间为独立变量，利用过去需求随时间变化的关系来估计未来的需求。

（2）因果关系模型将一切其他因素对需求的影响都归结为某一变量的影响，利用过去需求随此变量变化的关系来估计未来的需求。

### 10.1.2 定量预测的特点

（1）条件性。定量预测模型的假设条件是：承认以往多因素造成需求变化结果的原因，将多变量对需求变化复杂影响的综合效果归结为某一主要变量对需求变化的影响，并认为这一主要变量今后仍将继续以此方式对需求产生影响。

（2）实用性。定量模型假设虽然与现实情况有较大差异，却能以偏微分方式将模型简化到具有实用性的程度。在没有异常因素影响的情况下，多因素对需求变化影响的综合效果，会在一段时间内按以往的统计规律继续体现。因此，这种假设在很多情况下，尤其对中期、短期预测还是有效的。

（3）有效性。定量预测对战略决策具有有效性，同时，运用数学模型进行预测还可以充分利用计算机高速运算的优势，多产品、大范围、高效率地完成预测任务，并可以对预测结果做出进一步的分析。目前除了在Excel电子表格上可以建立简单的预测程序，一些如SAS、SPSS等用于预测的软件也已经得到开发和应用。

## 10.2 时间序列预测

时间序列预测以时间为自变量、市场需求为因变量，通过过去的需求随时间变化的函数关系来预测未来。

### 10.2.1 时间序列分析的概念与原理

#### 1. 时间序列分析的概念

时间序列是按时间顺序排列的一组数字序列，时间序列分析就是利用这组数列，同时运用数理统计的方法加以处理，以预测未来事物的发展。时间序列分析是定量预测方法之一，它的基本特点：一是承认事物发展的延续性，运用过去的数据，就能推测事物的发展趋势；二是考虑到事物发展的随机性，任何事物发展都可能受偶然因素的影响，为此要利用统计分析中的加权平均法对历史数据进行处理。该方法简单易行，便于掌握，但准确性差，一般只适用于短期预测。时间序列预测一般反映三种实际变化规律：趋势变化、周期性变化、随机性变化。

#### 2. 时间序列分析的原理

时间序列分析的原理是根据系统观测到的时间序列数据，通过曲线拟合和参数估计来建立数学模型。时间序列分析常用在国民经济宏观控制、区域综合发展规划、企业经营管理、市场潜量预测、气象预报、水文预报、地震前兆预报、农作物病虫灾害预报、环境污染控制、生态平衡、天文学和海洋学等方面，在市场预测活动中运用得也相当普遍。

### 10.2.2 时间序列的组成要素

一个时间序列通常由四种要素组成：趋势变化、季节变动、循环波动和不规则波动。

（1）趋势变化。趋势变化是时间序列在长时期内呈现出来的持续向上或持续向下的变化。它表现为短期是平行线，中期是上升或下降的斜线，长期是波浪线。

（2）季节变动。季节变动是时间序列在一年内重复出现的周期性波动。它是气候条件、生产条件、节假日或人们的风俗习惯等各种因素影响的结果。

（3）循环波动。循环波动是时间序列呈现出的非固定长度的周期性变动。循环波动的周期可能会持续一段时间，但与趋势不同，它不是朝着单一方向的持续变动，而是涨落相同的交替波动，表现为上升或下行的波浪线。

（4）不规则波动。不规则波动是时间序列中除去趋势变化、季节变动和循环波动外的随机波动。不规则波动通常夹杂在时间序列中，致使时间序列产生一种波浪形或振荡式的变动。只含有随机波动的序列也称为平稳序列。

### 10.2.3 时间序列预测的基本步骤

时间序列预测可以面向不同情境进行相同流程的建模，在建模步骤上具有以下相似性。

（1）用观测、调查、统计、抽样等方法取得被观测系统时间序列的动态数据。

（2）根据动态数据做相关图，进行相关分析，得出相关函数。相关图能显示变化的趋势和周期，并能发现跳点和拐点。跳点是指与其他数据不一致的观测值。如果跳点是正确的观测值，在建模时应考虑进去；如果是反常现象，则应把跳点调整到期望值。拐点是指时间序列从上升趋势突然变为下降趋势的点。如果存在拐点，在建模时必须用不同的模型去分段拟合该时间序列，如采用门限回归模型。

（3）辨识合适的随机模型，进行曲线拟合，即用通用随机模型去拟合时间序列的观测数据。对于短的或简单的时间序列，可用趋势模型和季节模型加上误差来进行拟合。对于平稳时间序列，可用通用自回归滑动平均（Auto-Regressive Moving Average，ARMA）模型及其特殊情况的自回归模型、滑动平均模型或组合 ARMA 模型等来进行拟合，当观测值多于 50 个时一般都采用 ARMA 模型。对于非平稳时间序列则要先将观测到的时间序列进行差分运算，化为平稳时间序列，再用适当模型去拟合这个差分序列。

### 10.2.4 时间序列预测的应用价值

以时间为自变量的预测模型，可以在一定程度上分析出因变量的变化情况，对其未来一段时间的数值做出预测。尽管预测值有一定误差，但是对于多数市场预测参数来说，可以给决策者提供较为科学的根据，保证决策的准确性。

（1）系统描述：根据对系统进行观测得到的时间序列数据，用曲线拟合方法对系统进行客观的描述。

（2）系统分析：当观测值取自两个以上变量时，可用一个时间序列中的变化去说明另一个时间序列中的变化，从而深入了解给定时间序列产生的机理。

（3）预测未来：一般用 ARMA 模型拟合时间序列，预测该时间序列的未来值。

（4）决策和控制：根据时间序列模型可调整输入变量使系统发展过程保持在目标值上，即预测到当过程要偏离目标时便可进行必要的控制。

近年来，多维时间序列分析的研究成果明显，并应用到工业生产自动化及社会经济分析中。此外，非线性模型统计分析及非参数统计分析等方面的研究也逐渐引起了人们的注意。

## 10.3 时间序列预测法

时间序列预测法可用于短期、中期和长期预测。根据对资料分析方法的不同，时间序列预测法可分为算术平均法、几何平均法、移动平均法等。

1. 算术平均法

算术平均法是求出一定观察期内预测目标的时间数列的算术平均数作为下期预测值的一种最简单的时间序列预测法。算术平均法常用的有简单算术平均法和加权算术平均法。

（1）简单算术平均法。简单算术平均法是指将过去各数据之和除以数据总个数，求得算术平均数作为预测值的方法。

计算简单算术平均数的公式为

$$\bar{x} = \frac{x_1 + x_2 + x_3 + \cdots + x_n}{n} \tag{10-1}$$

或简写为

$$\bar{x} = \frac{\sum_{i=1}^{n} x_i}{n}$$

式中 $x_i$——观察期内预测目标数值($i=1,2,\cdots,n$);

$n$——观察期内预测目标个数。

式(10-1)的适用范围为短期的水平型数据模式。

运用简单算术平均法求平均数,进行市场预测有两种形式。

1)以最后一年的每月平均值或数年的每月平均值作为次年的每月预测值。

2)以观察期的每月平均值作为预测期对应月份的预测值。

平均增长量又称"平均增减量",用来说明某种现象在一定时期内平均每期增长的数量,从广义上说,它是一种序时平均数。它可将各个逐期增长量相加后,除以逐期增长量的个数,即采用简单算术平均法求得,也可由累计增长量除以时间数列项数减1来除求得。

平均增长量的计算公式:

$$\text{平均增长量} = \text{逐期增长量之和} / \text{逐期增长量个数} \tag{10-2}$$
$$= \text{累积增长量} / (\text{时间数列项数} - 1)$$

平均增长量法适用于变量时间序列的逐期增长量大致相同的情况,此时,未来变量的预测可以通过即期值与平均增长量乘以期数差的和来计算。但如果逐期上涨额相差很大、不均匀,即时间序列的变动幅度较大,则计算出的趋势值与实际值的偏离就很大,用这种方法计算的准确性也就随之降低。

(2)加权算术平均法。加权算术平均法是利用过去若干个按照时间顺序排列起来的同一变量的观测值并以时间顺序变量出现的次数为权数,计算出观测值的加权算术平均数,以这一数字作为预测未来该变量值的一种趋势预测法。其计算公式为

$$\bar{x} = \frac{\sum_{i=1}^{n} x_i w_i}{\sum_{i=1}^{n} w_i} \tag{10-3}$$

式中 $x_i$——观测值($i=1,2,\cdots,n$);

$n$——观测值个数;

$w_i$——各个观测值对应的权数,$w_i$ 在 0 到 1 之间。

在市场预测过程中,加权算术平均法就是在求平均数时,根据观察期各预测目标重要性的不同,分别给予不同的权数加以平均的方法。其特点是所求得的平均数已包含长期趋势变动。

2. 几何平均法

几何平均法是统计学中的一个概念,也称水平法,主要用于计算比率等相对数的平均

数，是 $n$ 个比率乘积的 $n$ 次方根。其计算平均发展速度的原理是：一定时期内现象发展的总速度等于各期环比发展速度的连乘积。几何平均法通过连乘各期环比发展速度，再取几何平均数来计算平均发展速度。其计算公式为

$$\bar{x} = \sqrt[n]{x_1 \cdot x_2 \cdot \ldots \cdot x_n} = \sqrt[n]{\frac{y_1}{y_0} \cdot \frac{y_2}{y_1} \cdot \ldots \cdot \frac{y_n}{y_{n-1}}} \tag{10-4}$$

式中　$x_i$——第 $i$ 年的发展速度（$i=1, 2, \cdots, n$）；

　　　$y_i$——第 $i$ 年的发展水平（$i=1, 2, \cdots, n$）；

　　　$\bar{x}$——平均发展速度。

由于环比发展速度的连乘积等于相应的定基发展速度，因此平均发展速度也可以表示为

$$\bar{x} = \sqrt[n]{\frac{y_n}{y_0}} \tag{10-5}$$

式（10-4）和式（10-5）都是平均发展速度几何平均法的计算公式，可以根据资料的掌握情况选择计算公式。若已知逐期环比发展速度，可用式（10-4）计算；若所掌握的资料是期初水平和期末水平，宜用式（10-5）计算。

不难看出，平均发展速度的几何平均法隐含着一个假设，即从时间序列的期初水平（$y_0$）出发，以序列的平均发展速度代替各期环比发展速度，计算出的期末理论值水平应与期末实际水平相一致。这就是几何平均法又称水平法的缘由。

### 3. 移动平均法

移动平均法是用一组最近的实际数据值来预测未来一期或几期内某产品的需求量、公司产能等的一种常用方法。

（1）移动平均法的分类。移动平均法是根据时间序列逐项推移，依次计算包含一定项数的序时平均数，并以此进行预测的方法。移动平均法包括一次移动平均法、二次移动平均法和加权移动平均法。移动平均具有对原序列修匀或平滑的作用。

1）一次移动平均法。一次移动平均法是指对由移动期数的连续移动所形成的各组数据使用算术平均法计算各组数据的移动平均值，并将其作为下一期的预测值。

一次移动平均值的计算公式为

$$M_t^{(1)} = \frac{x_t + x_{t-1} + \cdots + x_{t-(n-1)}}{n} \tag{10-6}$$

式中　$n$——移动平均的期数；

　　　$t$——当前要计算移动平均的时间点。

例如，某商场文具部 1—6 月份销售额如表 10-1 所示，要求预测 7 月份（$n=5$）的销售额。

表 10-1　某商场文具部 1—6 月份销售额

| 月份 | 1 | 2 | 3 | 4 | 5 | 6 |
|---|---|---|---|---|---|---|
| 销售额（万元） | 58 | 49 | 54 | 52 | 58 | 55 |

7 月份销售额为：$M_6^{(1)} = \dfrac{x_6 + x_5 + x_4 + x_3 + x_2}{5} = 53.6$（万元）

2）二次移动平均法。二次移动平均值的计算公式为

$$M_t^{(2)} = \frac{M_t^{(1)} + M_{t-1}^{(1)} + \cdots + M_{t-n+1}^{(1)}}{n} \tag{10-7}$$

式中　$M_t^{(1)}$——第 $t$ 期的一次移动平均值；

　　　$M_t^{(2)}$——第 $t$ 期的二次移动平均值；

　　　$n$——移动平均的期数。

二次移动平均法的预测模型为

$$Y_{t+T} = a_t + b_t \cdot T \tag{10-8}$$

其中：

$$a_t = 2M_t^{(1)} - M_t^{(2)}$$

$$b_t = \frac{2}{n-1}(M_t^{(1)} - M_t^{(2)})$$

式中　$T$——由 $t$ 期向后推移的期数；

　　　$M_t^{(1)}$——计算得出的一次移动平均数序列中的最后一个一次移动平均值；

　　　$M_t^{(2)}$——计算得出的二次移动平均数序列中的最后一个二次移动平均值。

3）加权移动平均法。加权移动平均法就是对观察值分别赋予不同的权数，按不同权数求得移动平均值，并以最后的移动平均值为基础确定预测值的方法。加权移动平均法既可以用于一次移动平均计算，也可以用于二次移动平均计算。

加权移动平均法给固定跨越期限内的每个变量值以不相等的权重，这是因为历史各观察期内的数据信息对预测未来数据的作用是不一样的，远离目标期的变量值的影响力相对较低，故应给予较低的权重。

加权移动平均法的计算公式为

$$M_t = w_1 x_{t-1} + w_2 x_{t-2} + w_3 x_{t-3} + \cdots + w_n x_{t-n} \tag{10-9}$$

式中　$w_i$——第 $t-i$ 期数据的权重，通常近期数据权重更高，且权重之和为 1；

　　　$n$——移动平均的期数。

在运用加权平均法时，权重的选择是一个应该注意的问题。经验法和试算法是选择权重的最简单的方法。一般而言，最近期的数据最能预示未来的情况，因而权重应大些。例如，根据前一个月的利润和运营能力比根据前几个月的利润和运营能力能更好地估测下个月的利润和运营能力。

（2）使用移动平均法存在的问题。使用移动平均法进行预测能平滑掉需求的突然波动对预测结果的影响，但在运用移动平均法时存在着如下问题：

1）加大移动平均法的期数（即加大 $n$ 值）会使平滑波动效果更好，但会使预测值对数据实际变动更不敏感。

2）移动平均值并不能总是很好地反映趋势。由于是平均值，预测值总是停留在过去的水平上而无法预计会导致将来更高或更低的波动。

3）移动平均法要有大量的过去数据的记录。

4）移动平均法通常只考虑历史数据的平均值，无法很好地考虑季节性因素对数据的影

响，导致预测结果可能不准确。

移动平均法的基本原理：通过移动平均消除时间序列中的不规则变动和其他变动，从而揭示出时间序列的长期趋势。

（3）移动平均法的主要特点。

1）移动平均对原序列有修匀或平滑的作用，使得原序列的上下波动被削弱了，而且移动平均期数 $n$ 越大，对数列的修匀作用越强。

2）当移动平均期数 $n$ 为奇数时，只需一次移动平均，其移动平均值作为移动平均项数的中间一期的趋势代表值；而当移动平均期数 $n$ 为偶数时，移动平均值代表的是这偶数项的中间位置的水平，无法对正某一时期，则需要再进行一次相邻两项平均值的移动平均，这才能使平均值对正某一时期，成为移正平均，也成为中心化的移动平均数。

3）当序列包含季节变动时，移动平均期数 $n$ 应与季节变动长度一致，才能消除其季节变动；当序列包含周期变动时，移动平均期数 $n$ 应与周期长度基本一致，才能较好地消除其周期波动。

例如，某商场根据 1～11 月的月销售额预测 12 月的销售额，移动平均期数不同，预测结果也有一定的区别，如图 10-1 所示。

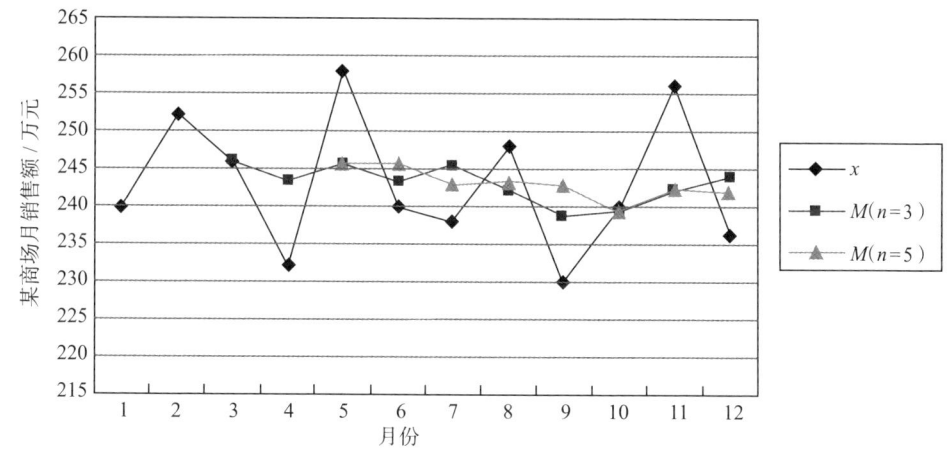

图 10-1　移动平均法应用示意图

⊙ **知识链接**

## 统计中的移动平均法规则

统计中的移动平均法是对动态数列修匀的一种方法，是将动态数列的时距扩大，不同的是采用逐期推移简单的算术平均法，计算出扩大时距的各个平均数。这些数列推移的序时平均数就形成了一个新的数列。通过移动平均，现象短期不规则变动的影响被消除，如果扩大的时距能与现象周期波动的时距相一致或为其倍数，就能进一步削弱季节变动和循环变动的影响，更好地反映现象发展的基本趋势。

移动平均法适用于近期预测。当产品需求既不快速增长也不快速下降，且不存在季节性因素时，移动平均法能有效地消除预测中的随机波动。移动平均法根据预测时使用的各元素的权重不同，可以分为简单移动平均法和加权移动平均法。

根据对准确程度要求的不同，可选择一次或二次移动平均值来进行预测。首先是分别移动计算相邻数期的平均值，其次确定变动趋势和趋势平均值，最后用最近期的平均值加趋势平均值乘以距离预测时间期数，即得到预测值。

值得注意的是，趋势移动平均法中的第一次移动平均法与简单移动平均法不同，同样是第 $t$ 期的移动平均值，趋势移动平均法是求第 $t$ 期到第 $t-n+1$ 期实际值之和的平均值，而简单移动平均法是求第 $t-1$ 期到第 $t-n$ 期实际值之和的平均值。在实际运用过程中，千万不能混淆。

趋势移动平均法以最近期实际值的一次移动平均值的起点，以及二次移动平均值估计趋势变化的斜率来建立预测模型，具体如下：

$$a_t = 2M_t^{(1)} - M_t^{(2)} \tag{10-10}$$

$$b_t = \frac{2}{n-1}(M_t^{(1)} - M_t^{(2)}) \tag{10-11}$$

式中　$a_t$——预测直线的截距；

　　　$b_t$——预测直线的斜率；

　　　$n$，$t$ 同式（10-6）。

趋势移动平均法的预测模型为

$$y_{t+k} = a_t + b_t k \tag{10-12}$$

式中　$k$——趋势预测期数；

　　　$y_{t+k}$——第 $t+k$ 期预测值。

## 10.4　指数平滑法

指数平滑法是生产预测中常用的一种方法，也用于中短期经济发展趋势预测，在所有预测方法中，指数平滑法是用得最多的一种。

### 10.4.1　指数平滑法的概念和基本原理

#### 1. 指数平滑法的概念

指数平滑法是指通过计算指数平滑值，配合一定的时间序列预测模型对现象的未来进行预测的方法。如果时间序列的态势具有稳定性或规则性，时间序列可被合理地顺势推延。最近的过去态势在某种程度上会持续到未来，所以将较大的权重放在最近的观察值上，但是如果认为最远的过去态势对未来影响更大，可以将较大的权重放在最远的观察值上，这体现出观察者对观察值处理的原则。

#### 2. 指数平滑法的基本原理

移动平均法不考虑较远期的数据，并在加权移动平均法中给予近期观察值更大的权重，而指数平滑法则兼容了全期平均和移动平均所长，不舍弃过去的数据，但是仅给予逐渐减弱

（或增强）的影响程度，即随着与预测值时间间隔的远近，赋予逐渐收敛为零（或趋近无穷大）的权重。

指数平滑法是在移动平均法的基础上发展起来的一种时间序列预测法。其原理是任何一期的指数平滑值都是本期实际观察值与前一期指数平滑值的加权平均。

指数平滑法的基本公式为

$$S_t = \alpha y_t + (1-\alpha) S_{t-1} \tag{10-13}$$

式中  $S_t$——$t$ 期的平滑（预测）值；

$y_t$——$t$ 期的实际值；

$S_{t-1}$——$t-1$ 期的平滑值；

$\alpha$——平滑系数，其取值范围为 [0，1]。

由式（10-13）可知：

（1）$S_t$ 是 $y_t$ 和 $S_{t-1}$ 的加权算术平均值，随着 $\alpha$ 取值的变化，$\alpha$ 决定 $y_t$ 和 $S_{t-1}$ 对 $S_t$ 的影响程度。当 $\alpha$ 取 1 时，$S_t = y_t$；当 $\alpha$ 取 0 时，$S_t = S_{t-1}$。

（2）$S_t$ 具有逐期追溯性质，可探源至 $S_{t-(t-1)}$ 为止，包括全期数据。在指数平滑过程中，平滑系数以指数形式递减（或递增），故称为指数平滑法。平滑系数取值至关重要，平滑系数决定了平滑水平以及对预测值与实际值之间差异的响应速度。平滑系数 $\alpha$ 越接近 1，远期实际值对本期平滑值影响程度的下降越迅速；平滑系数 $\alpha$ 越接近 0，远期实际值对本期平滑值影响程度的下降越缓慢。由此可见，当时间数列相对平稳时，可取较大的 $\alpha$；当时间数列波动较大时，应取较小的 $\alpha$，以不忽略远期实际值的影响。在生产预测中，平滑系数的值取决于产品本身和管理者对良好响应率内涵的理解。

（3）尽管 $S_t$ 包含全期数据的影响，但在实际计算时，仅需要两个数值，即 $y_t$ 和 $S_{t-1}$，再加上一个系数 $\alpha$，这就使指数滑动平均具有逐期递推性质，从而给预测带来了极大的方便。

（4）根据公式 $S_1 = \alpha y_1 + (1-\alpha) S_0$，当欲用指数平滑法时才开始收集数据，则不存在 $y_0$，无从产生 $S_0$，自然无法根据指数平滑公式求出 $S_1$，指数平滑法定义 $S_1$ 为初始值，初始值的确定也是指数平滑过程的一个重要条件。

如果能够找到 $y_1$ 以前的历史资料，那么，初始值 $S_1$ 的确定是不成问题的。数据较少时可用全期平均法、移动平均法；数据较多时，可用最小二乘法，但不能使用指数平滑法本身确定初始值，因为数据必会枯竭。

如果仅有从 $y_1$ 开始的数据，那么确定初始值的方法如下所示。

1）取 $S_1$ 等于 $y_1$。

2）待积累若干数据后，取 $S_1$ 等于前面若干数据的简单算术平均数，如 $S_1 = (y_1+y_2+y_3)/3$ 等。

根据平滑次数不同，指数平滑法分为一次指数平滑法、二次指数平滑法和三次指数平滑法等。

### 10.4.2 一次指数平滑法

一次指数平滑法是指以最后的一个第一次指数平滑。如果为了使指数平滑值敏感地反映最新观察值的变化，应取较大的 $\alpha$，如果所求指数平滑值是用来代表该时间序列的长期趋势值,则应取较小的 α。

### 1. 初始值的确定

初始值即第一期的预测值。一般原数列的项数较多时(大于15项),可以选用第一期的观察值或选用第一期前一期的观察值作为初始值。如果原数列的项数较少(小于15项),可以选取最初几期(一般为前三期)的平均数作为初始值。指数平滑法的选用,一般可根据原数列散点图呈现的趋势来确定。如呈现直线趋势,选用二次指数平滑法;如呈现抛物线趋势,选用三次指数平滑法。另外,当时间序列的数据经二次指数平滑处理后仍有曲率时,选用三次指数平滑法。

### 2. 系数 α 的确定

在指数平滑法的计算中,关键是 α 的取值大小,但 α 的取值又容易受主观影响,因此合理确定 α 的取值方法十分重要。一般来说,如果数据波动较大,α 值应取大一些,可以增加近期数据对预测结果的影响;如果数据波动平稳,α 值应取小一些。理论界一般认为有以下方法可供选择。

(1)经验判断法。这种方法主要依赖于时间序列的发展趋势和预测者的经验做出判断。

1)当时间序列呈现较稳定的水平趋势时,应选较小的 α 值,一般可在 0.05~0.20 之间取值;如果观察值的长期趋势变动接近稳定的常数,应取居中的 α 值,一般在 0.4~0.6 之间取值,使观察值在指数平滑中具有大小接近的权数。

2)当时间序列有波动,但长期趋势变化不大时,可选稍大的 α 值,常在 0.4~0.6 之间取值;如果观察值的长期趋势变动较缓慢,则宜取较小的 α 值(一般取 0.1~0.4),使远期观察值的特征也能反映在指数平滑值中。在确定预测值时,还应加以修正,在指数平滑值 $S$ 的基础上再加一个趋势值 $b$,因而,原来指数平滑公式也应加一个 $b$。

3)当时间序列波动很大,长期趋势变化幅度较大,呈现明显且迅速的上升或下降趋势时,宜选择较大的 α 值,如可在 0.6~0.8 之间取值,以使预测模型灵敏度高些,能迅速跟上数据的变化;如果观察值呈现明显的季节性变动,则宜取较大的 α 值,使近期观察值在指数平滑值中具有较大的作用,从而使近期观察值能迅速反映在未来的预测值中。

4)当时间序列数据是上升(或下降)的发展趋势类型,α 应取较大的值,一般在 0.6~1 之间取值。当时间序列无明显的趋势变化时,可用一次指数平滑法预测。

(2)试算法。根据具体时间序列情况,参照经验判断法来大致确定额定的取值范围,然后取几个 α 值进行试算,比较不同 α 值下的预测标准误差,选取预测标准误差最小的 α 值。

在实际应用中预测者应结合对预测对象的变化规律做出定性判断且计算预测误差,并要考虑到预测灵敏度和预测精度是相互矛盾的问题,必须给予二者一定的考虑,采用折中的 α 值。

对于市场预测者来说,还应根据中长期趋势变动和季节性变动情况的不同而取不同的 α 值。

### 3. 预测公式

一次指数平滑预测公式为

$$y'_{t+1} = \alpha y_t + (1-\alpha) y'_t \qquad (10\text{-}14)$$

式中　$y'_{t+1}$——$t+1$ 期的平滑值,即本期（$t$ 期）的平滑值 $S_t$;

　　　$y_t$——$t$ 期的实际值;

　　　$y'_t$——$t$ 期的平滑值,即上期的平滑值 $S_{t-1}$。

式（10-14）又可以写作：$y'_{t+1} = y'_t + \alpha(y_t - y'_t)$。

### 10.4.3　二次指数平滑法

二次指数平滑是对一次指数平滑的再平滑,它适用于具有线性趋势的时间序列,其预测公式为

$$S_t^{(2)} = \alpha S_t^{(1)} + (1-\alpha) S_{t-1}^{(2)} \qquad (10\text{-}15)$$

式中　$S_t^{(1)}$——$t$ 期的一次指数平滑值;

　　　$S_t^{(2)}$,$S_{t-1}^{(2)}$——$t$ 期和 $t-1$ 期的二次指数平滑值;

　　　$\alpha$——平滑系数。

在 $S_t^{(2)}$ 和 $S_{t-1}^{(2)}$ 已知的条件下,二次指数平滑法的预测模型为

$$\hat{y}_{t+T} = a_t + b_t T \qquad (10\text{-}16)$$

$$\begin{cases} a_t = 2S_t^{(1)} - S_t^{(2)} \\ b_t = \dfrac{\alpha}{1-\alpha}(S_t^{(1)} - S_t^{(2)}) \end{cases}$$

式中　$T$——预测期数。

例如,某地区 2014—2024 年财政收入的资料如表 10-2 所示,试用指数平滑法求解趋势直线方程并预测 2025 年的财政收入。

表 10-2　某地区 2014—2024 年财政收入

| 年份 | $t$ | 财政收入（亿元） | $S_t^{(1)} = aY_t + (1-a)S_{t-1}^{(1)}$<br>$a=0.9$　初始值为 23 | $S_t^{(2)} = aS_t^{(1)} + (1-a)S_{t-1}^{(2)}$<br>$a=0.9$　初始值为 28.4 |
|---|---|---|---|---|
| 2014 | 1 | 29 | 28.40 | |
| 2015 | 2 | 36 | 35.24 | 34.56 |
| 2016 | 3 | 40 | 39.52 | 39.02 |
| 2017 | 4 | 48 | 47.15 | 46.34 |
| 2018 | 5 | 54 | 53.32 | 52.62 |
| 2019 | 6 | 62 | 61.13 | 60.28 |
| 2020 | 7 | 70 | 69.11 | 68.23 |
| 2021 | 8 | 76 | 75.31 | 74.60 |
| 2022 | 9 | 85 | 84.03 | 83.09 |
| 2023 | 10 | 94 | 93.00 | 92.01 |
| 2024 | 11 | 103 | 102.00 | 101.00 |

由表 10-2 可知：$S_0^{(1)} = 23$；$S_{11}^{(1)} = 102$；$S_0^{(2)} = 28.4$；$S_{11}^{2} = 101$,$a=0.9$,则

$$a_{11} = 2S_t^{(1)} - S_t^{(2)}$$

$$= 2 \times S_{11}^{(1)} - S_{11}^{2}$$

$$= 2 \times 102 - 101$$

$$= 103$$

$$b_{11} = \frac{a}{1-a}(S_t^{(1)} - S_t^{(2)})$$

$$= \frac{0.9}{1-0.9}(102 - 101)$$

$$= 9$$

所求模型为

$$\hat{Y}_{11+T} = 103 + 9T$$

2025 年该地区财政收入预测值为

$$Y_{11+3} = 103 + 9 \times 3 = 130 （亿元）$$

为了使预测值更能反映销售量变化的趋势，可以对上述结果按趋势值进行修正，修正移动平均法的计算公式为

$$\overline{Y}_{n+1} = Y_{n+1} + (Y_{n+1} - Y_n) \tag{10-17}$$

在应用修正移动平均法时，题目中会给出上期预测值。预测结果是在本期预测值（移动平均法）的基础上加上本期预测值（移动平均法）与上期预测值（移动平均法）之差。

### 10.4.4 三次指数平滑法

若时间序列的变动呈现出二次曲线趋势，则需要采用三次指数平滑法进行预测。三次指数平滑是在二次指数平滑的基础上再进行一次平滑，其计算公式为

$$S_t^{(3)} = \alpha S_t^{(2)} + (1-\alpha) S_{t-1}^{(3)} \tag{10-18}$$

三次指数平滑法的预测模型为

$$\hat{y}_{t+T} = a_t + b_t T + c_t T^2 \tag{10-19}$$

$$\begin{cases} a_t = 3S_t^{(1)} - 3S_t^{(2)} + S_t^{(3)} \\ b_t = \frac{\alpha}{2(1-\alpha)^2}[(6-5\alpha)S_t^{(1)} - 2(5-4\alpha)S_t^{(2)} + (4-3\alpha)S_t^{(3)}] \\ c_t = \frac{\alpha_2}{2(1-\alpha)^2}[S_t^{(1)} - 2S_t^{(2)} + S_t^{(3)}] \end{cases}$$

## 10.5 因果关系预测法

因果关系预测法是利用事物发展的因果关系来推测事物发展趋势的方法，一般根据过去掌握的历史资料找出预测对象的变量与其相关事物变量之间的依存关系来建立相应的因果预

测的数学模型,然后通过对数学模型的求解来进行预测。

因果关系预测是把预测变量作为因变量,分析影响它的因素有哪些,以确定取哪些变量作为自变量,并分析这些因素以何种方式对预测变量起作用,最后建立数学模型进行预测。

因果关系预测法包括回归分析预测法、计量经济模型、投入产出预测法等。

### 10.5.1 回归分析预测法

回归分析预测法是通过分析事物间的因果关系和相互影响的程度,建立适当的计量模型进行预测的方法。在现实经济中,许多经济变量之间存在固有关系,其中一些变量受另一些变量或因素的支配。我们把前一类变量称为因变量或被解释变量,后一类变量称为自变量或解释变量。回归分析模型就是反映因变量与自变量之间因果关系的分析式。它是一种具体的、行之有效的、实用价值很高的市场预测方法,常用于中短期预测。

#### 1. 一元线性回归预测

一元线性回归预测法是根据自变量 $x$ 和因变量 $y$ 的相关关系,建立 $x$ 与 $y$ 的线性回归方程进行预测的方法。由于市场现象一般受多种因素的影响,而不仅仅受一个因素的影响,所以应用一元线性回归预测法时必须对影响市场现象的多种因素做全面分析。只有当在诸多的影响因素中,确实存在一个对因变量影响作用明显高于其他因素的变量时,才能将它作为自变量,应用一元线性回归预测法进行市场预测。

一元线性回归预测法确定直线的方法是最小二乘法,其基本思想是最有代表性的直线应该是直线到各点的距离之和最小,然后用这条直线进行预测。一元线性回归预测模型的建立包括以下几个方面。

(1)选取一元线性回归模型的变量。

(2)绘制计算表和拟合散点图。

(3)计算变量间的回归系数及其相关的显著性。

(4)回归分析结果的应用。

一元线性回归预测法的预测模型为

$$\hat{y}_t = \hat{a} + \hat{b} x_t \tag{10-20}$$

式中 $x_t$ —— 第 $t$ 期自变量的值;

$\hat{y}_t$ —— 第 $t$ 期因变量的值;

$\hat{a}$,$\hat{b}$ —— 一元线性回归方程的参数。

(1)$\hat{a}$,$\hat{b}$ 参数由下列公式求得:

$$\begin{cases} \hat{b} = \dfrac{\sum\limits_{i=1}^{n}(x_i - \bar{x})(y_i - \bar{y})}{\sum\limits_{i=1}^{n}(x_i - \bar{x})^2} = \dfrac{\sum\limits_{i=1}^{n} x_i y_i - n \bar{x}\bar{y}}{\sum\limits_{i=1}^{n} x_i^2 - n \bar{x}^2} \\ \hat{a} = \bar{y} - \hat{b}\bar{x} \end{cases} \tag{10-21}$$

将 $\hat{a}$,$\hat{b}$ 代入一元线性回归方程 $\hat{y}_t = \hat{a} + \hat{b} x_t$,就可以建立预测模型。那么,只要给定 $x_t$

值，即可求出预测值 $y_t$。

在回归分析预测法中，需要对 $x$，$y$ 之间的相关程度做出判断，这就要计算相关系数 $r$，其计算公式如下：

$$r = \frac{\Sigma(x-\bar{x})(y-\bar{y})}{\sqrt{\Sigma(x-\bar{x})^2 \Sigma(y-\bar{y})^2}} \tag{10-22}$$

（2）相关系数 $r$ 的特征。

1）相关系数取值范围为：$-1 \leqslant r \leqslant 1$。

2）$r$ 与 $b$ 符号相同。当 $r>0$ 时，$x$ 与 $y$ 呈正线性相关，$x_i$ 上升，$y_i$ 呈线性增加。当 $r<0$ 时，$x$ 与 $y$ 呈负线性相关，$x_i$ 上升，$y_i$ 呈线性减少。

3）$|r|=0$，$x$ 与 $y$ 无线性相关关系；$|r|=1$，$x$ 与 $y$ 为完全确定的线性相关关系；$0<|r|<1$，$x$ 与 $y$ 存在一定的线性相关关系；$|r|>0.7$，$x$ 与 $y$ 为高度线性相关；$0.3<|r| \leqslant 0.7$，$x$ 与 $y$ 为中度线性相关；$|r| \leqslant 0.3$，$x$ 与 $y$ 为低度线性相关。

**2. 多元线性回归预测**

在市场经济活动中，经常会遇到某一市场现象的发展和变化取决于几个影响因素的情况，也就是一个因变量和几个自变量有依存关系的情况，并且有时几个影响因素的主次难以区分，或者有的因素虽属次要，但也不能略去其作用。例如，某一商品的销售量既与人口的增长变化有关，也与商品价格变化有关。这时采用一元线性回归预测法进行预测是难以奏效的，需要采用多元线性回归预测法。

多元线性回归预测模型一般公式为

$$y = b_0 + b_1 x_1 + b_2 x_2 + \cdots + b_k x_k + e \tag{10-23}$$

式中　　$b_0$——常数项；

$b_1$，$b_2$，$\cdots$，$b_k$——回归系数。

当 $b_1$ 为 $x_2$，$x_3$，$\cdots$，$x_k$ 固定时，$x_1$ 每增加一个单位对 $y$ 的效应，即 $x_1$ 对 $y$ 的偏回归系数；同理当 $b_2$ 为 $x_1$，$x_2$，$\cdots$，$x_k$ 固定时，$x_2$ 每增加一个单位对 $y$ 的效应，即 $x_2$ 对 $y$ 的偏回归系数。如果两个自变量 $x_1$、$x_2$ 与一个因变量 $y$ 呈二元线性相关，可用二元线性回归模型描述。多元线性回归模型中最简单的是只有两个自变量（$n=2$）的二元线性回归模型。

下面以二元线性回归预测法为例，说明多元线性回归预测法的应用。

二元线性回归预测法是根据两个自变量与一个因变量的相关关系进行预测的方法。二元线性回归模型的公式为

$$y = b_0 + b_1 x_1 + b_2 x_2 + e \tag{10-24}$$

式中　$x_1$，$x_2$——两个不同的自变量，即与因变量有紧密联系的影响因素；

$b_1$，$b_2$——线性回归方程的参数。

$b_1$，$b_2$ 可以通过解下列方程组得到：

$$\begin{cases} \Sigma y = nb_0 + b_1 \Sigma x_1 + b_2 \Sigma x_2 \\ \Sigma x_1 y = b_0 \Sigma x_1 + b_1 \Sigma x_1^2 + b_2 \Sigma x_1 x_2 \\ \Sigma x_2 y = b_0 \Sigma x_2 + b_1 \Sigma x_1 x_2 + b_2 \Sigma x_2^2 \end{cases} \tag{10-25}$$

$$b=(x'x)^{-1} \cdot (x'y) \quad (10\text{-}26)$$

即

$$\begin{pmatrix} b_0 \\ b_1 \\ b_2 \end{pmatrix} = \begin{pmatrix} n & \Sigma x_1 & \Sigma x_2 \\ \Sigma x_1 & \Sigma x_1^2 & \Sigma x_1 x_2 \\ \Sigma x_2 & \Sigma x_1 x_2 & \Sigma x_2^2 \end{pmatrix}^{-1} \cdot \begin{pmatrix} \Sigma y \\ \Sigma x_1 y \\ \Sigma x_2 y \end{pmatrix} \quad (10\text{-}27)$$

二元线性回归预测法的基本原理和步骤同一元线性回归预测法没有原则上的区别，大体相同。

### 10.5.2 计量经济模型

计量经济模型就是表示经济现象及其主要因素之间数量关系的方程式。

#### 1. 计量经济模型的要素

计量经济模型主要有经济变量、参数和随机误差三大要素。第一大要素是经济变量，它是反映经济变动情况的量，分为自变量和因变量。而在计量经济模型中的变量则可分为内生变量和外生变量两种。内生变量是指由模型本身加以说明的变量，它们是模型方程式中的未知数，其数值可由求解方程式获得；外生变量是指不能由模型本身加以说明的量，是方程式中的已知数，其数值不是由求解模型本身的方程式获得，而是由模型以外的因素产生的。第二大要素是参数，它是用以求出其他变量的常数，一般反映事物之间相对稳定的比例关系。在分析某种自变量的变动引起因变量的数值变化时，常采取偏微分的方式假定其他自变量保持不变，这种不变的自变量就是所说的参数或者常数。第三大要素是随机误差，它是指那些很难预知的随机产生的差错，以及经济资料在统计、整理和综合过程中所出现的差错。随机误差可正可负，或大或小，最终正负误差可以抵消，因而通常忽略不计。

#### 2. 计量经济模型的适用范围

计量经济模型适用于结构分析、经济预测、政策评价、检验与发展经济理论。例如，为证券投资而进行宏观经济分析，一般运用宏观计量经济模型。宏观计量经济模型在宏观总量水平上把握和反映经济运动的较全面的动态特征，主要用于研究宏观经济。

### 10.5.3 投入产出预测法

投入产出预测法是由经济学家华西里·列昂惕夫创立的。他于1936年发表了关于投入产出的第一篇论文《美国经济制度中投入产出的数量关系》，并于1941年出版了《1919—1939年美国经济结构》一书，该书详细地介绍了"投入产出分析"的基本内容；到1953年又出版了《美国经济结构研究》一书，进一步阐述了"投入产出分析"的基本原理和发展。列昂惕夫由于"投入产出分析法"，于1973年获得诺贝尔经济学奖。

#### 1. 投入产出预测法的预测模型

进行投入产出预测的过程涉及编制投入产出表，建立相应的线性代数方程体系，综合分析和确定国民经济各部门之间错综复杂的联系，分析重要的宏观经济比例关系及产业结构等基本问题。投入产出模型是用数学形式体现投入产出表所反映的经济内容的线性代数方程组。

### 2. 投入产出预测法的预测原理

通过编制投入产出表和模型，能够清晰地揭示国民经济各部门、各产业结构之间的内在联系，特别是能够反映国民经济中各部门、各产业之间在生产过程中的直接与间接联系，以及各部门、各产业生产与分配使用、生产与消耗之间的平衡（均衡）关系。正因为如此，投入产出预测法又称为部门联系平衡法。此外，投入产出预测法还可以推广应用于各地区、国民经济各部门和各企业等类似问题的分析。

### 3. 投入产出预测法的特点

（1）投入产出预测法从国民经济是一个有机整体的观点出发，综合研究各个具体部门之间的数量关系（技术经济联系）。整体性是投入产出法最重要的特点。

（2）投入产出表从生产消耗和分配使用两个方面同时反映产品在部门之间的运动过程，也就是同时反映产品的价值形成过程和使用价值的运动过程。

（3）从方法的角度看，投入产出预测法通过各系数，一方面反映在一定技术和生产组织条件下国民经济各部门的技术经济联系，另一方面用以测定和体现社会总产品与中间产品、社会总产品与最终产品之间的数量联系。

（4）投入产出预测法是数学方法和计算机技术的有机结合，由于是多变量、多参数的运算，所以，计算过程需要借助计算机技术实施。

## 本章小结

定量预测是通过数学模型的方法进行预测的，因此它只能在掌握若干统计数据资料的基础上才能应用。时间序列预测法可用于短期、中期和长期预测。根据对资料分析方法的不同，时间序列预测法可分为算术平均法、几何平均法、移动平均法。

时间序列模型和因果关系模型是市场预测中的两种主要的定量预测模型。算术平均法是一种最简便的时间序列预测法，它求出一定观察期内预测目标的时间序列的算术平均数作为下期预测值，包括简单算术平均法和加权算术平均法。移动平均法是从 $n$ 期的时间序列销售量中选取 $m$ 期（$m$ 数值固定，且 $m < n/2$）数据作为样本值，求 $m$ 期的算术平均值，并不断向后移动计算观测期平均值，以最后一个 $m$ 期的平均值作为未来第 $n+1$ 期销售预测值的一种方法。指数平滑法实质上是一种加权平均法，是以事先确定的平滑系数 $a$ 及 $(1-a)$ 作为权数进行加权计算来预测销售量的一种方法。

因果关系预测法包括回归分析预测法、计量经济模型、投入产出预测法。

## 复习思考题

### 一、单项选择题

1. 时间序列模型和（　　）模型是市场预测中的两种主要的定量预测模型。
   A. 从属关系　　　　B. 因果关系
   C. 逻辑关系　　　　D. 互动关系

2. （　　）的原理是根据系统观测到的时间序列数据，通过曲线拟合和参数估计来建立数学模型。
   A. 时间序列分析　　B. 因果关系
   C. 逻辑关系　　　　D. 互动关系

3. 在市场预测过程中，（　　）就是在求平均数时，根据观察期各种资料重要性的不同，分别给予不同的权数加以平均的方法。
   A. 指数平滑法　　　B. 移动平均法
   C. 加权平均法　　　D. 趋势预测法

4. （　　）是根据时间序列逐项推移，依次计算包含一定项数的序时平均数，并以此进行预测的方法。
   A. 指数平滑法　　　B. 移动平均法
   C. 加权平均法　　　D. 趋势预测法

5. 在运用加权平均法时，权重的选择是一个应该注意的问题。（　　）和试算法是选择权重的最简单的方法。
   A. 目测法　　　　　B. 推断法
   C. 经验法　　　　　D. 实验法

6. 指数平滑法是生产预测中常用的一种方法，也用于（　　）经济发展趋势预测。
   A. 中长期　　　　　B. 中期
   C. 短期　　　　　　D. 中短期

7. 在指数平滑法的计算中，关键是 $a$ 的取值大小，但 $a$ 的取值又容易受主观影响，因此合理确定 $a$ 的取值方法十分重要。一般来说，如果数据波动较大，$a$ 值应取（　　）一些。
   A. 大　　　　　　　B. 小
   C. 中　　　　　　　D. 不定

8. （　　）是一种因果关系预测法，是通过分析事物间的因果关系和相互影响的程度，建立适当的计量模型进行预测的方法。
   A. 回归分析法　　　B. 经济计量模型
   C. 投入产出预测法　D. 头脑风暴法

9. （　　）是由著名经济学家华西里·列昂惕夫创立的。
   A. 回归分析法　　　B. 经济计量模型
   C. 投入产出预测法　D. 头脑风暴法

10. 一元线性回归预测法确定直线的方法是（　　），其基本思想是最有代表性的直线应该是直线到各点的距离之和最小。
    A. 最小二乘法　　　B. 最小一乘法
    C. 最小三乘法　　　D. 最大二乘法

### 二、多项选择题

1. 时间序列预测一般反映三种实际变化规律：（　　）。
   A. 趋势变化　　　　B. 周期性变化
   C. 随机性变化　　　D. 集体意见法
   E. 德尔菲法

2. 一个时间序列通常由四种要素组成：（　　）。
   A. 趋势变化　　　　B. 季节变动
   C. 循环波动　　　　D. 不规则波动
   E. 规则波动

3. 因果关系预测包括（　　）等。
   A. 回归分析预测法　B. 计量经济模型
   C. 投入产出预测法　D. 文化方面
   E. 地理环境

4. 计量经济模型主要有（　　）等要素。
   A. 指标　　　　　　B. 经济变量
   C. 参数　　　　　　D. 随机误差
   E. 情景

5. 算术平均法包括（　　）。
   A. 简单算术平均法　B. 加权算术平均法
   C. 几何平均法　　　D. 系数平均法
   E. 移动平均法

## 课堂实训

根据自己入学以来的某科成绩的变化情况,采用算术平均法对自己未来某个时段的成绩进行预测,并说明可能导致预测误差的原因。

## 课外实训

以某商业企业 A 为例,给出 2019—2024 年的历史销售资料,将数据代入指数平滑模型,预测 2025 年的销售额,作为编制销售预算的基础。

## 案例分析

### 时间序列预测类问题下的建模方案探索

#### 一、背景分析

时间序列类问题作为数据分析领域中一类常见的问题,人们有时需要通过观察某种现象一段时间的状态,来判断其未来一段或较长时间的状态。而时间序列就是该种现象某一个统计指标呈现在不同时间上的数值,并且按时间先后顺序排列而形成的数据序列。

时间序列分析主要针对涉及时间序列类问题的两个领域:一个是对历史区间数据的分析,通过对以往数据特征的提炼总结,结合时间序列来进行异常检测和分类;另一个就是对未来数据的分析,根据过去时间点的数据对未来一个时间点或者几个时间点的变化状态或实际值进行预测。

时间序列预测类方法一般在金融领域比较常见,例如股票价格的预测、网点现金流量的预测等,在气象、人口密度预测等领域也有很广泛的应用。传统的时间序列预测模型通常是统计学模型,比如经典的 ARMA 模型系列,它们建立在统计学基础上,需要满足一些基本假设,如平稳性假设等,因此适用场景比较少,在现实中比较容易受条件限制。

随着机器学习和深度学习的兴起,时间序列预测类问题越来越多地被抽象为一元或多元回归问题,从而可以利用机器学习和深度学习的相关模型,不需要受到基本假设的限制,使模型的适用范围更广,受到更多人的青睐。

本文以北京重点区域人群密度情况的预测为例,使用统计学模型 ARMA、机器学习模型 XGBoost 和深度学习模型 LSTM 分别进行建模,并对这三种建模方案在实际操作时的复杂度、运行效率和预测准确度方面进行对比分析,从而直观感受每种建模方案的优缺点,为真实场景中建模方案的选择提供帮助和参考。

#### 二、数据准备

为方便进行模型间的比对,本方案使用的数据集只包括北京 997 个重点区域在 2020 年 1 月 17 日—2 月 15 日这 30 天内每个小时的人群密度数据,总共有 717 840 条记录。数据包含了三个维度,分别是区域 ID、时间戳和人群密度指数,数据格式如图 10-2 所示。

| 区域 ID | 时间戳 | 人群密度指数 |
| --- | --- | --- |
| 0 | 1  2020011700 | 1.8 |
| 1 | 1  2020011701 | 1.5 |
| 2 | 1  2020011702 | 1.3 |
| 3 | 1  2020011703 | 1.3 |
| 4 | 1  2020011704 | 1.7 |

图 10-2 训练样本示例

训练数据和测试数据都以小时为最小时间步长，其中部分区域 30 天内的人群密度指数趋势如图 10-3 所示。

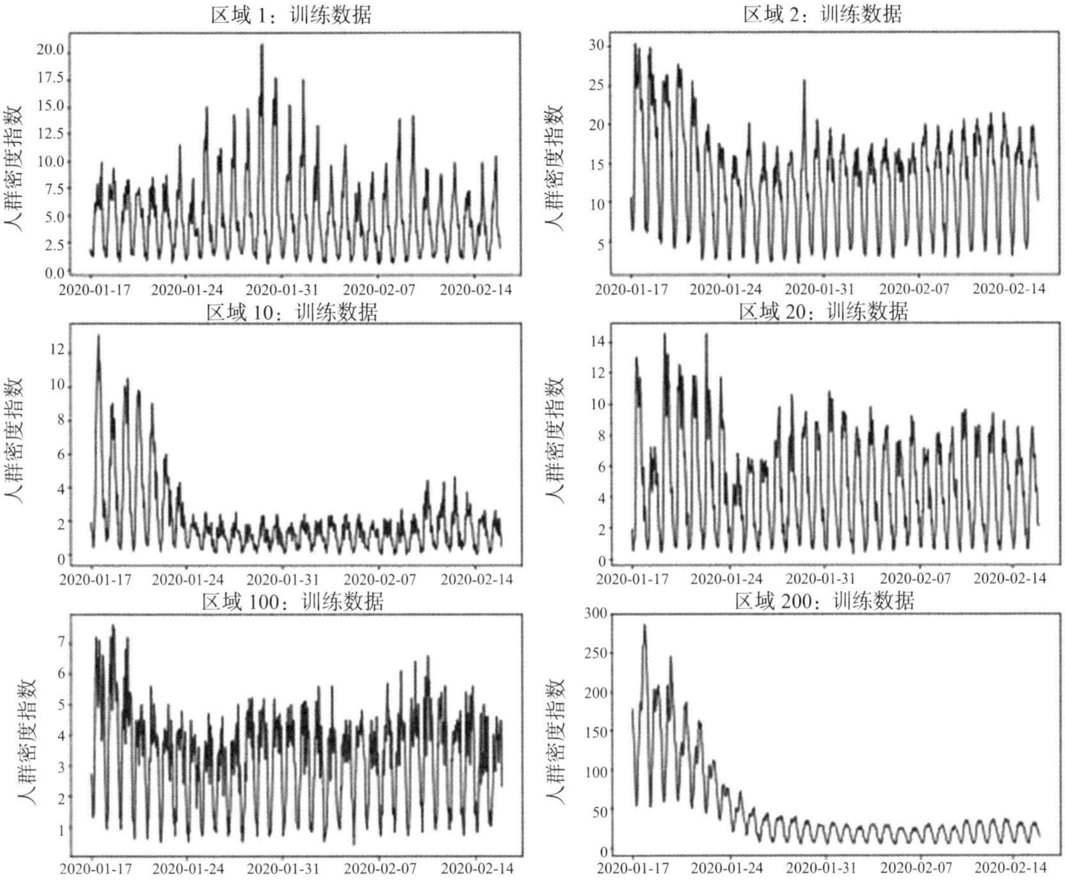

图 10-3 部分重点区域 30 天内的人群密度指数趋势

### 三、数据建模

在进行时间序列预测数据建模之前，首先要进行时间序列的自相关性分析，以此确定训练数据是否符合时间序列的要求。时间序列的自相关性可以理解为时间序列自己与自己（包括不同滞后项）之间的相关性，本案例使用时滞图来观察时间序列的自相关性。时滞图是把时间序列的值及相同序列合并，并在时间轴上将后延的值放在一起来展示，如图 10-4 所示。

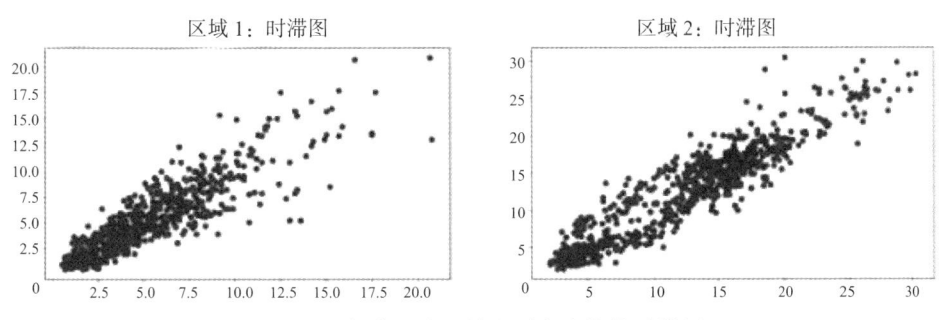

图 10-4 部分重点区域人群密度指数时滞图

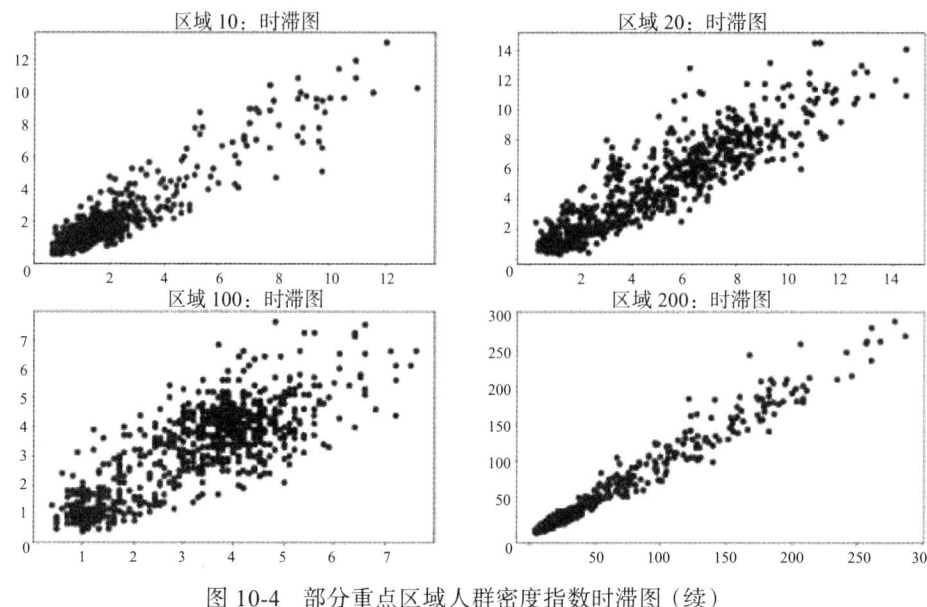

图 10-4　部分重点区域人群密度指数时滞图（续）

通过观察时滞图可以发现，各区域的人群密度指数都在对角线附近聚集，存在明显的正相关性，这说明各区域的人群密度指数序列符合时间序列的基本要求，可以使用相关的模型进行预测。

为了方便评估模型，在总共 30 天的数据中选择前 27 天的数据作为训练集进行模型训练，后 3 天的数据则作为测试集进行模型测试。

资料来源：CSDN 博客，2020 年 5 月 7 日。

**问题：**

1. 本案例中所用的回归模型对分析区域性人群密度变化有何重要作用？
2. 数据准备阶段要做哪些工作？进行时间序列预测建模之前需要完成哪些重要活动？
3. 本案例中重点区域人群密度指数时滞图反映了何种问题？对角线附近聚集数据间存在何种关系？

## 知识解析

# 第 11 章　国际市场调查

## 学习目标

1. 在未来全球化趋势日益明显的情况下，明确国际市场调查的地位和作用。
2. 了解国际市场调查的含义和特点、国际市场信息的来源。
3. 熟悉国际市场调查的内容，掌握国际市场调查的方法和程序。
4. 掌握国际市场调查的新思路。

## 引导案例

### 海尔的全球化与本地化战略

海尔作为中国家电行业的领军企业，其全球化战略的成功离不开深入的国际市场调查和灵活的本地化策略，以下是其主要做法。

#### 1. 深入调查目标市场

海尔在进入海外市场前，会进行详细的市场调查，了解当地消费者的需求、偏好和文化特点。例如，在美国市场，海尔发现当地消费者对大容量冰箱的需求较高，且对产品的外观和功能有独特要求。为此，海尔专门设计了符合美国市场需求的对开门冰箱，并在产品外观上采用简洁大方的设计风格，以适应当地消费者的审美。

#### 2. 本地化生产和运营

海尔通过收购当地企业或建立生产基地，实现本地化生产和运营。例如，在美国，海尔收购了通用电气（GE）的家电业务，不仅获得了当地的生产设施和销售渠道，还保留了 GE 的品牌和员工团队。这种本地化策略不仅降低了生产成本，还减少了文化冲突，提高了市场响应速度。

#### 3. 定制化产品和服务

海尔根据不同国家和地区的市场特点，提供定制化的产品和服务。例如，在印度，海尔推出了适合当地气候和家庭需求的小型冰箱和空调产品；在欧洲，海尔则注重产品的节能和环保性能,以满足当地消费者对环保的高要求。此外,海尔还通过与当地零售商合作,提供优质的售后服务,进一步提升了品牌口碑。

#### 4. 品牌建设和市场推广

海尔在全球范围内积极进行品牌建设和市场推广。通过参加国际家电展会、赞助体育赛事等方式,提升品牌知名度。例如,海尔曾赞助德国足球甲级联赛,通过体育营销提升品牌在欧洲市场的影响力。

资料来源:根据网络公开资料整理。

## 11.1 国际市场调查概述

一个企业要想进入某一新国际市场,往往需要国际市场调查人员提供与此有关的一切信息,包括该国的政治局势、法律制度、文化属性、地理环境、市场特征、经济水平等,这些信息都需要实施国际市场调查才能获得。

### 11.1.1 国际市场调查的含义

国际市场调查是指企业为了成功进入国际市场、开展有效的国际营销活动,运用科学的方法和手段,有目的、有计划地收集、整理、分析与国际市场相关的各种信息和资料,从而为企业的国际市场营销决策提供依据的活动。

国际市场调查通过科学的调查方法与手段,系统地搜集、记录、整理、分析有关国际市场的各种基本状况及其影响因素,以帮助企业制定有效的国际市场营销决策,实现企业经营目标。在现代营销观念的指导下,国际市场调查以满足国际市场消费者需求为中心,研究产品从生产领域拓展到包括国际消费领域的全过程。

以下从国际市场调查的目的和作用两个方面来深入理解其含义。

#### 1. 国际市场调查的目的

帮助企业了解国际市场的机会和威胁,识别潜在的市场需求和消费群体,以便确定是否进入某个国际市场以及选择合适的目标市场。

为企业制定国际市场营销策略提供依据,包括产品定位、价格策略、渠道选择和促销活动等,使企业能够更好地满足国际市场消费者的需求,提高市场竞争力。

#### 2. 国际市场调查的作用

(1)决策支持:为企业的国际市场进入决策、产品研发决策、营销策略制定等提供数据支持和信息保障,使企业的决策更加科学、合理,降低决策风险。

(2)市场预警:及时发现国际市场上的各种变化和潜在问题,如市场需求的变化、竞争对手的新动向、政策法规的调整等,以便企业提前做好应对措施,规避市场风险。

(3)绩效评估:帮助企业评估国际市场营销活动的效果,了解产品在国际市场上的销售情况、市场份额变化、消费者满意度等,为企业调整和优化营销策略提供依据。

## 11.1.2 国际市场调查的特点

国际市场调查与国内市场调查相比，具有以下显著特点。

**1. 调查的范围更广**

（1）地理范围：国际市场调查涉及多个国家和地区，地理跨度大，不同区域的市场在地理环境、气候条件等方面存在差异，这些因素会影响产品的需求和使用情况。例如，热带地区对防暑降温产品的需求较高，而寒带地区对保暖产品的需求更高。

（2）市场主体：涵盖不同国家的消费者、企业、政府等多种市场主体，这些主体在数量、规模、分布等方面较国内市场更为复杂多样。比如，欧美国家的消费者与亚洲国家的消费者在消费习惯和购买能力上有很大不同。

**2. 调查环境更复杂**

（1）文化环境：不同国家有不同的语言、价值观、宗教信仰、风俗习惯等，这些文化因素会深刻影响消费者的购买行为和偏好。

（2）经济环境：各国的经济发展水平、经济体制、汇率波动等情况各异。发达国家和发展中国家的市场需求层次和消费能力差别明显，此外，汇率波动还会影响产品的成本和价格竞争力。

（3）政治法律环境：不同国家的政治体制、政治稳定性以及法律法规各不相同。一些国家政治局势不稳定，可能会给企业带来经营风险；而不同的法律法规，如产品标准、知识产权保护法等，也会对企业的市场调查和营销活动产生重大影响。

**3. 调查信息收集难度大**

（1）语言障碍：在国际市场调查中，需要面对多种语言，问卷翻译、访谈沟通等工作可能会出现信息偏差或误解。例如，将问卷从中文翻译成英文后再到其他非英语国家进行调查，可能会因语言习惯和文化背景的差异导致被调查者对问题的理解不同。

（2）数据来源：不同国家的数据统计口径、统计方法和数据质量参差不齐，有些发展中国家的数据可能存在不完整、不准确的情况，这就需要调查人员对数据进行仔细甄别和验证。

（3）调查渠道差异：各国的市场调查行业发展程度不同，调查渠道和方式也存在差异。在一些发达国家，网络调查和专业调查机构较为发达，但在一些欠发达国家，可能更依赖传统的面对面访谈等方式，这给统一的市场调查带来了困难。

**4. 调查的成本更高**

（1）交通通信成本：国际市场调查往往需要调查人员前往不同国家和地区，交通、住宿、通信等费用较高。而且，跨国的通信和数据传输也可能需要额外的费用和技术支持。

（2）人员成本：需要聘请熟悉当地市场和文化的专业调查人员，或者对调查人员进行跨文化培训，这都会增加人力成本。

（3）时间成本：由于涉及多个国家和地区，调查周期通常较长，从调查计划制订、实施到最终报告出炉，需要耗费大量时间，时间成本较高。

### 5. 调查的风险更大

（1）市场变化风险：国际市场受全球经济形势、地缘政治等因素影响较大，市场变化快速且难以预测。例如，贸易摩擦可能导致某些国家市场的贸易壁垒突然增加，影响产品的进出口和市场销售。

（2）竞争风险：国际市场上竞争对手众多，来自不同国家的企业在技术、品牌、成本等方面各有优势，竞争更加激烈。企业在调查过程中如果不能准确把握竞争对手的动态，就可能会在市场竞争中处于劣势。

## 11.1.3 国际市场信息的来源

国际市场信息是国际市场上各种经济（特别是市场要素）活动和相关环境的数据、资料、情报的统称，反映了国际市场活动的环境变化、特征与趋势等情况。国际市场信息的来源包括国际市场直接信息和国际市场间接信息。国际市场信息的内容包括国际市场环境信息、国际产品信息、国际价格信息、国际销售渠道信息、国际促销信息、竞争信息等。

### 1. 国际市场直接信息

国际市场直接信息是组织或个人亲自搜集、整理、加工的各种原始的第一手信息资料，主要靠实地考察得来。

调查者赴国外实地考察，直接参与各类国际展览会、展销会、交易会，以此观察国际市场动态。驻外销售人员直接走访客户或经销商，组织企业人员到国外相关市场实地调查，以此了解国外消费者的要求。在与外商的直接谈判中获得有关信息，还可以购买国外竞争对手的商品，与自己生产销售的商品进行对比、分析和实验。

### 2. 国际市场间接信息

国际市场间接信息是组织或个人搜集、整理、加工的各种间接信息资料，即二手信息资料。

（1）国际组织发行的资料。这包括联合国的《联合国统计年鉴》《国际贸易统计年鉴》，世界银行的《世界发展报告》，国际货币基金组织的《国际收支统计年鉴》，世界贸易组织的《WTO年度报告》，联合国贸易与发展会议（UNCTAD）的《国际贸易与发展统计年鉴》。

（2）地区性组织发行的资料。这包括欧盟、亚太经合组织、北美自由贸易区、经济合作与发展组织等发行的各种出版物，如《欧洲金融年鉴》。

（3）各国政府发行的资料。如美国政府的《国际贸易报告》《国际经济指南》《世界年鉴》等，其中《世界年鉴》是在美国出版历史最悠久、内容最详细、最综合的一部年鉴。

（4）其他国外机构发行的资料。这包括除国际组织和各国政府外其他私人以及非政府组织发行的一些经济资料，如货币资料与情报股份公司、安必信会计师事务所发行的经济资料等。

（5）出版物。出版物主要包括报纸、贸易杂志、专业杂志、统计专刊、年鉴、专著、手册等上述各机构之外发行的一切出版物。

年鉴类：每年出版的《世界经济年鉴》《中国经济年鉴》《中国对外贸易年鉴》等。

报纸类:《经济日报》《国际商报》《中华工商时报》等。
杂志类:《经济研究》《国际贸易》《世界经济》《管理世界》等。

## 11.1.4 国际营销信息系统

### 1. 国际营销信息系统的含义

国际营销信息系统是由人员、机器、程序构成的人机相互作用、协作的组合系统,企业在进行国际营销的过程中,通过这个系统对目标市场的信息进行搜集、挑选、分析、评价和使用,为国际市场营销管理人员制订、改进营销计划,执行、控制营销活动提供强有力的信息支持。

### 2. 国际营销信息系统建立的原则

在建立国际营销信息系统时,要兼顾长远目标与企业现状,兼顾预期收益和费用投入。在设计系统时,应遵循如下原则。

(1)战略性。系统规划从企业战略目标出发,分析企业内部的业务和管理对信息的需求,总体规划,分步实施。

(2)整体性。整个系统能够完成从信息的搜集、处理到分析的全部功能。

(3)实用性。系统规划要为实施工作提供指导,为进一步实施提供依据;方案选择应追求实用性,必须切合企业的实际情况,不片面地求大、求全。

(4)可操作性。根据企业最紧迫的问题和企业现状,确定系统建设目标。根据目标,设计信息部组织结构和工作流程,指导其开展工作。

### 3. 国际营销信息系统的构成

一个完整的国际营销信息系统包括内部报告系统、营销情报系统、营销调查系统和营销信息分析系统四个方面,它们共同完成企业内外部环境的联通,形成完整的营销信息流循环过程,如图11-1所示。

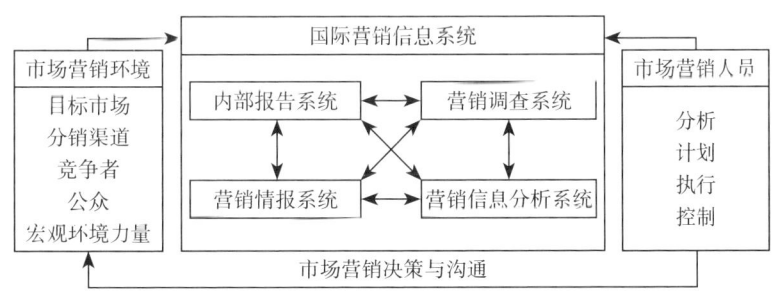

图11-1 国际营销信息系统的构成

(1)内部报告系统。内部报告系统提供企业内部信息,以内部会计系统为主,同时辅之以销售报告系统,集中反映订货、销售、存货、现金流量、应收及应付账款等数据资料。内部报告系统的核心是"订单—发货—账单循环"。

(2)营销情报系统。营销情报系统是跨国经营企业搜集有关目标市场国际营销环境发展变化的信息系统，一般通过企业的营销人员、中间商、市场调查人员完成。

（3）营销调查系统。营销调查系统的主要职能与任务是根据企业国际营销工作面临的主要问题，对与具体的营销决策有关的信息进行系统的搜集、分析和报告。

例如，宝洁公司经常安排营销调查人员到各个部门，对现有的品牌进行调查。公司派出的调查人员分成两个独立的内部调查小组，一组负责广告情况调查，另一组负责市场效果测验。每组成员包括营销经理、调查项目设计人员、统计人员和品牌经理。其中品牌经理还肩负着年度品牌公众知晓度的追踪调查、消费者使用测验汇总和实验调查的任务。每年宝洁公司电话访谈与上门访问次数总和都超过100万次，访问的内容涉及1 000多个调查项目。

（4）营销信息分析系统。营销信息分析系统是分析营销数据的统计模型，即用一些先进的技术和方法来分析市场营销信息，以便更好地进行营销决策。以下列举三种模型。

1）BRANDAID模型。这是一种着重消费包装品的弹性营销组合模型，其组成因素有制造商、竞争者、零售商、消费者和一般环境。此模型包括广告、定价和竞争子模型，用创造性的标准把判断、历史分析、追踪、实地测试和适应性控制结合起来。

2）CALLPLAN模型。这一模型帮助销售人员决定在一定时间内访问预期客户和现有客户的次数。该模型可计算旅行时间和推销时间。美国联合航空公司应用此模型开展了实验小组试验，在一个控制小组的控制下，公司销售额提高了8%。

3）DETAILER模型。这一模型用于帮助销售人员在走访客户时确定准备推销的代表性产品。该模型是为销售人员在访问医生时推荐药厂的新药而设计的，每次访问推荐不超过三个产品。在两次应用中，该模型产生了较好的盈利效果。

## 11.2 国际市场调查的内容

国际市场调查的内容十分丰富且广泛，需要企业在进入国际市场前做充分筹划，对所要调查的方向和手段进一步明确，使调查能够实现设定的目标。

### 11.2.1 国际市场宏观信息调查

国际市场宏观信息调查包括对经济发展信息、社会或政治信息、市场条件信息、市场竞争者信息、科技发展信息等的调查。

1. 经济发展信息

经济发展信息是企业确定国际市场发展方向和目标的重要依据，包括经济环境特征、经济增长速度、通货膨胀率、工商业周期趋势等一般信息和与之相关的价格、税收、外贸等方面的政策资料。

2. 社会或政治信息

社会或政治信息包括影响企业海外业务经营的种种非经济性环境条件的一般信息，如法律体系、语言文字、政治稳定性、社会风俗习惯、文化方式、宗教和道德背景等。

### 3. 市场条件信息

市场条件信息不仅包括有关国家的市场结构与容量、交通运输条件等，还包括对本部门产品的获利能力分析、主要进出口国的需求总量、某商品进出口量在其国内消费或生产的比重等。

### 4. 市场竞争者信息

市场竞争者包括国内、当地及第三国的竞争者。市场竞争者信息一般包括市场竞争结构和垄断程度、主要竞争企业的占有率、当地供货商利用政治影响提高关税和非关税壁垒的可能性等。

### 5. 科技发展信息

科学技术的发展对实现企业长期目标有重大的战略意义，企业应当经常注意和搜集对本企业有价值、别人已经取得的科技成果或发明专利方面的详细信息资料。

## 11.2.2 国际市场营销调查

企业要把产品打入国际市场或从国际市场进口产品，除了需要了解国际市场环境外，还需要了解国际市场营销情况。国际市场营销调查是对国际市场营销组合情况的调查，除了商品及价格外，主要包括对国际市场上消费者的需求特点、购买行为、消费习惯、需求规模和需求趋势等方面的调查。

不同国家消费者对商品的功能、质量、外观、包装等方面的偏好可能存在差异，了解这些有助于企业开发出符合市场需求的产品。国际市场营销调查的主要内容有以下几点。

（1）国际市场商品供给情况：包括商品供应的渠道、来源，国外生产厂家、生产能力、数量及库存情况等。

（2）国际市场商品需求情况：包括国际市场对商品需求的品种、数量、质量要求等。

（3）国际市场商品价格情况：包括国际市场商品的价格、价格与供求变动的关系等。

（4）国际市场竞争对手情况：包括竞争对手的数量、规模、市场份额、产品特点、价格策略、营销渠道、促销手段、竞争对手产品质量、价格、政策、广告、分配路线、占有率等，以及潜在竞争对手的情况，从而帮助企业制定有效的竞争策略，突出自身的竞争优势。

（5）国际市场商品销售渠道：包括销售网络设立、批发商和零售商的经营能力和经营利润、消费者对它们的印象、售后服务等。

（6）国际市场营销宣传：包括消费者购买动机，营销内容、时间、方式、效果等。

每个商品都有自己的销售（进货）渠道，销售（进货）渠道是由不同客户组成的。企业进出口商品必须选择合适的销售（进货）渠道与客户，因此，企业一定要做好国际客户的调查研究。一般说来，国际商务企业对国际客户的调查研究主要包括以下内容。

（1）客户政治情况：主要了解客户的政治背景、与政界的关系、企业负责人参加的党派及对我国的政治态度。

（2）客户资信情况：包括客户拥有的资本和信誉两个方面。资本是指企业的注册资本、实有资本、公积金、其他财产以及资产负债等情况；信誉是指企业的经营作风。

（3）客户经营业务范围：主要是指客户企业经营的商品及其品种。
（4）客户企业业务：客户企业是中间商、使用者、专营商还是兼营商等。
（5）客户经营能力：客户的业务活动能力、资金融通能力、贸易关系、经营方式和销售渠道等。

## 11.3 国际市场调查的方法与程序

国际市场调查是复杂细致的工作，须有严格、科学的方法和程序。

### 11.3.1 国际市场调查的方法

对于企业在国际市场调查中获取的资料，按其获得的途径不同，一般分为两类：一类是通过自己亲自观察、询问、登记获得的资料，称为原始资料；另一类是别人搜集到的资料，调查者根据自己研究的需要，将其取来为己所用，称为二手资料。人们根据资料获取途径的不同，将国际市场调查的方法分为案头调查法和实地调查法。

1. 案头调查法

案头调查法就是第二手资料调查或文献调查，是以在室内查阅的方式搜集与研究项目有关资料的过程。第二手资料的信息来源渠道很多，如企业内部有关资料、本国或外国政府及研究机构的资料、国际组织出版的国际市场资料、国际商会和行业协会提供的资料等。案头调查法通过收集和分析各种已有的信息资料，以对国际市场有一个初步的了解和认识。

2. 实地调查法

实地调查法是国际市场调查人员采用实际调查的方式直接到国际市场上搜集情报信息的方法。采用这种方法搜集到的资料就是第一手资料，也称原始资料。例如，在当地街头进行问卷调查，了解消费者对某类产品的看法和购买意愿；与当地的经销商、零售商进行访谈，了解市场销售渠道和市场动态等。实地调查常用的方法有三种：询问法、观察法和实验法。

具体而言，企业进行国外市场环境、商品及营销情况调查，一般可通过下列渠道、方法进行：派出推销小组深入国际市场，以销售、问卷、谈话等形式进行调查（第一手资料）；通过各种媒体（报纸、杂志、新闻广播、计算机数据库等）及其网站寻找信息资料（第二手资料）；委托国外驻华或我国驻外的商务机构进行调查。

通过以上调查，企业基本上可以解决应选择哪个国家或地区作为自己的目标市场、应该出口（进口）哪些商品以及以什么样的价格或方法出口（进口）等问题。

### 11.3.2 国际市场调查的程序

国际市场调查活动的基本程序包括确定目标、制订计划、开展调查、搜集数据、分析数据、得出结论。

多数企业都是在对众多市场进行评估的基础上，选择最有获利潜力的市场，采用集中型市场经营策略来经营，而评估则主要依赖于国际市场调查。

1. 在国内进行的案头调查

国际市场调查首先要确定调查的目标是什么，因为目标不同的话调查方法也不同。在国内进行的案头调查工作主要有以下三项。

一是进入市场的可行性分析，即在进入国际市场前，首先列出所有的潜在市场，然后分析研究潜在市场必要的信息情报资料。

二是获利的可能性分析，即对国际市场价格、市场需求量等进行了解，以便企业与有关竞争者的产品成本做出比较。

三是市场规模分析，即对所调查的产品或服务在国际市场上的市场规模和潜力进行分析预测。

2. 在国外进行实地调查

在国外进行实地调查是指在国际市场的所在地，向消费者、客户和各种工商企事业单位进行直接调查，取得第一手的市场和商情资料。

在国际市场调查中，对于出口初创阶段的市场、发展潜力大的市场以及售后服务要求高的市场，企业可派出专业人员或小组到当地市场做实地调查，搜集真实可靠的第一手材料。

在国外进行实地调查的初期阶段是只在某些特定市场上对几个关键问题进行调查，之后就需要进入主要市场实地调查。这种调查只在少数几个能提供最大成功机会的市场上进行。

## 11.4 国际市场调查的新思路

随着经济全球化以及数字技术的发展，市场及市场竞争的范围已经扩展到全球，因而国际市场调查成为市场营销理论与实践中十分重要的内容。然而，国际市场调查与国内市场调查存在着很大的差别，这种差别来自对象环境及方法等各个方面。尽管营销学特别是国际市场营销学对国际市场调查产出过不少的理论成果，但它们在解决国际市场调查所面临的问题时常常会陷入困境。因此，在进行国际市场调查时需要有新的思路，新思路从国际市场调查面临的情况、国际市场比较分析模型、国际市场调查中应注意的问题三个方面展开论述。

### 11.4.1 国际市场调查面临的情况

国际市场调查不但内容广泛，而且情况极其复杂，因而比国内市场调查遇到的问题更多、更特别。从总体上讲，国际市场调查面临三方面的情况。

1. 必须搜集多个市场的信息情报

国际市场调查有时需要搜集多个国家的信息情报，而每一个国家的信息情报又千差万别，这会导致调查成本和调查难度增加。由于对各国的调查不能采取统一的模式，在进行各国的替代性研究时，调查人员可能会出现各种偏差。

#### 2. 必须利用二手资料

有些国家的二手资料较多，但大多数国家普遍缺乏二手资料。另外，统计概念在各国的解释口径不一样，收集的资料精确性程度不同，并且二手资料的提供者态度不一定客观公正，这些都影响了二手资料的有限性与不可比性。

#### 3. 必须收集和利用原始资料

国际市场调查人员在收集原始资料时经常会遇到诸如语言、各个国家社会组织多样化、市场有效反映率低、商业及通信的基础设施局限等问题，而且收集费用昂贵，国际市场调查难度不言自明。

### 11.4.2 国际市场比较分析模型

在国际市场调查中，如何克服调查中所面对的情报来源多样化、资料的客观性较差以及文化因素影响等问题？如何把握国际市场环境的共性？如何结合调查结果进行营销决策？国际市场调查的新方法论——国际市场比较分析模型，有助于提高调查数据的质量，可以向调查者提供不同于传统观念的解题新思路。

比较营销调查源自海格勒（T. A. Hagler）1952 年提出的比较研究方法。此方法着眼于整个营销市场管理系统。

#### 1. 营销是环境的函数

比较分析模型强调营销过程和环境的关系，营销过程被视为环境的直接函数。

$$营销决策变量 = F（营销环境变量）$$

一旦环境因素变化，营销决策和营销过程也就随之变化。比较营销分析具体运用的是"对偶国家"分析方法。它先研究一国的环境和成功的营销过程，并根据环境的变化进行调整。

凭借这样的营销组合，麦当劳在美国大获成功。20 世纪 70 年代初，麦当劳准备开拓海外市场，这就需要首先对可能的目标市场进行评估。传统营销理论认为，麦当劳在美国的成功来自其有效的营销战略及其自身的努力。而比较分析模型认为，麦当劳的成功是由于环境变量使得营销组合（环境的函数）获得成功。

两种理论的差别在于：传统营销理论认为，是麦当劳的努力使其获得成功，而比较分析模型认为，麦当劳获得成功的原因是其利用了现有的机会。比较分析模型强调营销组合是现有环境的函数，现有环境能使既定的营销组合成功。这种观念的重要性在于，成功并不单由营销组合决定，企业首先应该考虑如何利用环境，而不是从自身出发制定营销组合。因此，必须分析环境因素。

#### 2. 营销环境要素（变量）

（1）自然环境变量。这类变量主要是指特定市场对产品使用量的自然约束，包括人口、人口密度、地理位置、气候以及产品使用的自然条件（环境、空间等）。人口变量直接影响绝对市场容量，它和气候一样会随时间而发生变化；产品使用条件涉及产品在各种环境下的功能。外向型企业在东道国的成功离不开东道国乃至全球的自然环境要素。

（2）社会环境变量。这类变量涉及与市场环境中社会、人文有关的要素，包括文化背景、教育体制和社会结构（个人角色、家庭结构、社会阶层和参考群体）。社会环境对消费者的期望有重要的影响，它不以自然环境的不同而有所区别。

由于国内营销者在决策营销组合时往往会下意识地一味去迎合当地的社会文化价值观，因此在国际营销中尤其重视这一点。另外，必须排除一部分营销者自觉或不自觉的文化偏见。这就需要客观、公正、系统地考察社会文化环境。在许多成功的外向型企业的案例中，重视社会文化因素对营销组合的影响是企业成功的重要方面。

社会文化互相结合形成了社会文化模式，比较分析模型要求在考察别国的社会文化环境前，先理解本国当前社会文化模式的本质，即社会文化模式对营销组合的影响。

（3）经济环境变量。这一类环境要素不仅包括宏观上的变量，也包括微观上的变量。例如，国民生产总值、人均国民生产总值、价格水平、收入分配以及竞争产品的服务价格等。经济环境要素会对绝大多数消费购买决策产生影响。由于各国收入水平的差异，理性消费者追求效用最大化的含义也不同。即使收入水平相同，不同的物价水平也会改变消费者的购买行为。

国际营销管理者可先从单独分析收入水平和价格入手，然后把两者结合起来分析，以考察其对产品、服务的影响，这种分析模式也称经济模式分析。

比较分析模型认为，经济模式与营销成功的关系在很大程度上可以借鉴国内的情况。在许多成功的外向型企业案例中，影响企业成功的经济变量不但有一国国民收入水平和该国居民的可支配收入情况，而且跟物价水平也有一定关联。这些因素使得国外消费者能够更多地关注企业提供的产品或服务，进而形成一定的满意度和忠诚度。

（4）法律法规环境变量。法律法规不会直接刺激消费者对某一类产品或服务的需求，只会表示消费者的意愿或消费诉求。外向型企业必须清楚地了解与营销决策有关的国际法律法规，并注意这些法律法规在国与国之间的差别，以此作为营销决策的依据。法律法规环境对营销的影响在诸多成功企业的案例中也可得到证实，如针对儿童的电视广告可以促成企业的成功，但在许多国家，尤其是欧洲一些国家（如德国），此类广告是完全被禁止的。

### 3. 分析环境变量

比较分析模型对环境变量的分析与传统的方法不同。无论是罗伯特·巴特尔斯（Robert Barrels）还是瓦伦·金根（Warren Keegan），他们都是在特定的国家、市场考察了环境因素后，试图让营销组合去适应环境。而比较分析模型强调这些环境要素的共性，它通过对环境要素的分析，找出对产品或服务至关重要的环境变量，而这在任何一个国家都是相同的，可将此类变量称为"成功因素"。

从传统营销观念来看，营销者往往把成功因素看成是在主观控制之下的。而比较分析模型把成功因素看成具有客观意义的环境函数，即由许多外部不可控因素组成的特定环境的函数。营销者之所以成功，正是因为充分利用了成功因素的正面效应，即机遇。因此人们只有在发现环境中的机遇时才可能成功。这一观点启发企业尽可能地对环境变量做详细的研究、分析。环境变量对营销的作用越来越大，这一作用可以抵消传统观念的影响，以及因高估管理者自身优势行为而导致的负面效果。

比较分析模型提供了一种研究企业现有市场营销组合和环境之间函数关系的方法论，也提供了一种单独分析关键环境变量的方法，这些变量或者成功因素成为国际市场营销调查的焦点。

### 11.4.3 国际市场调查中应注意的问题

在国际市场调查中，企业仍要处理好各方面的平衡问题，如主观判断与客观情况之间的平衡、企业能力与市场可能之间的平衡、虚拟市场与现实市场之间的平衡。如果调查者忽视这些均衡性问题，则可能导致实际调查中的策略失败，难以达成目的。下面就这些问题概括性地进行说明。

1. 模型结构的一致性

各国在社会、文化、经济、政治等方面均有不同程度的差异，由此所构造的调查模型也会由于内因的不同而无可比性，这就会影响模型的有效性。因此，模型构造的各相关因素必须具有可比性、一致性。一般而言，可将与模型结构相关的要素归纳为如下四个部分。

（1）行为感知。这是指各国消费者对某种消费行为的感知是否可比。例如，在美国，给客人递上一杯咖啡完全是出于礼貌，客人可以拒绝；而在沙特阿拉伯，这种递咖啡的行为被赋予某种社会暗示意义，客人的拒绝可能是一种冒犯。在国际市场调查中，消费行为一般可以从三个方面，即行为内容、行为客体、行为名称进行考查。

（2）定义变量。比较分析模型中的变量在各国会有不同的定义，这会造成所搜集的数据缺乏可比性，从而使模型产生偏差。例如，在英国和法国，餐厅用餐套餐中一般附有甜点，而在中国，套餐中并不一定包括甜点。

（3）时间。市场调查可以在各国同时进行，也可以连续进行或独立进行，而绝对的同步调查是不可能的，这就会使数据产生时间差异。例如，季节、经济周期、通货膨胀等都会给同一变量带来时间差异。

（4）市场结构。对市场结构的分析特别需要考虑市场结构化程度和市场发展阶段等因素，因为不同的分销渠道、广告覆盖率、替代品和竞争激烈程度会影响比较分析模型的函数关系。

2. 测量

测量结果与模型构造有十分密切的关系，但不能认为模型构造的均衡可以自动保证数据测量的均衡。测量可以考查以下问题。

（1）定性标准。例如，产品质量、安全性、等级在各国会有不同的标准。调查者要识别国别间的差异，并尽量使用国际标准。

（2）翻译。即使所构造的模型本身较为完善，但当使用不同语种进行分析时，可能会产生翻译问题从而有损模型的精确性。翻译问题包括语言翻译和非语言翻译问题。在这方面可以广泛借鉴社会学调查方法，如双向翻译法。

### 3. 抽样调查

在国内市场调查中，人们会广泛使用抽样的方法，但在国际市场调查中，抽样会面临两个问题。

（1）分类定义的标准问题。人口抽样根据人口资料分类，但分类标准各国相异。例如，社会地位，美国主要根据调查对象所拥有的财产来评判其社会地位，而英国主要根据调查对象所处的家族、党派在社会中的地位来评判其社会地位。

（2）样本范围和代表性问题。调查者在样本范围和代表性之间要做出权衡。例如，在对包含习惯的样本进行调查时，可以选择年龄、收入、教育、职业等一般化标准以便于分别比较。

从表面上看，比较分析模型与传统的营销环境要素分析十分相似，但由于二者对于环境要素（环境变量）的认识存在本质上的区别，因而二者用同样的资料进行分析所得到的结果也完全不同。当我们在国际市场调查中面临种种问题时，比较分析模型的优越性就显现出来了。

## 本章小结

国际市场信息的来源包括国际市场直接信息和国际市场间接信息。国际市场调查的特点：调查的范围更广、调查环境更复杂、调查信息收集难度大、调查的成本更高、调查的风险更大。一个完整的国际营销信息系统包括内部报告系统、营销情报系统、营销调查系统和营销信息分析系统四个方面。

国际市场调查活动的基本程序包括确定目标、制订计划、开展调查、搜集数据、分析数据、得出结论。

营销环境要素（变量）最重要的环境变量可分为自然环境变量、社会环境变量、经济环境变量和法律法规环境变量四种。

## 复习思考题

### 一、单项选择题

1. 以下哪项不属于国际市场调查新的参数？（　　）
   A. 关税
   B. 国内运输方式
   C. 外币及其币值的变化
   D. 国际化经营的不同模式

2. 国际市场调查中，企业进入国际市场后，面临的新环境要素不包括（　　）。
   A. 当地的政治情况　　B. 国内的经济形势
   C. 当地的文化　　　　D. 当地的法律

3. 目前全球最大市场营销调查组织不包括（　　）。
   A. AC Neilsen
   B. Alibaba
   C. The Kantar Group Ltd
   D. GfK AG

4. 国际市场宏观信息调研中，经济发展信息不包括（　　）。
   A. 经济环境特　　B. 社会风俗习惯
   C. 经济增长速度　　D. 通货膨胀率

5. 国际市场商品情况调查中，不包括对国外市场商品（　　）的调查。
A. 供给情况
B. 需求情况
C. 生产厂家员工福利情况
D. 价格情况

6. 国际市场调查获取资料中，通过自己亲自观察、询问、登记取得的资料称为（　　）。
A. 原始资料　　　B. 二手资料
C. 文献资料　　　D. 案头资料

7. 案头调查法获取的是（　　）。
A. 原始资料　　　B. 二手资料
C. 第一手资料　　D. 实地调研资料

8. 实地调研常用的方法不包括（　　）。
A. 询问法　　　　B. 观察法
C. 推理法　　　　D. 实验法

9. 国际市场调查活动的基本程序中，第一步是（　　）。
A. 制订计划　　　B. 开展调查
C. 确定目标　　　D. 搜集数据

10. 在国内进行的案头调研工作不包括（　　）。
A. 进入市场的可行性分析
B. 市场规模分析
C. 对消费者进行问卷调查
D. 获利的可能性分析

11. 比较营销分析强调营销过程和环境的关系，营销过程被视为环境的（　　）。
A. 间接函数　　　B. 直接函数
C. 无关变量　　　D. 次要因素

12. 营销环境要素中，自然环境变量不包括（　　）。
A. 人口　　　　　B. 教育体制
C. 地理位置　　　D. 气候

13. 法律环境变量对营销的影响是（　　）。
A. 直接刺激对某类产品的需求
B. 表示"可以或不可以"
C. 决定产品的价格
D. 影响产品的质量

14. 在国际市场调查中，关于行为感知，以下说法正确的是（　　）。
A. 各国消费者对某种消费行为的感知一定可比
B. 在美国，给客人递咖啡客人不能拒绝
C. 在沙特阿拉伯，敬咖啡的行为被赋予某种社会暗示意义
D. 消费行为只能从行为内容考查

15. 在国际市场调查的抽样调查中，人口抽样面临的问题不包括（　　）。
A. 分类定义的标准问题
B. 样本范围和代表性问题
C. 抽样人员的性别问题
D. 各国分类标准相异问题

二、多项选择题

1. 国际市场调查的新参数包括（　　）。
A. 关税
B. 外币及其币值的变化
C. 不同的运输方式
D. 各种国际单证
E. 国际化经营的不同模式

2. 国际市场调查的机构有（　　）。
A. 规模较大的国际企业所设的市场调查部门
B. 国际上专门从事调研活动的咨询机构
C. 广告公司
D. 市场调研公司
E. 企业内部的财务部门

3. 国际市场调查的职责包括（　　）。
A. 收集国际市场信息，为企业决策服务
B. 针对企业经营管理问题开展专项研究
C. 监测并评估国际市场营销计划执行情况
D. 对国际市场调查过程进行控制与管理
E. 与企业其他部门协调合作

4. 国际市场宏观信息调研包括（　　）。
A. 经济发展信息
B. 社会或政治信息
C. 市场条件信息

D. 市场竞争者的信息
E. 科技发展的信息

5. 国际贸易商品进出口的国际市场调研主要包括（　　）。
   A. 国际市场环境调研
   B. 国际市场商品情况调研
   C. 国际市场营销情况调研
   D. 国外客户情况调研
   E. 国内市场竞争情况调研

6. 国际市场环境调查包括（　　）。
   A. 国外经济环境
   B. 国外政治和法律环境
   C. 国外文化环境
   D. 国外人口、交通、地理等情况
   E. 国内文化环境

7. 国际市场调查的方法有（　　）。
   A. 案头调查法　　B. 实地调查法
   C. 推理法　　　　D. 猜测法
   E. 想象法

8. 在国外进行实地调查适用于（　　）。
   A. 出口初创阶段的市场
   B. 发展潜力大的市场
   C. 售后服务要求高的市场
   D. 所有国际市场
   E. 国内市场

9. 营销环境要素中的社会环境变量涉及（　　）。
   A. 文化背景
   B. 教育体制
   C. 社会结构
   D. 个人角色
   E. 家庭结构

10. 国际市场调查中应注意的问题包括（　　）。
    A. 模型结构的一致性
    B. 测量问题
    C. 抽样调查问题
    D. 调查人员的数量问题
    E. 调查时间的长短问题

## 课堂实训

国内市场调查与国际市场调查的区别有哪些？结合具体调查情况说明国际市场调查的程序。

## 课外实训

结合跨境电商发展的具体情况，说明国际市场产品定价的影响因素有哪些，如何应对这些因素的变化，以及如何制定科学合理的国际市场价格。

## 案例分析

### 传音控股在非洲市场的成功

传音控股（简称"传音"）是中国一家专注于非洲市场的手机制造商，其在非洲市场的成功主要归功于深入的市场调查和精准的本地化策略。

#### 1. 精准的市场定位

传音在进入非洲市场前，通过广泛的市场调查发现，非洲消费者对手机的需求主要集中在功能手机和入门级智能手机两种，且对手机的拍照、音乐和电池续航等功能有较高要求。为此，传音推出了针对非洲市场的特色产品，如具有超强电池续航能力的手机、支持多卡多待功能的手机,以及优化了肤色识别功能的拍照手机,满足了当地消费者的需求。

### 2. 本地化的营销策略

传音在非洲市场采用了本地化的营销策略。例如,传音与非洲当地的电信运营商和零售商合作,通过渠道优势快速铺货。同时,传音还通过赞助非洲当地的体育赛事和音乐活动,提升品牌知名度。例如,传音曾赞助非洲杯足球赛,通过体育营销与非洲消费者建立了深厚的情感联结。

### 3. 本地化的服务网络

传音在非洲建立了完善的售后服务网络,通过设立售后服务中心和维修点,为消费者提供及时的售后支持。此外,传音还通过本地化的客服团队,提供多语言服务,进一步提升了用户体验。

### 4. 持续的产品创新

传音根据非洲市场的反馈,不断进行产品创新。例如,针对非洲部分地区电力供应不足的问题,传音推出了具有超长待机和快速充电功能的手机;根据非洲消费者热爱音乐的特点,传音推出了具有超强音效功能的手机。这些创新产品帮助传音在非洲市场占据了超过40%的市场份额,成为"非洲手机之王"。

资料来源:根据网络公开资料整理。

**问题:**

1. 传音是如何通过市场调查发现非洲消费者对手机功能的独特需求的?
2. 传音是如何开展市场调查的?这些调查结果如何转化为具体的产品功能设计?
3. 传音是如何通过本地化的营销策略提升品牌知名度和用户忠诚度的?
4. 传音是如何通过本地化的服务网络提升用户体验的?
5. 传音的本地化服务网络对其在非洲市场的市场份额和用户口碑产生了哪些积极影响?

## ◎ 知识解析

# 第 12 章　市场调查与预测的主要数字技术

## ● 学习目标

1. 熟练掌握市场调查数字技术、数据分析流程方法、数字技术应用等基础知识，熟悉某一行业数字技术创新趋势和最新数字技术应用场景。
2. 具备数据敏感度、逻辑思维、创新意识，能够从调查数据中发现问题并提出解决方案。
3. 熟练运用数据分析工具，具备市场用户数据可视化工具使用能力与数字化调研报告撰写能力，能够进行有效沟通和团队协作。

## ● 引导案例

### 沃尔玛蔬菜数据收集与整合

沃尔玛充分利用数字技术，对蔬菜全供应链进行科学有效的管控，其主要应用场景包括以下几方面。

#### 1. 多源数据收集

沃尔玛收集的数据来源广泛，除了自身各门店、电子商务平台以及移动应用上的蔬菜实时销售数据外，还包括仓库和门店的蔬菜库存数据、蔬菜从供应商到分销中心再到门店的运输数据等。同时，沃尔玛将天气预报等外部数据也纳入收集范畴，以获取不同地区的气温、降水、光照等天气信息。

#### 2. 数据清洗与标准化

由于这些数据来自多个不同的系统，因此存在数据格式差异、数据缺失、数据冗余等问题。沃尔玛利用相关技术平台对数据进行清洗和标准化处理，将数据转化为统一的标准格式，填补缺失数据，剔除冗余数据，以确保数据的准确性和完整性，为后续的分析和预测打下可靠基础。

### 3. 纳入天气变量

在构建蔬菜需求预测模型时，沃尔玛将天气数据作为重要的变量纳入其中。例如，考虑到高温天气可能会使人们更多地倾向于购买生菜、黄瓜等可以凉拌或生食的蔬菜，而低温天气可能会增加土豆、萝卜等易于储存和炖煮的蔬菜的需求。通过分析历史销售数据与对应时期的天气数据，找到天气因素与蔬菜销量之间的关联规律。

### 4. 运用先进算法

采用机器学习和深度学习算法，如回归模型、神经网络等。这些算法能够处理多维度数据，捕捉天气数据与蔬菜销量之间的非线性关系和复杂模式，自动识别出对蔬菜销量影响较大的天气因素。例如，暴雨、暴雪等极端天气往往会导致蔬菜整体销量上升，不同蔬菜品种对天气变化的敏感度也不同。

### 5. 时间序列分析

对蔬菜历史销售数据进行时间序列分析，结合天气的季节性和周期性变化，识别出蔬菜销量在不同季节和天气条件下的变化趋势。例如，在夏季的高温时段，某些清凉解暑的蔬菜销量会呈现出规律性的增长；而在冬季的寒冷时期，一些易于长期储存的蔬菜销量可能会增加。

## 12.1 数据收集技术

数据收集技术是指运用各类方法与工具，对相关数据进行收集、整理、记录，以为后续分析和研究提供基础的技术体系。这些数据可以是定量的（如数值、统计数据等），也可以是定性的（如文字描述、观点等）。常见的数据收集技术包括在线调查和大数据驱动的市场调查。

### 12.1.1 在线调查

在线调查是一种通过互联网进行数据收集的方法，具有便捷、高效、低成本与多样化等优点。

#### 1. 便捷

该方法可以使被调查者随时随地通过网络填写问卷，而不受时间和空间的限制。在线调查的便捷主要体现在以下几个方面。

（1）设计与发布。在线调查工具通常提供丰富的模板和简单的拖拽式操作界面，用户无须具备复杂的编程或设计技能，即可快速创建出一份专业的问卷。例如，Zoho Survey 和 Google Forms 等工具可以快速创建问卷，即使是新手也能在短时间内设计出满足需求的问卷。

（2）多渠道发布。在线调查问卷可以通过多种渠道轻松发布，如通过电子邮件发送链接、在社交媒体平台分享、嵌入网站或通过即时通信工具推送等。这种方式能够快速触达广泛的受众群体，大大提高了问卷的传播范围和回收率。

（3）填写与参与。在线调查不受时空限制，只要有网络连接，被调查者就可以在任何时间、任何地点，通过手机、计算机等设备填写问卷。这种灵活性使得更多人能够在方便的时候参与调查，提高了参与率。例如，一些市场调研机构通过在线调查收集消费者意见，消费者可以在购物后、休息时或任何碎片化时间内完成问卷。

### 2. 高效

数据收集速度快，能够在短时间内收集大量数据，并且可以实时统计和分析。从问卷设计、发布到数据收集、分析，整个调查过程的效率都得到了显著提升。调查者可以在短时间内完成大规模的调查，并快速获取分析结果，从而能够更快地做出决策，提高工作效率。在线调查平台通常会提供安全的数据存储服务，用户无须担心数据丢失或损坏的问题。同时，数据的管理和检索也更加便利，调查者可以轻松地对历史数据进行查询、导出和备份。

此外，被调查者提交问卷后，数据会即时上传到服务器，调查者可以实时查看数据收集的进度和结果。这种即时性使得调查者能够及时发现数据收集过程中出现的问题，并迅速做出调整，从而使调查工作更加高效。

### 3. 低成本与多样化

与传统的纸质问卷调查相比，在线调查无须印刷问卷、邮寄、人工分发和回收等环节，大大降低了人力、物力成本。许多在线调查工具还提供免费的基础功能，即使是付费的高级功能，其费用也相对较低，性价比高。同时，大多数在线调查工具都具备强大的数据分析功能，能够自动对收集到的数据进行统计、分析和可视化展示，如生成图表、报告等。这大大节省了人工统计和分析的时间和精力，使调查者能够快速获取有价值的信息，为决策提供依据。

另外，可以设计各种类型的问题，如单选、多选、填空、评分等，还可以插入图片、视频等多媒体元素，增强调查的吸引力。在线调查的实施通常需要借助专业的调查平台或工具，如基于 SSM 框架的问卷调查系统，它涵盖了问卷创建、发布、填写、数据统计分析等模块，能够自动收集问卷数据并生成直观的图表和详细报告。

## 12.1.2　大数据驱动的市场调查

大数据驱动的市场调查是利用大数据技术收集和分析市场数据，以获取市场趋势、消费者行为、竞争对手等信息的方法，其主要特点和优势包括以下三方面。

### 1. 数据量大

能够收集海量的市场数据，包括用户行为数据、交易数据、社交媒体数据等。如图 12-1 所示就是对从智能电视用户中调查得到的 2023—2024 年智能电视开机行为数据进行量化分析后的数据分析图。

### 2. 数据来源广泛

数据来源不仅限于企业内部的数据库，还包括互联网上的公开数据、第三方数据平台的数据等。同时，可以通过不同渠道，实时获取和分析市场数据，及时了解市场动态和消费者需求的变化。

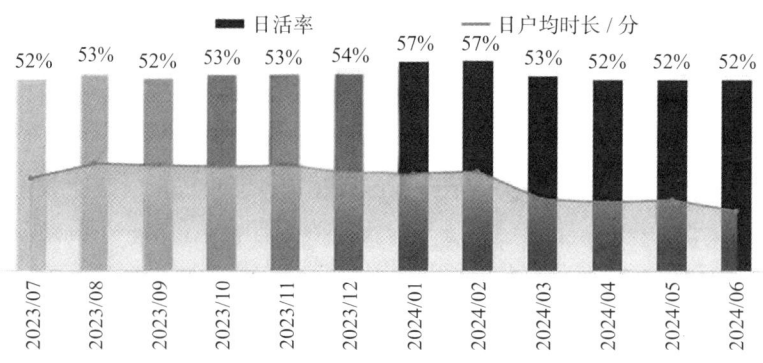

图 12-1　2023—2024 年智能电视开机行为的数据分析图

#### 3. 精准性

通过数据分析算法和模型，能够对市场数据进行深入挖掘和分析，从而得出更精准的市场洞察。例如，利用 GitHub API 爬取数据，以分析行业趋势、评估开发者质量、挖掘优秀开源项目等。

此外，大数据驱动的市场调查还可以通过分析社交媒体上消费者的评论和反馈，了解消费者对产品或服务的看法和需求。

## 12.2　数据处理与分析技术

数据处理与分析技术是指对收集到的数据进行清洗、转换、规约、分析等操作，以提取有价值的信息和知识。数据处理与分析技术在各个领域都有广泛的应用，如市场营销、金融、医疗、教育等。例如，在市场营销中，通过对消费者数据进行分析，可以制定更精准的营销策略；在金融领域，通过对交易数据进行分析，可以进行风险评估和欺诈检测。

市场调查与预测活动中常见的数据处理与分析技术包括以下内容。

### 12.2.1　数据清洗

数据清洗就是去除数据中的噪声、缺失值、重复值、异常值等，使数据更加准确和完整。数据清洗的常用功能有以下几种。

#### 1. 缺失值处理

（1）删除：直接删除包含缺失值的行或列。这种方法适用于缺失值较少且对整体数据分析影响不大的情况。

（2）插值：根据其他样本的值估计缺失值，常用的方法包括均值插值、中位数插值、众数插值等。

（3）使用默认值：为缺失值设定一个合理的默认值，如 0、平均值或某个特定代码。

#### 2. 重复值处理

（1）删除：直接删除所有重复的行，只保留唯一的数据记录。

（2）保留首行或末行：在存在重复行的情况下，选择保留每组重复行的首行或末行，并删除其余行。

（3）自定义：根据业务需求，定义自定义方法来处理重复项，如合并重复项中的某些字段。

### 3．异常值处理

（1）移除：直接删除异常数据点。

（2）修剪：只保留指定百分比的数据，丢弃极端值。

（3）替换：用更接近数据点的指定值替换异常值，如平均值、中位数等。

### 4．数据格式转换

（1）数据类型转换：将数据转换为正确的类型，例如将字符串类型的日期转换为日期类型。

（2）数据编码转换：将不同编码的文本转换为统一编码。

（3）数据格式标准化：确保数据格式一致，例如统一日期格式。

### 5．数据标准化与归一化

（1）标准化：将数据转换为均值为0、标准差为1的分布。

（2）归一化：将数据转换为0～1之间的值。

### 6．数据去重与合并

（1）去重：删除数据集中重复的记录。

（2）合并：将多个数据集合并为一个数据集。

### 7．数据转换

将数据转换为适合分析的格式，如标准化、归一化、离散化等。如图12-2所示就是家庭装修活动中的数据处理效果。

### 8．数据规约

通过数据压缩、降维等方法，缩小数据规模，降低数据复杂度，提高分析效率。

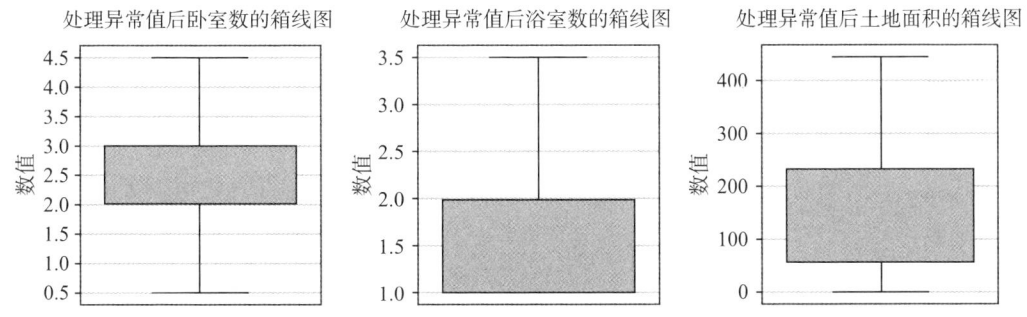

图12-2　家庭装修活动中的数据处理效果图

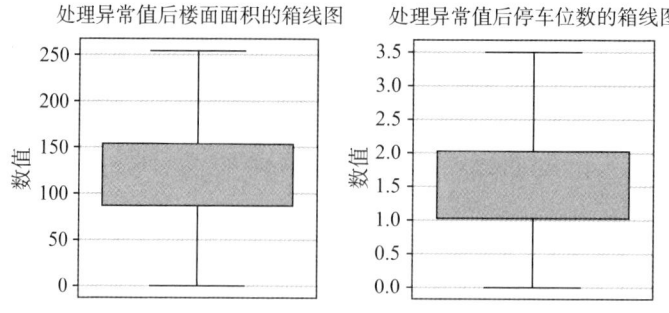

图 12-2　家庭装修活动中的数据处理效果图（续）

9. 数据分析算法

如 C4.5 算法、K- 均值算法、SVM 算法、Apriori 算法等，用于对数据进行分类、聚类、关联规则挖掘等分析。

10. 数据可视化

通过图表、图形、地图等方式直观地展示数据分析结果，帮助用户更好地理解和解释数据。

## 12.2.2　数据清洗的常用工具

### 1. Excel 和 Power Query

（1）Excel 适用于处理中小规模数据集，提供删除重复项、查找和替换、数据排序和筛选等功能。

（2）Power Query：Excel 的插件，专门用于数据清洗和转换，可以连接多种数据源，进行自动化数据清洗。

### 2. OpenRefine

开源工具，适合处理小规模和中等规模的数据集，具有数据画像、清洗、转换等功能，可以处理复杂的数据清洗任务。

### 3. Tableau Prep

企业级数据处理工具，提供直观的拖放界面，支持与 Tableau 的无缝集成，方便将清洗后的数据直接用于可视化分析。

### 4. FineDataLink

低代码、高时效的数据集成平台，支持多种数据源的连接和集成，提供强大的数据清洗和转换功能。

## 12.2.3　SPSS 软件应用

SPSS（Statistical Package for the Social Sciences）是一款广泛应用于社会科学、市场研

究、健康科学等领域的统计分析软件，具有以下功能和特点。

#### 1. 强大的统计分析功能

SPSS 提供了丰富的统计分析特点，如描述性统计、相关性分析、回归分析、因子分析、聚类分析等，能够满足不同研究场景下的数据分析需求。

#### 2. 用户友好的操作界面

SPSS 的操作界面简洁直观，支持菜单驱动和语法编程两种操作方式。对于初学者来说，可以通过菜单操作快速上手；对于高级用户来说，则可以通过编写语法脚本实现更复杂的数据分析。

#### 3. 数据管理与预处理功能

SPSS 能够方便地导入多种格式的数据文件（如 Excel、CSV 等），并提供数据清洗、变量转换、缺失值处理等数据预处理功能，帮助用户准备高质量的分析数据。SPSS 的部分功能如图 12-3 所示。

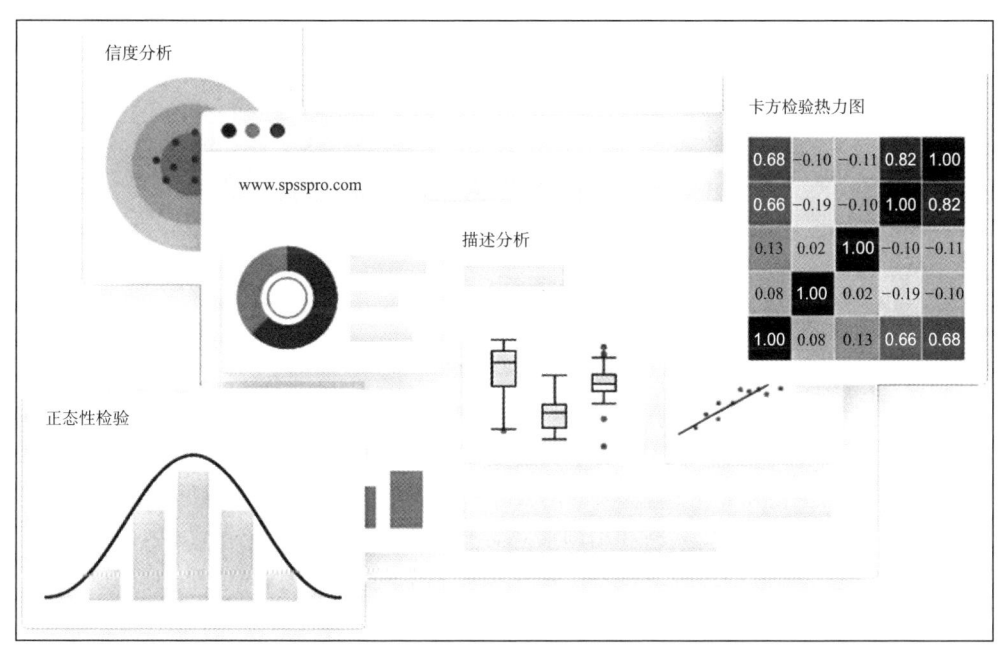

图 12-3　SPSS 的部分功能

#### 4. 可视化功能

SPSS 可以生成各种直观的图表，如柱状图、折线图、散点图、箱线图等，帮助用户更好地理解和展示分析结果。

### 12.2.4　数据挖掘

数据挖掘是从大量数据中提取有价值的市场信息的过程，涉及多种技术和方法，以下是相关内容。

**1. 数字挖掘的常见技术**

（1）分类：将数据分为不同的类别，如决策树、支持向量机等方法。

（2）聚类：将数据分为相似的组，如 $K$-均值聚类、DBSCAN 聚类等。

（3）关联规则：发现数据项之间的关联关系，如 Apriori 算法。

（4）回归：分析变量之间的关系，预测目标变量的值。

（5）异常检测：识别数据中的异常或离群点。

（6）序列模式挖掘：发现数据中的时间序列模式。

（7）预测：结合多种技术预测未来事件。

**2. 数据挖掘的流程**

（1）业务理解：明确数据挖掘的目标和需求。

（2）数据理解：收集和探索数据，评估数据质量。

（3）数据准备：清洗、转换和规约数据，使其适合挖掘。

（4）建模：选择合适的算法和模型，对数据进行挖掘。

（5）评估：根据业务目标评估模型的效果。

（6）部署：将数据挖掘的结果应用于实际市场调查预测的业务中。

**3. 数据挖掘的工具**

除了 SPSS 外，还有 SAS EM、IBM Modeler、Python（如 Scikit-learn、TensorFlow 等）等工具。

数据挖掘的主要应用场景包括：金融行业的欺诈检测、风险评估等；制造业的预测性维护、生产优化等；零售行业的购物篮分析、客户细分等。

## 12.3 预测技术

预测技术是通过分析历史数据和当前信息，利用统计学、机器学习、数据分析等方法对未来事件或趋势进行预测的技术。预测技术在商业、金融、气象、医疗等多个领域都有广泛应用。

### 12.3.1 在线调查平台

在线调查是一种通过互联网平台收集数据的方法，广泛应用于市场调研、用户反馈、学术研究等领域。本小节以问卷星为例介绍在线调查平台。问卷星是中国领先的在线调查平台之一，具有以下特点。

**1. 功能丰富**

（1）问卷设计：提供多种题型（单选、多选、填空、评分等），支持图片、视频等多媒体元素的插入。

（2）数据收集：支持多种渠道发布问卷（微信、微博、QQ等），能够实时收集数据。

（3）数据分析：提供自动化的数据分析功能，能够生成图表和报告，支持数据导出（如Excel、CSV格式）。

2. 模板丰富

问卷星提供多种预设问卷模板，涵盖市场调研、学术研究、满意度调查等多个场景。如图12-4所示就是智慧树平台利用问卷星设计客户满意度问卷的例子。

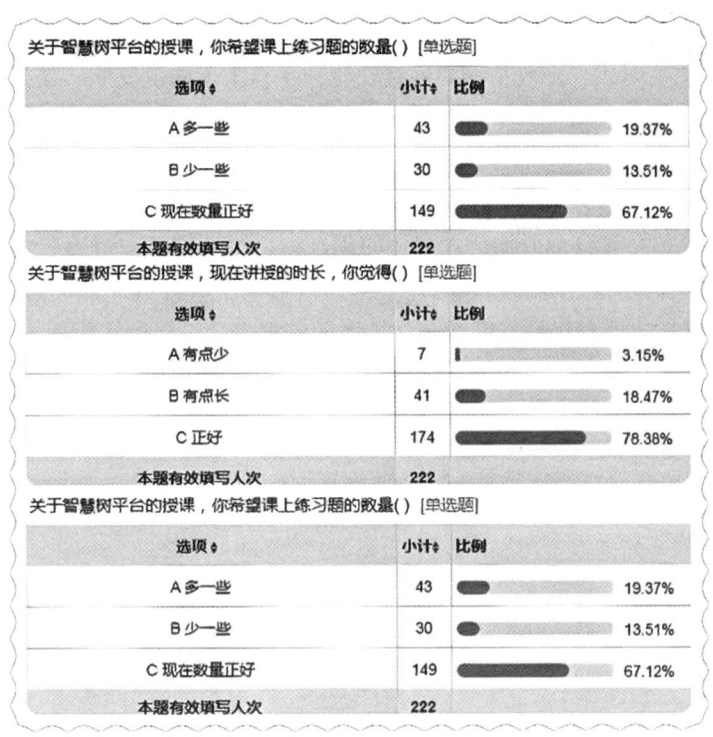

图12-4　智慧树平台利用问卷星设计客户满意度问卷

总之，问卷星应用场景广泛，既包括市场调研，即了解消费者需求、市场趋势、品牌认知度等，也包括用户反馈，即收集用户对产品或服务的评价和建议。

在市场调查与预测的学术研究方面，问卷星主要用于问卷调查、数据收集和初步分析，评估活动效果、收集参与者的反馈信息。

### 12.3.2　实时数据收集

实时数据收集是指通过技术手段在数据产生的瞬间进行采集和传输，以便及时进行分析和处理，而移动应用和社交媒体是实时数据收集的重要渠道，实时数据具有以下几种。

1. 传感器数据

通过手机内置的传感器（如GPS、加速度计、陀螺仪等）收集用户的实时行为数据。

### 2. 用户行为数据

记录用户在应用中的操作行为，如点击、浏览、购买等。

### 3. 地理位置数据

通过 GPS 和网络定位技术获取用户的实时位置信息。

### 4. 推送通知

根据用户实时数据为用户提供的个性化推送通知也是实时数据的一种。

### 5. 社交媒体数据

用户生成内容（UGC），即收集用户在社交媒体平台上发布的文字、图片、视频等内容。

### 6. 实时互动数据

实时互动数据不但可以记录用户点赞、评论、转发等互动行为，而且可以通过话题趋势，分析热门话题和关键词，了解公众关注的焦点和趋势。同时在情感分析方面，可以通过自然语言处理技术分析用户的情感倾向，了解公众对某个事件或产品的态度。如图 12-5 所示，快手虚拟世界互动平台就是借助数字化技术，实现虚拟世界的人机互动。

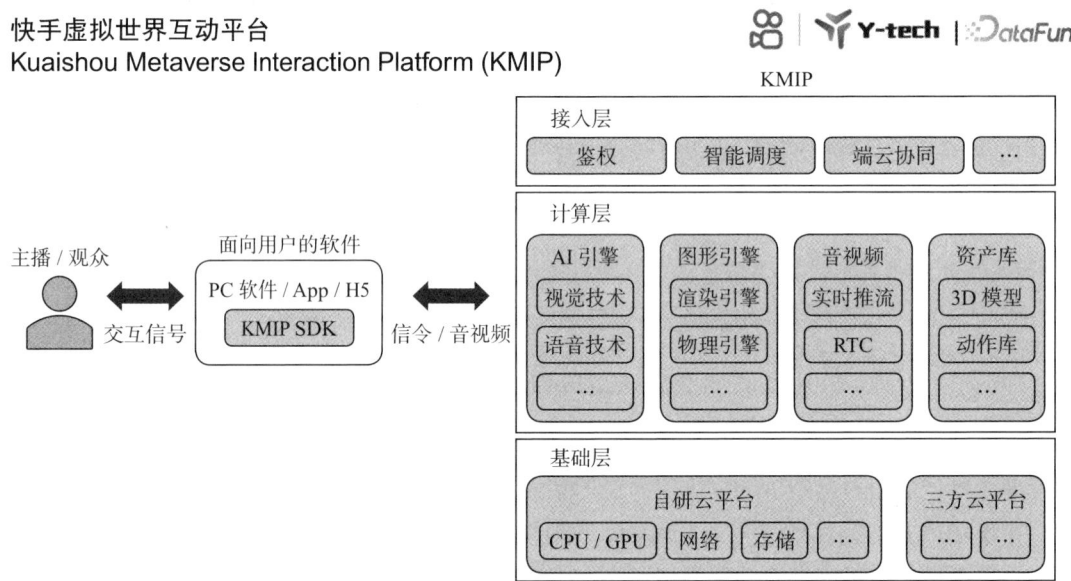

图 12-5　快手虚拟世界互动平台功能示意

## 12.3.3　市场趋势预测

预测技术在多个领域都有广泛应用，典型的应用场景包括以下四个领域。

### 1. 商业领域

销售预测：通过分析历史销售数据和市场趋势，预测未来的销售量，帮助企业优化库存管理和生产计划。

客户流失预测：通过分析客户行为数据，预测客户流失的可能性，提前采取措施挽留客户。

趋势预测：通过分析市场数据和消费者行为，预测市场趋势，为企业制定市场策略提供依据。

### 2. 金融领域

风险评估：通过分析客户的信用记录和行为数据，预测客户的违约风险，帮助金融机构进行风险控制。

股票价格预测：通过分析历史价格数据和市场因素，预测股票价格的未来走势，为投资者提供决策支持。

### 3. 医疗领域

疾病预测：通过分析患者的病历和健康数据，预测患者的发病风险，提前进行干预。

医疗资源需求预测：通过分析历史数据和实时数据，预测医疗资源的需求，优化医疗资源的分配。

### 4. 气象领域

天气预测：通过分析气象数据和模型，预测未来的天气情况，为公众和企业提供气象服务。

通过在线调查平台和实时数据收集，企业和组织可以获取大量有价值的数据，结合市场趋势预测，企业和组织可以获得更精准的决策支持。

## 12.4 数字技术与市场调查报告撰写

在数字时代，市场调查报告的撰写不仅需要准确的数据和深入的分析，还需要借助数字技术来提升报告的可读性和实用性。

### 12.4.1 数据可视化

数据可视化是将复杂的数据以直观的图形、图表、地图等形式展示出来，帮助读者快速理解和分析数据。它是市场调查报告中不可或缺的一部分，能够有效提升报告的可读性和说服力。数据可视化的常见类型分为以下几种。

#### 1. 柱状图和条形图

用于比较不同类别之间的数值大小，如展示不同产品的销售额、不同地区的市场份额等。其优点在于直观易懂，适合展示离散数据。

#### 2. 折线图

用于展示数据随时间的变化趋势，如展示月度销售额、季度利润等时间序列数据，其优点在于能够清晰地展示数据的上升或下降趋势。

### 3. 饼图和圆环图

用于展示各部分占整体的比例关系，如展示市场份额、用户性别比例等。其优点在于直观展示占比关系，适合展示总体与部分的关系。

### 4. 散点图

用于展示两个变量之间的关系，如展示广告支出与销售额之间的关系、用户年龄与购买行为之间的关系。其优点在于能够直观地展示变量之间的相关性。

### 5. 热力图

用于展示数据的密度或强度，如展示不同时间段的用户活跃度、不同地区的销售热度。其优点在于能够直观地展示数据的分布和强度差异。

### 6. 地图可视化

用于展示地理数据，如展示不同地区的市场份额、销售分布、用户分布等。其优点在于能结合地理信息，直观地展示数据的空间分布。

### 7. 仪表盘

用于实时监控关键绩效指标（KPI），如展示实时销售额、用户增长率、用户满意度等。其优点在于可以提供实时监控数据，便于快速决策。

如图 12-6 所示就是医疗运营监控中心数据可视化图，包括了上述的部分可视化工具。

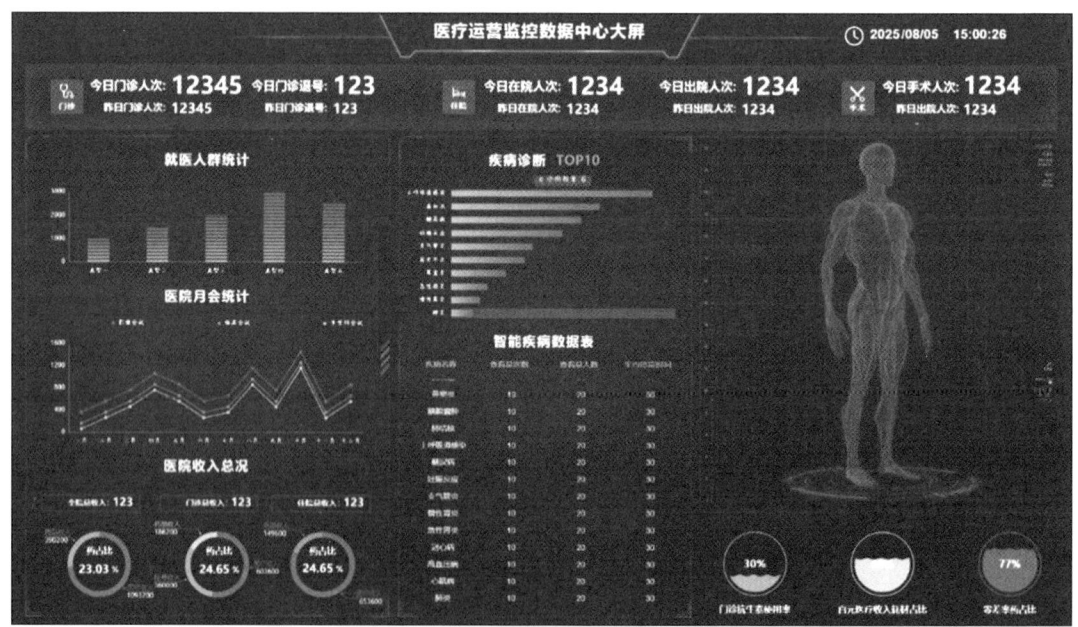

图 12-6　医疗运营监控中心数据可视化图

## 12.4.2 数字化报告编制

数字化报告编制是指利用数字技术进行数据采集、分析、内容生成、编辑及整理，以形成结构化报告（如市场分析报告、行业研究报告等）的创作过程。数字化报告编制不仅能够提升报告的制作效率，还能通过交互式功能和实时数据更新，增强报告的实用性和影响力。数字化报告编制的关键步骤包括以下内容。

### 1. 明确报告目标

确定报告的受众和目的，例如是为企业管理层提供决策支持，还是为市场营销团队提供市场趋势分析。同时要明确报告需要回答的关键问题，如市场份额、用户需求、竞争对手分析等。

（1）数据收集与整理：收集相关数据，包括市场调研数据、销售数据、用户反馈等；使用数据清洗和预处理技术，确保数据的准确性和完整性。

（2）数据分析与可视化：运用数据分析工具（如 SPSS、Python 等）进行深入分析；利用数据可视化工具（如 Tableau、Power BI 等）将分析结果以直观的形式展示出来。

### 2. 报告撰写

撰写报告首先要厘清结构，即报告应有明确的结构，包括引言、数据分析、结论和建议等部分。同时也要语言简洁，即使用简洁明了的语言，避免过多的技术术语。另外要善于使用图表辅助，即在报告中插入相关的图表和可视化内容，帮助读者理解数据。

在数字技术的加持下，要利用好交互功能，即利用数字工具（如 Power BI、Tableau）为报告添加交互功能，如筛选器、下钻功能等，提升用户体验。

### 3. 报告发布与分发

（1）数字格式：将报告保存为 PDF、HTML、PPT 等格式，便于分享和展示。

（2）在线平台：利用企业内部的报告平台或云服务（如 Power BI、Tableau Online）发布报告，方便用户实时访问和更新。

（3）邮件分发：通过邮件将报告发送给相关人员，确保信息的及时传递。

（4）反馈与更新：报告发布与分发后要随时收集用户的反馈意见，了解报告的不足之处。根据反馈和新的数据，及时更新报告内容，确保报告的时效性和准确性。

## 12.4.3 数字化技术编制市场调查报告的典型案例

### 1. 市场趋势分析报告

目标：为企业管理层提供市场趋势分析，帮助制定未来发展战略。

数据来源：市场调研数据、社交媒体数据、销售数据。

可视化内容：使用折线图展示过去三年的市场增长率；使用柱状图比较不同地区的市场份额；使用热力图展示不同地区的用户活跃度。

报告格式：HTML 格式，支持在线查看和交互。

发布平台：企业内部的报告平台，支持实时更新和用户反馈。

2. 用户满意度报告

目标：为产品团队提供用户满意度分析，帮助改进产品。

数据来源：在线问卷调查数据（如问卷星）、用户反馈数据。

可视化内容：使用饼图展示用户满意度的分布，也可以使用折线图展示用户满意度的时间变化趋势。另外，可以使用散点图分析用户满意度与产品功能之间的关系。

报告格式：PDF 格式，便于打印和分享。

发布平台：通过邮件分发给产品团队和管理层。

通过数据可视化和数字化报告编制，市场调查报告不仅能够更直观地展示数据，还能通过实时更新和交互功能提升报告的实用性和影响力。

## 12.5 移动调查技术

移动调查技术是利用移动设备（如智能手机和平板电脑）收集和分析数据的调查方法。它具有高效、便捷、实时性强的特点，能够有效补充传统调查方法的不足。以下是移动调查技术的两个主要方向。

### 12.5.1 移动应用追踪

移动应用追踪是指通过开发专门的移动应用（App），利用设备内置的传感器（如 GPS、加速度计、陀螺仪等）收集用户的行为数据和位置信息，并将其用于分析用户的活动模式、出行习惯等。

（1）数据采集：GPS 数据记录用户的经纬度、速度、定位精度等信息，用于分析用户的出行轨迹。

（2）加速度数据：通过三轴加速度传感器记录用户的运动状态，辅助识别交通方式（如步行、乘车等）。

（3）用户信息：收集用户的年龄、性别、收入等基本信息，用于用户画像和行为分析。

（4）数据分析：包括交通方式识别，即通过小波分析和神经网络算法，识别用户在出行过程中的交通方式转换点，如步行转地铁、公交转步行等；出行链提取，即结合 GPS 轨迹和加速度数据，提取用户的完整出行链，包括出行时间、出行距离、出行目的等。

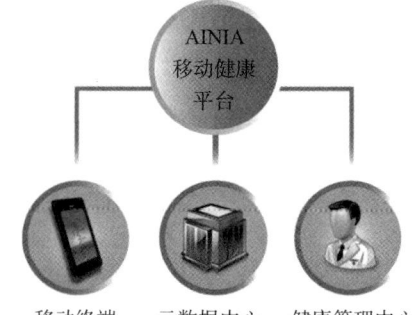

图 12-7　AINIA 移动健康平台的移动数据架构

如图 12-7 所示是 AINIA 移动健康平台的移动数据架构，可以实时跟踪并采集用户的健康情况与运动状况信息。

## 12.5.2 常用的辅助技术

LBS（基于位置的服务）技术、QR（二维码）技术和 AR（增强现实）技术是移动调查中常用的辅助技术，能够丰富数据收集的维度和用户体验。

### 1. LBS 技术

定位服务：通过移动设备的 GPS 和基站定位功能，实时获取用户的位置信息。

应用场景：用于分析用户的地理位置分布、活动区域、驻留点等，支持城市规划、商业选址等。

### 2. QR 技术

数据收集：用户通过扫描二维码快速填写调查问卷或参与活动，提高数据收集的效率。

应用场景：广泛应用于线下活动、广告推广、市场调查等场景。

### 3. AR 技术

沉浸式体验：通过 AR 技术，用户可以在现实场景中叠加虚拟信息，增强交互体验。

应用场景：广泛应用于旅游、教育、商业展示等领域，提供更丰富的信息和互动体验。

总之，移动调查技术通过移动应用追踪和 LBS 技术、QR 技术、AR 技术等技术的结合，能够实现对用户行为和市场位置数据的高效收集与分析。这些技术不仅提升了数据收集的效率和准确性，还为市场调查、交通规划、城市规划等领域提供了更丰富的数据支持和分析手段。

## 12.6 市场调查伦理

市场调查伦理是指在市场调查过程中应遵循的道德规范和行为准则，旨在确保调查活动的合法性、公正性和道德性，同时保护被调查者的权益。市场调查伦理主要包括三个方面。

### 12.6.1 保护隐私

保护隐私是市场调查伦理的核心内容之一。在收集和使用个人数据时，必须确保被调查者的隐私不受侵犯。主要包括以下措施。

明确告知：在收集数据前，必须明确告知被调查者数据的用途、存储方式和保护措施，确保被调查者知情、同意。

匿名化处理：对收集到的个人数据进行匿名化或去标识化处理，避免个人身份信息的泄露。根据数据最小化原则，仅收集实现调研目的所必需的最少数据，避免过度收集。采取差分隐私技术，通过向数据中添加随机噪声，确保单个记录的存在与否不会显著影响最终输出，从而保护个人信息安全。

### 12.6.2 数据安全

数据安全是指在市场调查过程中，确保数据的完整性和保密性，防止数据泄露、篡改或滥用。主要包括以下措施。

　　加密存储：对收集到的数据进行加密存储，确保数据在存储和传输过程中的安全性。
　　访问控制：限制数据访问权限，确保只有被授权人员能够访问敏感数据。
　　定期审计：定期对数据管理系统进行安全审计，及时发现和修复安全漏洞。
　　数据备份：定期备份数据，防止数据丢失或损坏。

### 12.6.3　市场调查与预测软件安全可靠

　　在使用市场调查与预测软件时，必须确保软件的安全性和可靠性，防止数据泄露和恶意攻击。主要包括以下措施。

　　选择可信软件：使用经过验证的、信誉良好的市场调查与预测软件。
　　软件更新：定期更新软件，确保软件的安全性和功能完整性。
　　安全配置：在安装和使用软件时，按照安全提示进行配置，如设置强密码、删除匿名用户、禁止远程root登录等。
　　用户培训：对使用软件的人员进行安全培训，提高其安全意识和操作技能。
　　上述市场调查伦理可以有效保护被调查者的隐私和数据安全，确保市场调查活动的合法性和公正性。

## 本章小结

　　本章系统介绍了数据收集、处理与分析技术及其在市场调查中的应用。首先，数据收集技术包括在线调查和大数据驱动的市场调查。其中，在线调查具有便捷、高效、低成本与多样化的特点，能够快速收集大量数据并实时分析；大数据驱动的市场调查则通过海量数据的分析，提供精准的市场洞察。在数据处理与分析技术方面，本章详细介绍了数据清洗的常用功能和常用工具，SPSS软件应用以及数据挖掘技术。数据挖掘技术如分类、聚类、关联规则等，能够从数据中提取有价值的信息。预测技术则通过历史数据对未来趋势进行预测，广泛应用于商业、金融、医疗和气象等领域。

　　此外，本章还探讨了数字技术与市场调查报告撰写以及移动调查技术，强调了数据可视化和实时数据收集的重要性。最后，介绍了市场调查伦理，强调保护隐私、数据安全、市场调查与预测软件的重要性。通过本章的学习，读者可以全面掌握数据收集、处理与分析的全流程，提升市场调查的能力。

## 复习思考题

**一、单项选择题**

1. 在线调查的主要优势不包括（　　）。
　A. 便捷　　　　　　B. 高效
　C. 高成本　　　　　D. 多样化
2. 在大数据驱动的市场调查中，数据来源广泛，但（　　）不是其数据来源。
　A. 企业内部数据库
　B. 互联网公开数据
　C. 第三方数据平台
　D. 纸质问卷调查

3. 数据清洗中的缺失值处理方法不包括（　　）。
   A. 删除　　　　　　B. 插值
   C. 使用默认值　　　D. 数据格式转换
4. SPSS 软件的主要特点不包括（　　）。
   A. 强大的统计分析功能
   B. 用户友好的操作界面
   C. 高成本
   D. 数据管理与预处理能力
5. 数据挖掘的常见技术中，用于发现数据项之间关联关系的是（　　）。
   A. 分类　　　　　　B. 聚类
   C. 关联规则　　　　D. 回归
6. 问卷星在线调查平台的功能不包括（　　）。
   A. 提供多种题型
   B. 支持多种渠道发布问卷
   C. 自动化数据分析
   D. 纸质问卷打印
7. 在移动应用追踪中，用于记录用户运动状态的传感器是（　　）。
   A. GPS　　　　　　B. 加速度计
   C. 陀螺仪　　　　　D. 摄像头
8. 在市场调查伦理中，保护隐私的核心措施不包括（　　）。
   A. 明确告知　　　　B. 匿名化处理
   C. 差分隐私技术　　D. 数据备份
9. 在数据可视化中，用于展示各部分占整体比例关系的图表类型是（　　）。
   A. 柱状图　　　　　B. 折线图
   C. 饼图　　　　　　D. 散点图
10. 数字化报告编制的关键步骤不包括（　　）。
    A. 明确报告目标　　B. 数据收集与整理
    C. 数据分析与可视化　D. 纸质报告打印
11. 在移动调查技术中，LBS 技术的主要应用场景是（　　）。
    A. 用户行为分析　　B. 用户位置分析
    C. 用户画像　　　　D. 用户情感分析
12. 在数据挖掘流程中，用于评估模型效果的步骤是（　　）。
    A. 业务理解　　　　B. 数据准备
    C. 建模　　　　　　D. 评估
13. 在线调查工具 Zoho Survey 和 Google Forms 的主要优势是（　　）。
    A. 需要复杂的编程技能
    B. 提供丰富的模板和拖拽式的操作界面
    C. 只能通过电子邮件发布
    D. 不支持多媒体元素
14. 在数据处理与分析技术中，用于缩小数据规模，降低数据复杂度的方法是（　　）。
    A. 数据清洗　　　　B. 数据转换
    C. 数据规约　　　　D. 数据可视化
15. 在市场趋势预测中，用于分析历史销售数据以预测未来销售量的技术是（　　）。
    A. 客户流失预测　　B. 销售预测
    C. 股票价格预测　　D. 疾病预测

二、多项选择题

1. 在线调查的优点包括（　　）。
   A. 便捷　　　　　　B. 高效
   C. 低成本　　　　　D. 数据安全性高
2. 数据挖掘的常见技术包括（　　）。
   A. 分类　　　　　　B. 聚类
   C. 关联规则　　　　D. 异常检测
3. 数据清洗的常用工具包括（　　）。
   A. Excel 和 Power Query
   B. OpenRefine
   C. Tableau Prep
   D. FineDataLink
4. 数据挖掘的流程包括（　　）。
   A. 业务理解　　　　B. 数据理解
   C. 数据准备　　　　D. 建模
5. 移动调查技术常用的辅助技术包括（　　）。
   A. LBS　　　　　　B. QR
   C. AR　　　　　　 D. AI

三、简答题

1. 简述在线调查的主要特点和优势。
2. 什么是大数据驱动的市场调查？其主要特

点是什么？
3. 数据清洗的目的是什么？列举几种常见的数据清洗方法。
4. 简述 SPSS 软件的主要功能和应用领域。
5. 数据挖掘的主要应用场景有哪些？
6. 简述数字化报告编制的关键步骤及其重要性。

## 课堂实训

### 在线调查设计与数据分析

使用问卷星或 Google Forms 创建一份关于"大学生消费习惯"的在线问卷，设计至少 10 个问题（包括单选、多选、填空等题型）。发布问卷，并通过社交媒体或班级群收集至少 50 份有效问卷。使用问卷星或 Google Forms 自带的数据分析功能生成数据分析报告，包括图表展示和文字描述。在报告中总结大学生消费习惯的主要特点和趋势。

## 案例分析

### 京东"11·11"购物节引爆消费热潮，详解成功背后的 AI 智慧

在 2024 年的京东"11·11"购物节上，消费者的热情如火如荼，用户数量同比增长超过 20%。这场购物狂欢不仅仅是品牌和特惠的竞争，更是数字化时代 AI 技术应用的真实缩影。在这个特别的日子里，京东通过 AI 技术的推进，成功调动了消费者的购买欲望，让我们一起探讨这一盛事背后的故事以及 AI 技术的应用如何深刻影响了我们的购物体验。

2024 年的"11·11"购物节数据显示，京东的直播销售额同比增长了 3.8 倍。这个巨大的飞跃离不开耳熟能详的直播带货模式，但更重要的是直播背后强大的智能分析系统。通过大数据和 AI 技术，京东能够实时分析消费者的行为，精准推荐商品。在这一过程中，AI 不仅仅是技术支持，更是驱动销售增长的重要动力。品牌和商家们利用 AI 算法更好地理解消费者偏好，为他们提供个性化推荐，从而有效提升了转化率。

此外，在京东"11·11"购物节期间，消费者对产品的关注点出现了明显的变化。特别是在上海，消费者对于户外装备和家居日用品的兴趣急剧上升。比如，护手霜、除湿机等品类的成交额增速均超过 100%。这一变化不仅反映了消费者生活习惯的多元化，也表明他们越来越倾向于关注生活品质和健康。在这一点上，AI 技术同样发挥了关键作用——通过分析历史销售数据和市场趋势，商家可以针对不同地区和年龄段的消费者，调整产品结构和营销策略。

随着更多偏远地区的消费者开始参与到在线购物中，京东的物流服务也在显著改善。借助 AI 技术，京东的物流配送体系得以优化，形成了更加高效的送货网络。2024 年的"11·11"购物节，京东不仅扩大了对乡镇的配送服务范围，还为偏远地区的消费者提供了一站式家电服务，体现了其在技术运用上的深思熟虑。在这一过程中，AI 算法在预测物流需求、路线规划等方面的应用，使消费者能够在最短的时间内收到心仪的产品，这是提升消费者体验的重要一步。

资料来源：搜狐，《京东 11·11 引爆消费热潮，详解成功背后的 AI 智慧》，2024 年 11 月 12 日。

# 参考文献

[1] 庄贵军. 市场调查与预测 [M]. 3版. 北京：北京大学出版社，2020.
[2] 张灿鹏. 市场调查与分析 [M]. 3版. 北京：清华大学出版社，2021.
[3] 刘常宝. 市场调查与预测 [M]. 2版. 北京：机械工业出版社，2021.
[4] 罗洪群，王青华. 市场调查与预测 [M]. 3版. 北京：清华大学出版社，2022.
[5] 刘艳玲. 市场调查与预测 [M]. 4版. 北京：清华大学出版社，2024.
[6] 唐文. 市场调查与预测 [M]. 北京：清华大学出版社，2024.
[7] 霍俊. 实用预测学 [M]. 北京：科学普及出版社，1987.
[8] 张保法. 市场经济预测与决策 [M]. 北京：中国统计出版社，1993.
[9] 龚曙明. 市场调查和预测 [M]. 长沙：中南工业大学出版社，1999.
[10] 胡祖光. 市场调研预测学：原理、方法和应用 [M]. 杭州：浙江大学出版社，1993.
[11] 徐林，王自豪. 市场调查与预测 [M]. 北京：北京大学出版社，2011.
[12] 刘红. 市场调查与预测 [M]. 北京：北京交通大学出版社，2010.
[13] 范云峰. 营销调研策划：中国企业营销调研实战工具书 [M]. 北京：机械工业出版社，2004.
[14] 吴俊杰，陈烨. 国际市场调研的新思路：比较分析法及其应用 [J]. 技术经济与管理研究，2003（4）：78-79.

问题：

1. 在 2024 年的京东"11·11"购物节上，AI 技术如何助力直播带货，使销售额同比增长 3.8 倍？
2. 上海地区消费者在 2024 年的京东"11·11"购物节上对户外装备和家居日用品的兴趣急剧上升，AI 技术如何帮助商家调整产品结构和营销策略？
3. 在 2024 年的京东"11·11"购物节上，AI 技术对消费者购买行为和商家营销策略产生了哪些深远影响？

◎ 知识解析